МАРК ЛЕВИ

Marc Levy

TOUTES CES CHOSES QU'ON NE S'EST PAS DITES

Марк Леви

ТЕ СЛОВА, ЧТО МЫ НЕ СКАЗАЛИ ДРУГ ДРУГУ

ИЗДАТЕЛЬСТВО **ИНОСТРАНКА**

Москва

УДК 821.133.1–3Леви
ББК 84(4Фра)–44
Л36

Перевод с французского
Ирины Волевич

Художественное оформление
Дмитрия Черногаева

Леви М.

Л36 Те слова, что мы не сказали друг другу: Роман / Марк Леви; Пер. с фр. И.Волевич. — М.: Иностранка, 2010. — 480 с.
ISBN 978–5–389–00587–7

За два дня до свадьбы Джулии позвонил секретарь ее отца, Энтони Уолша. Как она и думала, отец — блестящий бизнесмен, но законченный эгоист, с которым она уже давно практически не общается, — не будет присутствовать на церемонии. Правда, на сей раз Энтони нашел поистине безупречный предлог: он умер. Джулия невольно замечает трагикомическую сторону случившегося: отцу всегда был присущ особый дар врываться в ее жизнь, нарушая все планы. В мгновение ока предстоящее торжество обернулось похоронами. Но это, оказывается, не последний сюрприз, приготовленный Джулии отцом...

УДК 821.133.1–3Леви
ББК 84(4Фра)–44

ISBN 978–5–389–00587–7

*Есть два способа смотреть на жизнь:
так, словно на свете не может быть никакого чуда,
или так, словно все на свете – сплошное чудо.*

Альберт Эйнштейн

Посвящается Полине и Луи

1

— Ну и как ты меня находишь?

— Повернись-ка, дай я на тебя гляну еще разок сзади.

— Стенли, ты уже целых полчаса пялишься на меня со всех сторон, у меня больше сил нет торчать на этом подиуме!

— Я бы укоротил: прятать такие ноги, как у тебя, — это просто кощунство!

— Стенли!

— Ты же хотела услышать мое мнение, так? Ну-ка повернись еще разок ко мне лицом! Ага, так я и думал: вырез, что спереди, что сзади, совершенно одинаковый; по крайней мере, если и посадишь пятно, возьмешь да перевернешь платье, и никто ничего не заметит!

— Стенли!!!

— И вообще, что это за выдумки — покупать свадебное платье на распродаже, у-у-ужас! Тогда почему бы не через Интернет?! Ты хотела знать мое мнение — ты его услышала.

— Ну прости, я не могу позволить себе ничего лучшего при моей зарплате компьютерного графика.

— Художницы, принцесса ты моя, не графика, а художницы! Господи, как я ненавижу этот машинный жаргон двадцать первого века!

— Что делать, Стенли, я ведь работаю и на компьютере, и фломастерами!

— Моя лучшая подруга рисует, а потом оживляет своих прелестных зверюшек, так что запомни: с компьютером или без, ты художница, а никакой не компьютерный график; и вообще, что за дела — тебе обязательно нужно спорить по каждому поводу?

— Так мы укорачиваем или оставляем как есть?

— На пять сантиметров, не меньше! И потом, необходимо убрать в плечах и сузить в талии.

— В общем, мне все ясно: ты возненавидел это платье.

— Я этого не говорю!

— Не говоришь, но думаешь.

— Умоляю тебя, разреши мне взять часть расходов на себя, и давай заглянем к Анне Майер! Ну послушай меня хоть раз в жизни!

— Зачем? Чтобы купить платье за десять тысяч долларов? Да ты просто рехнулся! Можно подумать, у тебя есть такие деньги, и вообще — это всего-навсего свадьба, Стенли.

— *Твоя* свадьба.

— Я знаю, — вздохнула Джулия.

— И твой отец, при его-то богатстве, вполне мог бы...

— Последний раз я мельком видела отца, когда стояла у светофора, а он проехал мимо меня по Пятой авеню... и было это полгода тому назад. Так что давай закроем эту тему!

И Джулия, пожав плечами, спустилась с возвышения. Стенли взял ее за руку и обнял.

— Дорогая моя, тебе пошло бы любое платье на свете, я просто хочу, чтобы оно было безупречно. Почему бы не предложить твоему будущему мужу подарить его тебе?

— Потому что родители Адама и без того оплачивают свадебную церемонию, и я чувствовала бы себя намного лучше, если б в его семье прекратились разговоры о том, что он женится на Золушке.

Стенли танцующей походкой пересек торговый зал. Продавцы и продавщицы, увлеченно болтавшие у прилавка рядом с кассой, не обращали на него никакого внимания. Он снял с вешалки у витрины узкое белое атласное платье и вернулся обратно.

— Ну-ка примерь вот это, только не вздумай возражать!

— Стенли, это же тридцать шестой размер, я в него никогда не влезу!

— Делай что тебе говорят!

Джулия закатила глаза и покорно направилась к примерочной, куда указал ей Стенли.

— Стенли, это тридцать шестой размер! — повторила она, скрываясь в кабинке.

Несколько минут спустя занавеску открыли — рывком, так же решительно, как только что задернули.

— Ну вот, наконец-то я вижу нечто похожее на свадебное платье Джулии! — воскликнул Стенли. — Пройдись-ка еще разок по подиуму.

— А у тебя не найдется лебедки, чтобы затащить меня туда? Стоит мне поднять ногу...

— Оно тебе чудо как идет!

— Возможно, но если я проглочу хоть одно печеньице, оно лопнет по швам.

— Невесте не подобает есть в день свадьбы! Ничего, чуточку распустим вытачку на груди, и ты будешь смотреться как королева!.. Слушай, нас когда-нибудь удостоит вниманием хотя бы один продавец в этом чертовом магазине?

— По-моему, это я сейчас должна нервничать, а не ты!

— Я не нервничаю, я просто поражаюсь, что за четыре дня до свадебной церемонии именно я должен таскать тебя по магазинам, чтобы купить платье!

— У меня в последнее время работы было по горло! И пожалуйста, не проговорись Адаму о сегодняшнем дне, я ему еще месяц назад поклялась, что все готово.

Стенли взял подушечку с булавками, оставленную кем-то на подлокотнике кресла, и опустился на колени перед Джулией.

13

— Твой будущий муж не понимает, как ему повезло: ты просто чудо.

— Хватит придираться к Адаму. И вообще, в чем ты его упрекаешь?

— В том, что он похож на твоего отца...

— Не болтай глупостей. У Адама нет ничего общего с моим отцом; кроме того, он его терпеть не может.

— Адам — твоего отца? Браво, это очко в его пользу!

— Да нет же, это мой отец ненавидит Адама.

— О, твой родитель ненавидит все, что к тебе приближается. Если бы у тебя была собака, он бы ее искусал.

— А вот и нет: если бы у меня была собака, она бы сама искусала моего отца, — рассмеялась Джулия.

— А я говорю, что твой отец искусал бы собаку!

Стенли поднялся и отступил на несколько шагов, любуясь своей работой. Покачав головой, он испустил тяжкий вздох.

— Ну что еще? — насторожилась Джулия.

— Оно безупречно... или нет, это ты безупречна! Дай-ка я прилажу тебе пояс, а потом можешь вести меня обедать.

— В любой ресторан на твой выбор, Стенли, милый!

— Солнце так жарит, что мне подойдет ближайшая терраса кафе — при условии, что она будет в тени и что ты перестанешь дрыгаться, иначе я никогда не закончу с этим платьем... почти безупречным.

— Почему почти?

— Потому что оно продается с уценкой, моя дорогая!

Проходившая мимо продавщица спросила, не нужна ли им помощь. Величественным взмахом руки Стенли отверг ее предложение.

— Ты думаешь, он придет?

— Кто? — спросила Джулия.

— Твой отец, дурочка!

— Кончай говорить о моем отце. Я же тебе сказала, что уже много месяцев ничего о нем не слышала.

— Ну, это еще ничего не значит...

— Он не придет!

— А ты ему давала знать о себе?

— Слушай, я давным-давно отказалась посвящать в свою жизнь личного секретаря отца, потому что папа то в отъезде, то на совещании, и ему некогда лично побеседовать со своей дочерью.

— Но хоть извещение о свадьбе ты ему послала?

— Ты скоро закончишь?

15

— Сейчас, сейчас! Вы с ним похожи на старую супружескую чету: он ревнует. Впрочем, все отцы ревнуют своих дочерей! Ничего, это у него пройдет.

— Смотри-ка, я впервые слышу, что ты его защищаешь. Если уж мы и похожи на старую супружескую чету, то на такую, которая развелась много лет назад.

В сумке Джулии зазвучала мелодия "I Will Survive"[1]. Стенли вопросительно взглянул на свою подругу:

— Дать тебе мобильник?

— Это наверняка Адам или из студии...

---

1 "Я буду жить" (*англ.*).

— Только не двигайся, а то испортишь всю мою работу. Сейчас я его принесу.

Стенли запустил руку в бездонную сумку Джулии, извлек из нее мобильник и вручил хозяйке. Глория Гейнор тотчас смолкла.

— Слишком поздно, уже отключились, — шепнула Джулия, взглянув на обозначившийся номер.

— Так кто это — Адам или с работы?

— Ни то ни другое, — угрюмо ответила Джулия.

Стенли пытливо посмотрел на нее:

— Ну что, будем играть в угадайку?

— Звонили из офиса отца.

— Так перезвони ему!

— Ну уж нет! Пусть звонит сам.

— Но он только что именно это и сделал, не так ли?

— Нет, это сделал его секретарь, я же знаю его номер.

— Слушай, ты ведь ждешь этого звонка с той самой минуты, как опустила в почтовый ящик извещение о свадьбе, так брось эти детские обиды. За четыре дня до вступления в брак не рекомендуется впадать в стресс, иначе у тебя вскочит огромная болячка на губе или багровый фурункул на шее. Если ты этого не хочешь, сейчас же набери его номер.

— Чего ради? Чтобы Уоллес сообщил мне, что мой отец искренне огорчен, поскольку именно в этот день должен уехать за границу и, увы, не сможет отменить поездку, запланированную много месяцев назад? Или, например, что у него аккурат на этот день намечено дело чрезвычайной важности? Или придумает еще бог знает какое объяснение.

— А вдруг твой отец скажет, что будет счастлив прийти на бракосочетание дочери и звонил, просто желая удостовериться, что она усадит его на почетное место за свадебным столом?

— Моему отцу плевать на почет; если он и явится, то выберет место поближе к раздевалке — конечно, при условии, что рядом будет достаточно смазливая молодая женщина.

— Ладно, Джулия, забудь о своей ненависти и позвони... А впрочем, делай как знаешь, только предупреждаю: вместо того чтобы наслаждаться свадебной церемонией, ты все глаза проглядишь, высматривая, пришел он или нет.

— Вот и хорошо, это отвлечет меня от мыслей о закусках, ведь я не смогу проглотить ни крошки, иначе платье, что ты мне выбрал, лопнет по швам.

— Ну, милочка, ты меня достала! — едко сказал Стенли и направился к выходу. —

Давай пообедаем как-нибудь в другой раз, когда ты будешь в более подходящем настроении.

Джулия оступилась и чуть не упала, второпях спускаясь с подиума. Она догнала Стенли и крепко обняла:

— Ну прости, Стенли, я не хотела тебя обижать, просто я очень расстроена.

— Чем — звонком от отца или платьем, которое я так неудачно выбрал и подогнал по тебе? Кстати, обрати внимание: ни один шов не лопнул, когда ты так неуклюже спускалась с подиума.

— Твое платье великолепно, а ты — мой лучший друг, и без тебя я никогда в жизни не решилась бы пойти к алтарю.

Стенли внимательно посмотрел на Джулию, вынул из кармана шелковый платок и вытер ее мокрые глаза.

— Ты действительно хочешь прошествовать к алтарю под ручку с ненормальным приятелем или, может, у тебя родился коварный замысел — заставить меня изображать твоего сволочного папеньку?

— Не обольщайся, у тебя недостаточно морщин, чтобы выглядеть в этой роли правдоподобно.

— Балда, это же я тебе делаю комплимент, намекаю, как ты еще молода.

— Стенли, я хочу, чтобы к моему жениху подвел меня именно ты! Ты, и никто другой!

Он улыбнулся и мягко сказал, указывая на мобильник:

— Позвони отцу! А я пойду и дам кое-какие распоряжения этой идиотке-продавщице, — она, по-моему, знать не знает, как обращаться с клиентами; растолкую ей, что платье должно быть готово послезавтра, а потом мы наконец пойдем обедать. Давай, Джулия, звони скорей, я умираю с голоду!

Стенли развернулся и направился к кассе. По дороге он украдкой взглянул на Джулию и увидел, что она, поколебавшись, все же набирает номер. Он воспользовался моментом и незаметно вынул собственную чековую книжку, рассчитался за платье, за подгонку и приплатил за срочность: оно должно быть готово через два дня. Сунув квитанции в карман, он вернулся к Джулии как раз, когда она выключила мобильник.

— Ну что, придет? — нетерпеливо спросил он.

Джулия покачала головой.

— И какой же предлог он выставил на сей раз в свое оправдание?

Джулия глубоко вздохнула и пристально взглянула на Стенли:

— Он умер!

19

С минуту друзья молча смотрели друг на друга.

— Н-да, предлог, должен сказать, безупречный, не подкопаешься! — наконец пробормотал Стенли.

— Слушай, ты что, совсем сдурел?

— Извини, так просто вырвалось... сам не знаю, что на меня нашло. Я тебе очень сочувствую, дорогая.

— А я ничего не ощущаю, Стенли, ровно ничего — ни малейшей боли в сердце, даже поплакать не хочется.

— Не беспокойся, все придет потом, до тебя пока еще не дошло по-настоящему.

— О нет, дошло.

— Может, позвонишь Адаму?

— Только не сейчас, попозже.

Стенли обеспокоенно взглянул на свою подругу:

— Ты не хочешь сообщить жениху, что твой отец сегодня умер?

— Он умер вчера вечером в Париже; тело доставят самолетом, похороны через четыре дня, — еле слышно сказала Джулия.

Стенли быстро подсчитал, загибая пальцы.

— То есть в эту субботу! — воскликнул он, вытаращив глаза.

— Вот именно, как раз в день моей свадьбы, — прошептала Джулия.

Стенли тотчас направился к кассе, аннулировал покупку и вывел Джулию на улицу.

— Давай-ка *я* приглашу тебя на обед!

———

Нью-Йорк был залит золотистым светом июньского дня. Друзья пересекли Девятую авеню и направились к "Пастису" — французскому ресторану с настоящей французской кухней в стремительно менявшемся квартале Meat Packing District[1]. За последние годы старинные склады уступили место роскошным магазинам и бутикам ультрамодных кутюрье. Престижные отели и торговые центры вырастали тут как грибы. Бывшая заводская узкоколейка превратилась в зеленый бульвар, который тянулся вплоть до Десятой улицы. Первый этаж старого завода, уже прекратившего свое существование, занимал рынок биопродуктов, на других этажах обосновались производственные компании и рекламные агентства, а на самом верху располагалась студия, где работала Джулия. Берега Гудзона, также благоустроенные, стали теперь длинной прогулочной зоной для велосипедистов, любителей бега трусцой и влюбленных безумцев, облюбовавших манхэттенские ска-

———

1 Район мясных складов (*англ.*).

21

мейки, — прямо как в фильмах Вуди Аллена. Уже с вечера четверга квартал заполоняли обитатели соседнего Нью-Джерси, они переправлялись через реку, чтобы побродить по набережной и развлечься в многочисленных модных барах и ресторанах.

Когда друзья наконец устроились на открытой террасе "Пастиса", Стенли заказал два капучино.

— Мне давно следовало бы позвонить Адаму, — виновато сказала Джулия.

— Если только для того, чтобы сообщить о смерти отца, то несомненно. Но если ты хочешь заодно сказать ему, что придется отложить свадьбу, что нужно предупредить священника, ресторатора, гостей, а главное, его родителей, тогда все это может немного подождать. Смотри, какая чудная погода, — пусть Адам поживет спокойно еще часок, прежде чем ты испортишь ему день. И потом, у тебя траур, а траур все извиняет, так воспользуйся этим!

— Как я ему скажу?..

— Дорогая моя, он должен понять, что довольно трудно и похоронить отца, и выйти замуж в один и тот же день; но даже если ты сама сочтешь это возможным, то скажу тебе сразу: другим эта мысль покажется совершенно недопустимой. Господи боже мой, и как это могло случиться?!

— Поверь, Стенли, господь бог тут совершенно ни при чем: эту дату выбрал мой отец — и только он один!

— Ну-у-у, я не думаю, что он решил умереть вчера вечером в Париже с единственной целью — помешать твоей свадьбе, хотя признаю, что он проявил вполне изысканный вкус, выбрав такое место для своей кончины!

— Ты его не знаешь, он способен на все, лишь бы заставить меня поплакать!

— Ладно, пей свое капучино, наслаждайся жарким солнышком, а потом будем звонить твоему будущему супругу!

23

2

Колеса "боинга-747" компании "Эр Франс" со скрежетом коснулись посадочной полосы аэропорта Кеннеди. Стоя у застекленной стены зала прилетов, Джулия смотрела на длинный гроб из красного дерева, плывущий по транспортеру вниз к катафалку. Офицер полиции аэропорта пришел за ней в зал ожидания. Джулия, секретарь ее отца, ее жених и ее лучший друг сели в мини-кар, который подвез их к самолету. Чиновник американской таможенной службы ждал ее у трапа, чтобы передать пакет, где были деловые бумаги, часы и паспорт покойного.

Джулия перелистала паспорт. Многочисленные визы красноречиво говорили о последних месяцах жизни Энтони Уолша: Санкт-Петербург, Берлин, Гонконг, Бомбей,

Сайгон, Сидней... Сколько городов, где она никогда не бывала, сколько стран, которые ей так хотелось повидать вместе с ним!

Пока четверо мужчин суетились возле гроба, Джулия думала о далеких путешествиях отца в те годы, когда она, еще совсем девчонка-забияка, по любому поводу дралась на переменках в школьном дворе.

Сколько ночей провела она без сна, дожидаясь возвращения отца, сколько раз утром, по дороге в школу, прыгала по плиткам тротуара, играя в воображаемые классики и загадывая, что, если вот сейчас она не собьется, сегодня он уж наверняка приедет. А иногда ее горячая ночная молитва и в самом деле сотворяла чудо: дверь спальни открывалась, и в яркой полосе света появлялась тень Энтони Уолша. Он садился у нее в ногах и клал на одеяло маленький сверточек — его следовало распечатать поутру. Этими подарками было озарено все детство Джулии: из каждого путешествия отец привозил дочери какую-нибудь забавную вещицу, которая хоть немного рассказывала ей о том, где он побывал. Кукла из Мексики, кисточка для туши из Китая, деревянная фигурка из Венгрии, браслет из Гватемалы — для девочки это были подлинные сокровища.

А потом у ее матери появились первые симптомы душевного расстройства. Джулия по-

25

мнила, какое смятение охватило ее однажды в кино, на воскресном сеансе, когда мать в середине фильма вдруг спросила, зачем погасили свет. Ее разум катастрофически слабел, провалы в памяти, поначалу незначительные, становились все серьезней: она начала путать кухню с музыкальным салоном, и это давало повод для душераздирающих воплей: "Куда исчез рояль?" Вначале она удивлялась пропаже вещей, потом стала забывать имена тех, кто жил с ней рядом. Настоящим ужасом был отмечен день, когда она воскликнула при виде Джулии: "Откуда в моем доме взялась эта хорошенькая девочка?" И бесконечная пустота того декабря, когда за матерью приехала "скорая": она подожгла на себе халат и спокойно наблюдала, как он горит, очень довольная, что научилась добывать огонь, закуривая сигарету, а ведь она никогда не курила.

Вот такая была мама у Джулии; несколько лет спустя она умерла в клинике Нью-Джерси, так и не узнав родную дочь. Траур совпал с отрочеством Джулии, когда она бесконечными вечерами корпела над уроками под присмотром личного секретаря отца — сам он по-прежнему разъезжал по свету, только поездки эти становились все более частыми, все более долгими. Потом был колледж, университет и уход из университета, чтобы отдаться наконец своей единственной страсти — анимации своих персонажей, она сначала рисовала их фломастерами, а потом оживляла на экране компьютера. Зверюшки почти с человеческими чертами, верные спутники и сообщники... Достаточно было одного росчерка ее карандаша, чтобы они улыбнулись ей, одного клика мыши, чтобы осушить их слезы.

— Мисс Уолш, это удостоверение личности вашего отца?

Голос таможенника вернул Джулию к действительности. Вместо ответа она коротко кивнула. Служащий поставил подпись на бланке и печать на фотографии Энтони Уолша. Эта последняя печать в паспорте с множеством виз больше не говорила ни о чем — только об исчезновении его владельца.

Гроб поставили в длинный черный катафалк. Стенли сел рядом с шофером, Адам, открыв дверцу перед Джулией, бережно подсадил ее в машину. Личный секретарь Энтони Уолша примостился на скамеечке сзади, возле гроба с телом хозяина. Машина покинула летное поле, вырулила на автотрассу 678 и взяла курс на север.

В машине царило молчание. Уоллес не сводил глаз с гроба, скрывавшего останки его бывшего работодателя. Стенли упорно разглядывал свои руки, Адам смотрел на Джулию, Джулия созерцала серенький пейзаж нью-йоркского предместья.

— Вы по какой дороге поедете? — спросила она шофера, когда впереди показалась развязка, ведущая к Лонг-Айленду.

— По Уайтстоун-Бридж, мэм, — ответил тот.

— А вы не могли бы поехать по Бруклинскому мосту?

Шофер тотчас включил поворотник и перестроился в другой ряд.

— Но так нам придется сделать огромный крюк, — шепнул Адам, — он же ехал по самому короткому маршруту.

— День все равно испорчен, так почему бы нам его не порадовать?

— Кого? — спросил Адам.

— Моего отца. Давай подарим ему последнюю прогулку по Уолл-стрит, по Трибеке и Сохо, да и по Центральному парку тоже.

— Согласен, день все равно испорчен, так что если хочешь порадовать отца... — повторил Адам. — Но тогда необходимо предупредить священника, что мы опоздаем.

— Адам, вы любите собак? — спросил Стенли.

— Да... в общем, да... только они меня не любят. А почему вы спросили?

— Да так, просто интересно, — туманно ответил Стенли, опуская стекло со своей стороны.

Фургон пересек остров Манхэттен с юга на север и часом позже свернул на Двести триста третью улицу.

У главных ворот Вудлонского кладбища поднялся шлагбаум. Фургон въехал на узкую дорожку, обогнул центральную клумбу, миновал ряд фамильных склепов, поднялся по откосу над озером и затормозил перед участком, где свежевырытая могила была готова принять своего будущего обитателя.

Священник уже ждал их. Гроб установили на козлы. Адам направился к священнику, чтобы обговорить последние детали церемонии. Стенли обнял Джулию за плечи.

— О чем ты думаешь? — спросил он ее.

— О чем я могу думать в тот момент, когда хороню отца, с которым не разговаривала уже много лет?! Ты всегда задаешь ужасно странные вопросы, дорогой мой Стенли.

— Нет, на сей раз я спрашиваю вполне серьезно: о чем ты думаешь именно теперь? Ведь эта минута очень важна, ты будешь о ней вспоминать, она навсегда станет частью твоей жизни, поверь мне!

— Я думала о маме. Интересно, узнает ли она его там, на небесах, или так и будет блуж-

29

дать среди облаков, неприкаянная, забыв все на свете.

— Значит, ты уже веришь в Бога?

— Нет, но лучше быть готовой к приятным сюрпризам.

— В таком случае, Джулия, дорогая, я хочу тебе кое в чем признаться, только поклянись, что не будешь смеяться надо мной: чем старше я становлюсь, тем больше верю в доброго боженьку.

Джулия ответила еле заметной грустной усмешкой:

— На самом деле, если говорить о моем отце, то я совсем не уверена, что существование Бога станет для него хорошей новостью.

— Священник хочет знать, все ли в сборе и можно ли начинать, — сказал подошедший Адам.

— Нас будет только четверо, — ответила Джулия, подзывая знаком отцовского секретаря. — Это горький удел всех великих путешественников и одиноких флибустьеров. Родных и друзей заменяют знакомые, рассеянные по всему свету... А знакомые редко приезжают издалека, чтобы поприсутствовать на похоронах, — это не тот момент, когда можно оказать кому-то услугу или милость. Человек рождается один и умирает один.

— Эти слова изрек Будда, а твой отец, моя дорогая, был ревностным ирландским католиком, — возразил Адам.

— Доберман... Вам следовало бы завести у себя огромного добермана, Адам! — со вздохом сказал Стенли.

— Господи, да с чего вам так приспичило навязать мне собаку?!

— Ни с чего, забудьте, что я сказал.

Священник подошел к Джулии и посетовал на то, что сегодня ему приходится проводить эту скорбную церемонию, вместо того чтобы совершать обряд венчания.

— А вы не могли бы убить сразу двух зайцев? — спросила его Джулия. — На гостей мне в высшей степени наплевать. А для вашего патрона главное ведь — добрые намерения, не так ли?

— Мисс Уолш, опомнитесь!..

— Да уверяю вас, это совсем не лишено смысла: по крайней мере, тогда мой отец смог бы присутствовать на моем бракосочетании.

— Джулия! — строго осадил ее в свой черед Адам.

— Ладно, значит, все присутствующие считают мое предложение неудачным, — заключила она.

— Не желаете ли сказать несколько слов? — спросил священник.

— Мне бы, конечно, хотелось... — ответила Джулия, глядя на гроб. — А может, вы, Уоллес? — предложила она личному секретарю отца. — В конечном счете именно вы были самым верным его другом.

— Не думаю, мисс, что я способен на это, — ответил секретарь, — кроме того, мы с вашим отцом привыкли понимать друг друга без слов. Хотя... одно слово, с вашего позволения, я мог бы сказать, но не ему, а вам. Невзирая на все недостатки, которые вы ему приписываете, знайте, что он был человеком иногда жестким, часто с непонятными, даже странными причудами, но, несомненно, добрым; и еще — он вас любил.

— Так-так... если я правильно сосчитал, это не одно слово, а куда больше, — пробормотал Стенли, многозначительно кашлянув: он увидел, что глаза Джулии заволокли слезы.

Священник прочел молитву и закрыл требник. Гроб с телом Энтони Уолша медленно опустился в могилу. Джулия протянула отцовскому секретарю розу, но тот с улыбкой вернул ей цветок:

— Сначала вы, мисс.

Лепестки рассыпались, упав на деревянную крышку, за ними в могилу последовали еще три розы, и четверо проводивших Энтони Уолша в последний путь направились обратно к воротам. В дальнем конце аллеи катафалк уже уступил место двум лимузинам. Адам взял за руку свою невесту и повел ее к машине. Джулия подняла глаза к небу:

— Ни одного облачка, синева, синева, синева, одна синева, и не слишком жарко, и не холодно, и ни малейшего дуновения ветра — ну просто идеальный день для свадьбы!

— Не беспокойся, дорогая, будут еще другие погожие дни, — заверил ее Адам.

— Такие теплые, как этот? — воскликнула Джулия, широко раскинув руки. — С таким вот лазурным небосводом? С такой пышной зеленой листвой? С такими утками на озере? Нет, похоже, придется ждать будущей весны!

— Осень бывает так же прекрасна, можешь мне поверить... А с каких это пор ты любишь уток?

— Это они меня любят! Ты заметил, сколько их собралось только что на прудике, рядом с могилой отца?

— Нет, не обратил внимания, — ответил Адам, слегка обеспокоенный этим внезапным приливом восторга у своей невесты.

— Их там были десятки... да, десятки уток, с красивыми галстучками на шее; они сели на воду именно в том месте и уплыли сразу же по окончании церемонии. Это были уткикряквы, они хотели побывать на МОЕЙ свадьбе, а вместо этого явились поддержать меня на похоронах отца.

— Джулия, мне не хотелось бы спорить с тобой сегодня, но я не думаю, что у кряквы есть на шее галстук.

— Откуда ты знаешь! Разве это ты рисуешь уток, а не я? Так вот, запомни: если я говорю, что эти кряквы облеклись в праздничный наряд, то ты должен мне верить! — вскричала Джулия.

— Хорошо, любимая, согласен, эти кряквы, все как одна, были в смокингах, а теперь поехали домой.

Возле машин их ожидали Стенли и личный секретарь. Адам вел Джулию к машине, но она вдруг остановилась перед одной из могильных плит на просторной лужайке и прочитала имя и годы жизни той, что покоилась под камнем.

— Ты ее знала? — спросил Адам.

— Это могила моей бабушки. Отныне вся моя родня лежит на этом кладбище. Я — последняя из рода Уолшей. Конечно, если не считать нескольких сотен неведомых мне дядюшек, тетушек, кузенов и кузин, обитающих между Ирландией, Бруклином и Чикаго. Адам, извини мне эту недавнюю выходку, меня и вправду что-то занесло.

— О, ничего, дорогая; нам предстояло венчаться, но случилось несчастье. Ты похоронила отца и, вполне естественно, убита горем.

Они шагали по аллее. Оба "линкольна" были уже совсем близко.

— Ты права, — сказал Адам, в свою очередь поглядев на небо, — погода сегодня и впрямь великолепная, твой отец даже в свой смертный час ухитрился нам нагадить.

Джулия резко остановилась и выдернула свою руку из руки Адама.

— Не смотри на меня так! — умоляюще воскликнул Адам. — Ты сама сказала то же самое как минимум раз двадцать после того, как узнала о его кончине.

— Да, сказала, но я имею на это право — я, а не ты! Садись в ту машину вместе со Стенли, а я поеду в другой.

— Джулия! Я очень сожалею...

— Можешь не сожалеть, я хочу провести сегодняшний вечер одна и разобрать вещи отца, который ухитрялся нам гадить вплоть до своего смертного часа, как ты выразился.

— О боже, но ведь это не мои слова, а твои! — крикнул Адам, глядя, как Джулия садится в машину.

— И последнее, Адам: я хочу, чтобы в день нашей свадьбы вокруг меня были уткикряквы, десятки уток, слышишь? — добавила она, перед тем как хлопнуть дверцей.

"Линкольн" исчез за кладбищенскими воротами. Расстроенный Адам подошел ко второй машине и сел сзади, справа от личного секретаря.

— Нет уж, лучше фокстерьеры: они маленькие, зато кусаются очень больно, — заключил Стенли, устраиваясь впереди, рядом с шофером, которому дал знак отъезжать.

3

Машина, в которой ехала Джулия, медленно продвигалась по Пятой авеню под внезапно обрушившимся на город ливнем. На углу Пятьдесят восьмой улицы автомобиль надолго застрял в пробке возле большого магазина игрушек, и Джулия стала разглядывать витрину. Она узнала большую плюшевую выдру с серо-голубой шерсткой, смотревшую на нее из-за стекла.

Тилли появилась на свет в один субботний день, похожий на сегодняшний: тогда дождь хлестал так же буйно и вода струями сбегала по оконным стеклам. Джулия сидела в своем бюро, глубоко задумавшись, как вдруг эти струи обернулись в ее воображении реками, деревянные рамы — берегами Амазонки, а взвихрившаяся кучка листвы — хижиной маленького зверька, которого грозил поглотить этот жуткий потоп, переполошивший всю колонию выдр.

Настала ночь, но дождь все не прекращался. Сидя в одиночестве в просторном компьютерном зале анимационной студии, Джулия набросала первый эскиз своего будущего персонажа. Теперь невозможно даже подсчитать, сколько тысяч часов она провела перед экраном, рисуя и раскрашивая это серо-голубое существо, продумывая каждое его движение, каждую гримаску и улыбку, чтобы вдохнуть в него жизнь. Невозможно вспомнить, сколько совещаний, перетекавших в ночные бдения, и сколько уик-эндов потребовалось, чтобы осуществить свой замысел — сочинить историю Тилли и ее собратьев. Но успех этого мультфильма с лихвой вознаградил двухлетние усилия самой Джулии и пятидесяти сотрудников, работавших под ее началом.

— Я сойду здесь и доберусь до дома пешком, — сказала Джулия шоферу.

Тот указал на грозовой ливень за окном.

— Вот и прекрасно, это первое, что мне нравится сегодня, — объявила Джулия, когда водитель закрывал за ней дверцу машины.

Он только успел увидеть, как его пассажирка кинулась к магазину игрушек. И дождь был ей нипочем — ведь Тилли, сидевшая за стеклом витрины, встретила ее улыбкой, словно обрадовалась приходу хозяйки. Джулия, не удержавшись, помахала ей; к великому удивлению Джулии, маленькая девочка, стоявшая рядом с плюшевой игрушкой, ответила тем же. Мать девочки сердито схватила ее за руку и попыталась вывести из магазина, но ребенок уперся и вдруг бросился в широко раскрытые объятия выдры. Джулию взволновала эта сцена. Девочка цеплялась за Тилли, а мамаша шлепала ее по рукам, заставляя выпустить игрушку. Джулия вошла в магазин и направилась к ним.

— Известно ли вам, что Тилли наделена волшебными чарами? — спросила Джулия.

— Если мне понадобится помощь продавщицы, я вас позову, мисс, — отрезала женщина, испепеляя свою дочку взглядом.

— Я не продавщица, я ее мама.

— Что-что? — громко воскликнула мамаша. — Это я ее мать, попробуйте докажите, что это не так!

— Я говорю о Тилли, об этой плюшевой зверюшке — по-моему, она прониклась симпатией к вашей дочери. Это я произвела ее на свет. Позвольте мне подарить ее вашей девочке! Мне очень грустно видеть, как Тилли одиноко сидит в витрине при этом ярком освещении. В конце концов она совсем выцветет под лампами, а ведь она так гордится своей серо-голубой шубкой. Вы даже представить себе не можете, сколько часов мы трудились, чтобы подобрать нужные оттенки для макушки, шеи, животика, мордочки, нам хотелось, чтобы эти краски вернули ей улыбку, после того как река унесла ее домик.

— Ваша Тилли останется здесь, в магазине, а моя дочь должна понять, что нельзя отходить от меня, когда мы гуляем по городу! — ответила мамаша, дернув дочь за руку так сильно, что той пришлось выпустить пушистую плюшевую лапку.

— Но Тилли было бы так приятно иметь подружку, — настаивала Джулия.

— Вы хотите доставить удовольствие плюшевой игрушке? — изумленно спросила мамаша.

— Сегодня у меня особый день, и мы с Тилли были бы счастливы, да и ваша дочка, кажется, тоже. Одно короткое "да", и вы осчастливите сразу троих — неужели вам не хочется сделать нам такой подарок?

— Так вот, я говорю "нет"! Алисе не нужны подарки, да еще от незнакомой женщины. Всего хорошего, мисс! — бросила женщина, направившись к выходу.

— Алиса вполне заслужила такую игрушку, а вы пожалеете о своем отказе лет через десять! — крикнула ей вслед Джулия, с трудом сдерживая гнев.

Мамаша обернулась и смерила ее надменным взглядом:

— Вы разродились плюшевой игрушкой, а я — настоящим ребенком, так что оставьте свои нравоучения при себе, понятно?

— Вы правы, дочка — это не плюшевая игрушка, на ней не так-то просто будет зашить прорехи, сделанные жестокой рукой!

Женщина с оскорбленным видом вышла из магазина и, не оборачиваясь, удалилась в сторону Пятой авеню, таща за собой дочь.

41

— Прости, Тилли, дорогая, — сказала Джулия плюшевой выдре, — кажется, дипломат из меня никакой. Ты же знаешь, в этом деле я полный профан. Но не бойся, мы подыщем тебе хорошую семью, вот увидишь.

Директор магазина, внимательно наблюдавший за этой сценой, подошел к Джулии:

— Как приятно видеть вас, мисс Уолш, вы уже целый месяц к нам не заглядывали.

— В последнее время у меня было ужасно много работы.

— Ваше детище пользуется бешеным успехом, мы заказываем уже десятый экземпляр. Четыре дня в витрине и — до свиданья! — объявил директор, водворяя игрушку на место. — Хотя вот эта сидит здесь уже недели две. Но что вы хотите при такой погоде!..

— Погода тут ни при чем, — ответила Джулия. — Просто эта Тилли — уникальная привередница, она сама желает выбрать себе приемную семью.

— Ну-ну, мисс Уолш, вы это говорите каждый раз, когда заходите, — с улыбкой сказал директор.

— А потому что они все уникальные, — возразила Джулия и попрощалась.

Дождь наконец кончился. Выйдя из магазина, Джулия решила пройти пешком через Манхэттен, и вскоре ее силуэт затерялся в толпе.

42

————————

Деревья на Горацио-стрит поникли под тяжестью намокшей листвы. День клонился к вечеру, и тут наконец выглянуло солнце, прежде чем погрузиться в воды Гудзона. Мягкий пурпурный свет заливал улочки квартала Вест-Виллидж. Джулия поздоровалась с хозяином греческого ресторанчика, расположенного напротив ее дома; тот суетился, накрывая к ужину столы на террасе. Ответив на приветствие, он спросил, не оставить ли для нее столик на сегодняшний вечер. Джулия вежливо отказалась, пообещав, что придет на ланч завтра, в воскресенье.

Она отперла ключом входную дверь небольшого дома, где жила, и поднялась по лестнице на верхний этаж. Стенли ждал ее, сидя на последней ступеньке.

— Ты как сюда проник?

— Меня впустил Зимур, директор магазина на первом этаже. Я ему помог снести коробки с обувью в подвал, и мы обсудили его новую коллекцию туфель — это просто чудо! Но кто может позволить себе такие произведения искусства в наши-то дни?!

— Кое-кто может, судя по тому, сколько покупателей постоянно бывает у него по воскресеньям, и очень многие, поверь, выходят с покупками, — сказала Джулия. Она спросила, открывая дверь своей квартиры:

— Тебе что-то нужно?

— Мне-то нет, а вот тебе, я уверен, нужна компания.

— Друг мой, у тебя такой неприкаянный вид, что уж и не знаю, кто из нас двоих сильнее мается от одиночества.

— Ладно, согласен потешить твое самолюбие: я сам, по своей инициативе, пришел сюда незваным гостем!

Джулия сняла габардиновый плащ и бросила его на кресло у камина. Комната благоухала глицинией, карабкавшейся вверх по красному кирпичному фасаду.

— А у тебя и вправду очень уютно, — воскликнул Стенли, бухнувшись на диван.

— Да, за этот год мне хотя бы это удалось, — сказала Джулия, открывая холодильник.

— Удалось что?

— Обустроить целый этаж этой развалюхи. Пива хочешь?

— Пиво — смерть для фигуры! Может, лучше стаканчик красного?

Джулия проворно поставила два прибора, вынула тарелку с сырами, откупорила бутылку вина, сунула в плеер диск Бэйси и знаком пригласила гостя сесть напротив нее. Стенли взглянул на этикетку каберне и восхищенно присвистнул.

— Настоящий праздничный ужин, — подтвердила Джулия, садясь за стол. — Сюда бы еще пару сотен гостей, да пирожные, да закрыть глаза — и можно подумать, будто мы на свадьбе.

— Давай-ка потанцуем, дорогая! — предложил Стенли.

Не дожидаясь согласия Джулии, он вышел из-за стола и повел ее в свинге.

— Вот видишь, у нас все-таки получился праздничный вечерок, — смеясь, сказал он.

Джулия опустила голову на его плечо:

— Что бы я без тебя делала, старина Стенли?!

— Ничего, и мне это давным-давно известно.

Музыка смолкла, и они вернулись за стол.

— Ты хотя бы позвонила Адаму?

Да, Джулия воспользовалась своей прогулкой, чтобы извиниться перед женихом. Адам сказал, что вполне понимает ее желание побыть одной. Это он должен просить у нее прощения за свою бестактность во время похорон. Даже его мать, которой он позвонил, вернувшись с кладбища, упрекнула его в неделикатности. Сегодня вечером он едет в загородный дом к родителям, чтобы провести с ними остаток выходных.

— Я начинаю думать, что твой отец поступил не так уж глупо, вынудив тебя похоронить его именно сегодня, — буркнул Стенли, подливая себе вина.

— Ты просто ненавидишь Адама!

— Я этого никогда не говорил.

— Знаешь, я целых три года прожила одна в городе, где обитают два миллиона холостяков. Адам любезен, щедр, обходителен. Он терпит мой ненормированный рабочий день. Он изо всех сил старается сделать меня счастливой, и, что самое главное, Стенли, он меня любит. Поэтому, сделай милость, будь к нему хоть немного снисходительней.

— Да я ничего не имею против твоего жениха, он поистине безупречен! Просто мне хочется видеть рядом с тобой человека, который по-настоящему вскружил бы тебе голову, пусть даже у него полным-полно недостатков, а не того, кто привлекает тебя лишь "положительными" качествами.

— Легко тебе поучать меня, а вот почему ты-то сам одинок?

— Я вовсе не одинок, моя Джулия, я вдовец, а это не одно и то же. И если человек, которого я любил, умер, это вовсе не доказывает, что он меня покинул. Ты ведь видела Эдварда и знаешь, как он был прекрасен даже на больничной койке. Его болезнь ни на йоту не лишила его великолепия. Он шутил до самого конца, до последних слов.

— И что же это были за слова? — спросила Джулия, сжимая руку Стенли.

— Я люблю тебя!

Несколько минут они сидели молча, глядя друг на друга. Потом Стенли встал, надел куртку и поцеловал Джулию в лоб.

— Пойду спать. Сегодня вечером ты выиграла партию: одиночество достанется мне.

— Посиди еще чуть-чуть. Эти последние слова... они действительно означали, что он тебя любит?

— Какая разница, ведь он умирал оттого, что изменил мне, — с горькой улыбкой ответил Стенли.

———

Поутру Джулия проснулась на диване и, открыв глаза, обнаружила, что Стенли перед уходом накрыл ее пледом. А сев завтракать, нашла под своей чашкой записку: "Какие бы гадости мы ни говорили друг другу, ты моя самая близкая подруга, и я тоже тебя люблю. Стенли".

4

В десять часов Джулия вышла из дому, решив провести день в студии. Она запаздывала со сдачей очередной работы, и совершенно ни к чему было сидеть дома без дела или, хуже того, наводить порядок в квартире, зная, что через несколько дней там опять будет кавардак. Даже Стенли нельзя позвонить, он наверняка еще спит и выползет из постели только в середине дня, если не извлечь его силой, посулив бранч[1] или блинчики с корицей.

Горацио-стрит была еще безлюдна. Джулия помахала нескольким соседям, сидевшим на террасе "Пастиса", и ускорила шаг. Дойдя до Девятой авеню, она на ходу послала

---

[1] В США и Европе прием пищи, объединяющий завтрак и ланч, обычно по воскресеньям.

нежную эсэмэску Адаму и, пройдя еще два перекрестка, вошла в здание "Челси Фармерс Маркет". Лифтер поднял ее на верхний этаж. Там она вставила бейдж в кодовый замок, охранявший доступ в студию, и толкнула тяжелую металлическую дверь.

Трое графиков уже были на своих местах. Увидев их помятые лица и кучу картонных стаканчиков из-под кофе в мусорной корзине, Джулия поняла, что они провели здесь всю ночь. Стало быть, задача, над которой ее команда билась уже не первый день, еще не решена. Никак не удавалось вывести алгоритм, который позволил бы вдохнуть жизнь в отряд стрекоз, посланных защитить замок от неминуемого нашествия армии жуков-богомолов. Производственный план, висевший на стене, указывал, что атака запрограммирована на ближайший понедельник. И если за это время эскадрилья не взлетит, то одно из двух: либо крепость без боя сдастся врагу, либо новый мультфильм выйдет с большим опозданием; оба варианта были абсолютно неприемлемы.

Джулия подкатила свое кресло к двум сотрудникам и села между ними. Рассмотрев результаты их работы, она решила объявить аврал. Обзвонив всех членов своей команды, попросила собраться через час в конференц-

зале, извинившись за испорченное воскресенье. Необходимо было изучить весь объем
данных, а это неизбежно займет весь день
и всю ночь, чтобы к утру понедельника стрекозы поднялись в небо вымышленной страны
Эноукри.

И пока ее коллеги сдавали смену, Джулия
успела сбегать в супермаркет и вернуться
с двумя картонными коробками, набитыми
выпечкой и сэндвичами, которыми собиралась кормить свое воинство.

К полудню тридцать семь человек отклик-
нулись на ее призыв. Мирное утреннее спо-
койствие студии сменилось лихорадочной
суетой улья, где рисовальщики, графики,
колористы, программисты и эксперты по
анимации обменивались мнениями, анали-
тическими выкладками и самыми что ни на
есть безумными идеями.

К семнадцати часам вариант, предложен-
ный одним из сотрудников, совсем зеленым
новичком, вызвал бурный взрыв эмоций
и привел к совещанию в конференц-зале.
Чарльз, молодой специалист по информа-
тике, недавно принятый в их группу для под-
крепления, и работал-то всего ничего, без
году неделя. Когда Джулия дала ему возможность изложить свои соображения, у него
сорвался голос, и его речь вылилась в не-

внятное бормотание. Старший программист поднял на смех этого златоуста, чем отнюдь не облегчил ему задачу. Тогда юноша уселся за компьютер и его пальцы резво забегали по клавиатуре; смешки за его спиной всё не умолкали, прошло несколько томительных минут, и вдруг наступила мертвая тишина: у стрекозы на экране затрепетали крылышки, и она взлетела, описав в небе Эноукри безукоризненный круг.

Джулия первой поздравила его, остальные тридцать пять коллег зааплодировали. Оставалось поднять в небо семьсот сорок других стрекоз в доспехах. Теперь юный волшебник повел себя куда увереннее и четко изложил алгоритм, с помощью которого можно заставить двигаться многочисленных героев мультика. Пока он разъяснял свой проект, раздался телефонный звонок. Сотрудник, снявший трубку, сделал знак Джулии, что ее вызывают, притом срочно. Она шепотом попросила соседа хорошенько запомнить все, что скажет Чарльз, и вышла из зала, чтобы поговорить по телефону в своем кабинете.

51

Джулия сразу же узнала голос господина Зимура, директора магазина, расположенного на первом этаже дома по Горацио-стрит.

Все ясно: значит, в ее квартире опять случилась протечка, и вода льется с потолка на коллекцию обуви господина Зимура, каждая пара которой стоит ее двухнедельной зарплаты или недельной — в период распродаж. Уж кто-кто, а Джулия это хорошо знала: в прошлый раз страховой агент назвал именно такие суммы, вручая господину Зимуру солидный чек для оплаты ремонта помещения. Тогда, уходя из дома, Джулия забыла отключить свою допотопную стиральную машину, но с кем из нас этого не случалось?!

Страховой агент предупредил ее, что в следующий раз откажется улаживать подобные неприятности. Да и сейчас согласился лишь потому, что Тилли — кумир его детей; с тех пор как он купил им диски с мультиком про выдру, ему удается отсыпаться утром в воскресенье. Вот он и взялся убедить руководство компании пощадить Джулию и не аннулировать ее страховой полис.

Что же касается самого господина Зимура, тут потребовалось куда больше дипломатических усилий. Ей пришлось пригласить его на празднование Дня благодарения, организованное Стенли, рассыпаться в извинениях, умолять о перемирии и оказывать множество других знаков внимания, чтобы восстановить их добрососедские отношения.

Этот тип отличался довольно угрюмым нравом, обо всем имел собственное мнение и, как правило, смеялся только собственным шуткам.

Затаив дыхание, Джулия ждала, когда ее собеседник объявит о размерах катастрофы.

— Мисс Уолш...

— Мистер Зимур, что бы ни произошло, поверьте, я страшно сожалею...

— А я тем более сожалею, мисс Уолш, потому что у меня сумасшедший наплыв покупателей и полно всяких других дел, чтобы тратить свое время на ваших поставщиков.

Джулия попыталась унять сердцебиение и сообразить, о чем идет речь.

— Каких поставщиков?

— А это вам лучше знать, мисс!

— Простите, но я ничего не заказывала и всегда прошу доставлять мне заказы на работу.

— Ну, значит, на сей раз вышло иначе. Вам же известно, что воскресные дни у нас самые доходные, но в данный момент перед моей витриной торчит огромный фургон, и я рискую потерпеть из-за этого большие убытки. А двое верзил, которые вытащили этот короб, ваш заказ, отказываются уезжать, пока кто-нибудь не распишется за доставку. Вот я вас и спрашиваю: что нам делать?

53

— Короб?

— Да, короб, именно короб! Неужели я должен все повторять дважды, когда у меня там клиенты нервничают?!

— Я... прошу меня извинить, мистер Зимур, — пролепетала Джулия, — даже не знаю, что вам сказать.

— Ну, скажите, например, когда вы собираетесь прийти, чтобы я мог сообщить этим господам, сколько еще времени мы потеряем по вашей милости.

— Но я сейчас никак не могу... у меня аврал...

54

— А вы думаете, что я тут дурака валяю, мисс Уолш?

— Мистер Зимур, я не жду никаких заказов — ни ящиков, ни свертков, ни тем более коробов! Повторяю еще раз: это наверняка какая-то ошибка.

— А вот я даже без очков вижу, что значится на накладной, — поскольку они водрузили ваш короб прямо перед моей витриной: там крупными буквами написана ваша фамилия, а под ней наш общий адрес, а внизу указано "не кантовать"; вероятно, это опять забывчивость с вашей стороны! Память уже не в первый раз вас подводит, не так ли?

Кто же мог прислать ей этот "короб"? Вероятно, Адам решил сделать ей подарок.

Или это был какой-то заказ, о котором она напрочь позабыла, например, оборудование для офиса, а она по нелепой случайности велела доставить его к себе на дом. В любом случае Джулия не могла бросить на произвол судьбы сотрудников, ведь она сама вызвала их на работу в воскресный день. Однако мрачный тон господина Зимура вынуждал ее принять решение как можно скорее, проще говоря, немедленно.

— Мистер Зимур, я думаю, что нашла решение нашей проблемы. С вашей помощью мы могли бы выйти из этого неприятного положения.

— Я снова и снова восхищаюсь вашим математическим складом ума, мисс Уолш. Я был бы счастлив услышать, что вы способны сами решить то, что я рассматриваю как вашу личную проблему, — я подчеркиваю: вашу, а не мою! — не вовлекая меня в свои дела, но, увы!.. Итак, я вас очень внимательно слушаю.

Джулия призналась ему, что прячет запасной ключ от квартиры на лестнице под ковровой дорожкой, на шестой ступеньке. Достаточно просто их сосчитать. Впрочем, если там его не окажется, значит, он лежит на седьмой или, может быть, на восьмой. Таким образом, мистер Зимур сможет открыть ее дверь, и она уверена, что как только те двое внесут груз, так сейчас же и отбудут на своем огромном фургоне, который загородил его витрину.

— И в идеале я должен подождать, пока они уедут, запереть за ними дверь вашей квартиры, так, что ли?

— Вот именно в идеале, мистер Зимур... Я не смогла бы выразиться точнее.

— Если там какое-нибудь кухонное оборудование, мисс Уолш, я бы настоятельно советовал вам вызвать для его установки квалифицированных специалистов. Надеюсь, вы понимаете, что я имею в виду!

Джулия собралась было заверить своего соседа, что не заказывала никакого кухонного оборудования, но тот уже повесил трубку. Пожав плечами, она постояла еще несколько секунд, решая эту загадку, а потом вернулась к работе, которая занимала все ее мысли.

С наступлением ночи вся команда собралась перед экраном в просторном конференц-зале. Чарльз сел за компьютер, и результаты, которые он продемонстрировал, внушили оптимизм. Еще несколько часов работы — и "битва стрекоз" будет показана в назначенное время. Программисты выверяли свои расчеты, графики доводили до ума последние детали декораций, и Джулия почувствовала себя лишней. Она зашла в комнатушку, где была устроена кухонька, и увидела там Дрэя, рисовальщика и друга, с которым ее связывали долгие годы совместной учебы.

Увидев, как она потягивается, он подумал, что у нее разболелась спина, и посоветовал идти домой и полежать. Это счастье, что она живет неподалеку от студии, так пусть воспользуется этим. Как только пробы закончатся, он ей позвонит. Джулия ответила, что тронута его заботой, но считает своим долгом находиться рядом с товарищами; на это Дрэй возразил, что ее блуждания по кабинетам только усиливают всеобщее напряжение.

— Интересно, с каких это пор мое присутствие вас так напрягает? — возмутилась Джулия.

— Не гони волну, просто народ уже на пределе. За последние полтора месяца у нас не было ни одного выходного.

Джулия должна была находиться в отпуске до следующего воскресенья, и Дрэй признался, что коллеги уповали на это, чтобы хоть немного перевести дух.

— Мы ведь думали, ты уехала в свадебное путешествие... Только не сердись, Джулия, я всего лишь доношу глас народа, — смущенно сказал Дрэй. — Ты взяла на себя ответственность, а за это приходится платить. С тех пор как тебя назначили креативным директором, ты для нас не просто коллега, ты в некотором роде представитель власти... И вот доказательство: стоило тебе поднять трубку, как все до единого собрались на мозговой штурм, да еще в воскресенье!

— Мне кажется, дело того стоило, разве нет? Ну да ладно, я уже поняла, к чему ты клонишь, — ответила Джулия. — Поскольку мой авторитет давит на уважаемых коллег, я удаляюсь. Только обязательно позвони мне, когда закончите, и не потому, что я ваш шеф, а потому, что я тоже член команды!

Джулия схватила со спинки стула плащ, удостоверилась, что ключи лежат в кармане джинсов, и решительно направилась к лифту.

Выходя из здания, она набрала номер Адама, но телефон стоял на автоответчике.

— Это я, — проговорила Джулия. — Мне хотелось услышать твой голос. У меня выдалась скверная суббота, а потом невеселое воскресенье. Теперь уж и не знаю, так ли удачна была мысль остаться в одиночестве. Утешаюсь только тем, что я избавила тебя от своего мерзкого настроения. А сейчас меня почти силой выставили из студии мои коллеги.

Хочу немножко пройтись. А ты, наверное, уже вернулся в город и лег спать. Я уверена, что твоя мать тебя сильно утомила. Ты мог бы оставить мне на автоответчике хоть несколько слов. Целую тебя. Хотела попросить, чтобы ты мне позвонил, но это глупо, раз ты все равно уже спишь. И вообще, все, что я тут наговорила, в высшей степени глупо. До завтра. Позвони мне, когда проснешься.

Джулия кинула мобильник в сумку и зашагала по набережной. Минут через тридцать она подошла к дому и обнаружила на входной двери конверт, прикрепленный скотчем. На нем было нацарапано ее имя. Заинтригованная Джулия распечатала конверт. "Я упустил клиентку, пока занимался вашим заказом. Ключ лежит на месте. P.S.: Под ковриком на ОДИННАДЦАТОЙ ступеньке, а не на шестой, седьмой или восьмой! Приятного воскресенья!" Подписью адресата не удостоили.

— Спасибо еще, что он не указал этаж для удобства квартирных воров! — проворчала Джулия, взбираясь по лестнице.

Она почти бежала: ей не терпелось увидеть, что же находится в посылке. Наконец она вытащила ключ из-под ковровой дорожки (попутно решив приискать для него новый тайник), вошла в квартиру и включила свет.

59

Посреди гостиной высился поставленный на попа двухметровый ящик.

— Господи, что же это такое? — воскликнула она, роняя сумку и плащ на журнальный столик.

На квитанции, приклеенной к боковой стенке, было написано "*Не кантовать*", а ниже ее имя. Джулия начала с того, что обошла кругом этот огромный короб из светлого дерева. Он был слишком громоздким, чтобы она смогла передвинуть его хотя бы на несколько метров. Кроме того, она понятия не имела, как его открыть.

Адам по-прежнему не подходил к телефону; оставалось, как всегда, прибегнуть к помощи Стенли, и она набрала его номер.

— Я тебя не разбудила?

— Это в воскресенье-то вечером?! Я ждал, что ты позвонишь и я тебя куда-нибудь вытащу.

— Успокой меня: это, случайно, не ты прислал мне дурацкий ящик двухметровой высоты?

— Ты с ума сошла, Джулия?

— Ну так я и думала! Вопрос второй: как вскрыть дурацкий ящик двухметровой высоты?

— А он из чего сделан?

— Из дерева!

— Тогда, может, пилой распилить?

— Спасибо за подсказку, Стенли, сейчас пойду поищу пилу у себя в сумке или в аптечке, — съязвила Джулия.

— Не хочу быть нескромным, но что там внутри?

— А вот это и я хотела бы знать! Если желаешь удовлетворить свое любопытство, быстренько бери такси и приезжай ко мне.

— Дорогая моя, я сижу в пижаме!

— Позволь, ты ведь собирался куда-нибудь меня вытащить!

— Да, из постели!

— Ладно, буду справляться сама.

— Погоди-ка, дай подумать. На нем никакой ручки нет?

— Нет!

— И петель тоже нет?

— Я их, по крайней мере, не вижу.

— Слушай, а вдруг это произведение современного искусства — "Ящик-который-не-открывается", шедевр какого-нибудь великого художника? — хихикая, предположил Стенли.

По молчанию Джулии он понял, что выбрал неудачный момент для шуток.

— Может, попробуешь просто чуть нажать на стенку, ну знаешь, как открываются некоторые стенные шкафы? Один легкий толчок, и готово...

61

Пока ее друг продолжал свои объяснения, Джулия прикоснулась к передней стенке ящика и нажала на нее ладонью, как советовал Стенли. Неожиданно створка медленно повернулась.

— Алло! Алло! — заголосил Стенли в трубку. — Ты меня слышишь?

Джулия выронила трубку. Она в ужасе глядела на содержимое ящика: то, что она увидела, было похоже на кошмарный сон.

Голос Стенли продолжал еле слышно верещать в трубке у ее ног. Не спуская глаз с ящика, Джулия медленно нагнулась, чтобы подобрать ее.

— Стенли...

— Фу, как ты меня напугала! С тобой все в порядке?

— В общем... да...

— Если хочешь, я натяну штаны и сейчас же приеду к тебе.

— Нет, не стоит, — еле слышно сказала Джулия.

— Так тебе удалось открыть этот ящик?

— Да, — безучастно ответила она. — Я тебе позвоню... завтра.

— Слушай, я все-таки волнуюсь!

— Ничего, Стенли, ложись, отдыхай, целую тебя.

И Джулия отключила телефон.

— Господи, кто мог прислать мне ЭТО? — спросила она себя.

В ящике, лицом к ней, стояла восковая фигура в человеческий рост — точная копия Энтони Уолша. Сходство было потрясающее: если бы не закрытые глаза, ее можно было бы принять за живого человека. Джулия задыхалась, ей не хватало воздуха. Она чувствовала, как по ее спине сползают капельки пота. Она осторожно подошла ближе. Восковой двойник ее отца был выполнен с потрясающим мастерством, цвет и фактура кожи выглядели естественными до ужаса. Туфли, костюм цвета антрацит, белая полотняная рубашка — все абсолютно такое же, что неизменно носил Энтони Уолш. Ей безумно хотелось коснуться его щеки, вырвать волосок, чтобы удостовериться, что это не он сам, но Джулия и ее отец давным-давно не касались друг друга. Ни намека на поцелуи, объятия или рукопожатия — ничего, что хотя бы отдаленно походило на проявление нежности. Пропасть, разделявшая их уже долгие годы, была непреодолима, так что уж говорить об этой восковой копии!

63

Теперь предстояло принять какое-то решение. Кому-то пришла в голову чудовищная мысль создать двойника Энтони Уолша — куклу, подобную тем, какие выставлены в некоторых музеях восковых фигур в Квебеке, Париже и Лондоне, да еще сделать ее до жути реалистичной. Джулия едва сдерживалась, чтобы не завопить во весь голос.

Разглядывая куклу, она вдруг заметила приколотую к рукаву бумажку, на которой синей ручкой была нарисована стрелка, указывающая на верхний карман пиджака. На обороте Джулия прочла: "Включи меня". Она тотчас узнала своеобразный почерк отца.

В нагрудном кармане Энтони Уолш обычно носил шелковый платочек; теперь оттуда выглядывал кончик чего-то, похожего на дистанционный пульт. Джулия взяла его в руки. На нем была только одна квадратная белая кнопка.

Джулия почувствовала, что сейчас упадет в обморок. Может, это просто дурной сон, и через несколько минут она очнется, вся в поту, и будет смеяться над испугавшим ее бредовым видением? Подумать только, ведь она убеждала себя, глядя на опускавшийся в могилу гроб отца, что носит по нему траур чуть ли не с детства, что разлука с ним не может причинить ей горе, поскольку длится уже почти двадцать лет. Она ведь почти гордилась тем, что рассуждает так мудро и зрело, и вот теперь все же угодила в ловушку своей подсознательной привязанности... Нет, это просто смешно, смешно и нелепо! Отец бросил ее в детстве, обрек на одинокие ночи ожидания, и она не допустит, чтобы его фантом вторгался в ее жизнь взрослой женщины.

За окнами с громыханием проехал мусоровоз, и в этом шуме не было ничего сверхъестественного. Увы, Джулии не снился дурной сон, а эта невероятная, торчавшая перед ней статуя с закрытыми глазами, казалось, ждала, решится ли она нажать на кнопку обычного пульта.

Грузовик был уже далеко, в конце улицы, и Джулия подумала: жалко, что он уехал, ведь она могла бы броситься к окну, окликнуть мусорщиков, умолить их освободить ее квартиру от этого невыразимого кошмара. Но улица была пуста.

Ее палец коснулся кнопки — совсем легонько, она все еще не находила в себе сил нажать на нее.

Нет, с этим нужно кончать. Разумнее всего закрыть ящик, найти на квитанции адрес транспортной фирмы, вызвать грузчиков с утра пораньше, приказать им увезти страшную куклу туда, где они ее взяли, и, наконец, разыскать автора этой злой шутки. Но кто же мог измыслить подобный маскарад, кто в ее окружении оказался способен на такую жестокость?

Джулия широко распахнула окно и полной грудью вдохнула мягкий ночной воздух.

Внешний мир выглядел прежним, каким она только что оставила его, переступив порог своего дома. Столики греческого ресторана были сложены штабелем на террасе, неоновая вывеска потушена, вдали, на перекрестке, какая-то женщина выгуливала собаку — лабрадора шоколадного цвета. Пес бегал зигзагами, то и дело натягивая поводок, чтобы обнюхать уличный фонарь или стену под чьим-нибудь окном.

Затаив дыхание, Джулия глядела на зажатый в руке пульт. Тщетно перебирала она одного за другим всех своих знакомых, на ум приходило лишь одно имя; да, только один человек мог сочинить такой сценарий, такую мизансцену. Неожиданно в ней вскипел гнев, и она твердо решила проверить правильность родившегося у нее подозрения.

Ее палец нажал на кнопку, раздался легкий щелчок, глаза того, что уже не было просто манекеном, открылись, на лице промелькнула усмешка, и она услышала голос отца:

— Значит, ты уже скучаешь по мне?

5

— Я сейчас проснусь! Все, что со мной случилось сегодня вечером, не имеет отношения к реальному миру! Скажи мне это, прежде чем я соглашусь признать себя безумной!

— Ну-ну, успокойся, Джулия, — услышала она голос отца.

Шагнув вперед, он вышел из своего ящика и потянулся с болезненной гримасой. Четкость движений и даже легкие подергивания лица были потрясающе естественны.

— Не бойся, ты вовсе не сошла с ума, — продолжал он, — ты всего лишь потрясена, и я тебя понимаю: в подобных обстоятельствах это вполне нормально.

— Какое тут "нормально", ты же не можешь здесь находиться, — прошептала Джулия, мотая головой, — это просто бред!

— Правильно, но сейчас перед тобой не совсем я.

Джулия зажала рот рукой и внезапно разразилась нервным хохотом.

— Да, человеческий мозг поистине волшебная машина! Я чуть было не поверила, что это ты. На самом деле я просто-напросто сплю или хлебнула какой-то отравы по дороге домой и захмелела. Белого вина, что ли? Ну конечно, я же не переношу белое вино! Какая же я идиотка — поддалась на игру собственного воображения! — продолжала она, возбужденно шагая взад-вперед по комнате. — Признай все-таки, что из всех моих сновидений это — самое фантастическое!

— Перестань, Джулия, — мягко попросил ее отец. — Ты вовсе не спишь и находишься в здравом уме.

— Ну уж нет, позволь усомниться — потому что я вижу тебя, потому что разговариваю с тобой и потому что ты умер!

Несколько секунд Энтони Уолш молча смотрел на нее, потом благодушно признал:

— Ну конечно, Джулия, я умер!

Она, ужаснувшись, застыла на месте, а он положил руку ей на плечо и указал на диван:

— Прошу тебя, сядь на минутку и выслушай меня.

— Нет! — бросила она, высвободившись.

— Джулия, ты действительно должна выслушать то, что я хочу тебе сказать.

— А если я не хочу? Почему все должно происходить именно так, как ты решил, почему?

— Больше так не будет. Тебе достаточно еще раз нажать на кнопку этого пульта, и я опять стану недвижимым. Но в этом случае ты никогда не узнаешь, что происходит.

Джулия взглянула на предмет, зажатый в руке, подумала, стиснула зубы и нехотя села на диван, подчиняясь этому странному механизму, дьявольски похожему на ее отца.

— Слушаю, — прошептала она.

— Я знаю, что все это выглядит по меньшей мере дико. И знаю также, что мы с тобой очень давно не общались.

— Год и пять месяцев.

— Неужели так много?

— И двадцать два дня!

— Ты точно помнишь?

— Еще бы не помнить, это ведь случилось в день моего рождения. Ты вызвал своего секретаря и передал через него, чтобы тебя не ждали к началу ужина, ты подойдешь позже. Но так и не явился!

— Хоть убей, не помню!

— Зато я не забыла.

— Ну хорошо, сейчас вопрос не в этом.

— А я вообще не задавала никаких вопросов, — сухо парировала Джулия.

— Даже не знаю, с чего начать.

— Все на свете имеет свое начало — это ведь одно из твоих любимых изречений, так что начни с начала и объясни, в чем дело.

— Несколько лет назад я стал акционером одной хайтековской фирмы, так их теперь называют. За несколько месяцев ее финансовые запросы сильно возросли, соответственно увеличилась моя доля в уставном капитале; словом, кончилось тем, что я вошел в административный совет.

— То есть твой концерн поглотил еще одно предприятие?

— Нет, на сей раз мои инвестиции носили личный характер; я остался рядовым акционером, таким же, как все прочие, хотя, должен признать, вложил в это дело весьма солидный пай.

— И что же разрабатывает эта фирма, в которую ты инвестировал свой солидный пай?

— Андроидов.

— Кого? — воскликнула Джулия.

— Ты не ослышалась, я сказал "андроидов". Ну, или гуманоидов, если тебе это больше нравится.

— Для чего?

— Мы не первые, кто задумал создавать роботов в человеческом обличье, чтобы избавить людей от тех работ, которые они больше не хотят выполнять своими руками.

— Ага, значит, ты вернулся на землю, чтобы вместо меня пылесосить квартиру?

— ...и ходить за покупками, и содержать дом в чистоте, и подходить к телефону, и отвечать на все вопросы — да, но это лишь часть того, что могут выполнять такие устройства. Однако фирма, о которой я говорю, разработала гораздо более сложный и в некотором смысле более амбициозный проект.

— А именно?

— А именно дать возможность своим пайщикам прожить еще несколько дополнительных дней...

Джулия изумленно уставилась на него, не понимая, что он хотел этим сказать. Энтони Уолш добавил:

— Еще несколько дней... после смерти.

— Это что, шутка такая? — спросила Джулия.

— Ну, если вспомнить, какое у тебя было лицо, когда ты открыла ящик, то эта шутка, как ты ее назвала, вполне удалась, — ответил Энтони Уолш, разглядывая себя в висевшем на стене зеркале. — Должен сказать, что я получился почти безупречным. Хотя, мне кажется,

71

у меня никогда не было таких резких морщин на лбу. Тут они чуточку перестарались.

— Морщины у тебя были еще во времена моего детства; может, ты потом и сделал подтяжку — во всяком случае, не думаю, что они исчезли сами собой.

— Спасибо! — с сияющей улыбкой ответил Энтони Уолш.

Джулия встала и подошла к нему, чтобы его потрогать. Если перед ней действительно была машина, то, надо признать, сделанная великолепно.

— Но это же невозможно... это просто технически невозможно!

— Вспомни, что ты делала вчера, сидя за компьютером: год назад ты бы поклялась, что и это тоже невозможно.

Джулия ушла на кухню, села за стол и стиснула голову руками.

— Мы вложили сумасшедшие деньги в это предприятие, чтобы добиться подобных результатов, и должен тебе сказать, что я — всего лишь опытная модель, прототип будущих изделий. Ты первая из наших клиенток и, разумеется, получишь меня бесплатно. Это подарок! — самодовольно добавил Энтони Уолш.

— Подарок?! Хотела бы я видеть сумасшедшего, которому понравятся такие подарочки!

— О, ты даже не представляешь, сколько людей думают в последние мгновения своей жизни: "Если бы я только знал, если бы мог понять, если бы я мог им сказать, если бы они знали..." — И, глядя на изумленную Джулию, Энтони Уолш добавил: — У нас будет огромный рынок сбыта!

— А эта... эта машина, с которой я разговариваю, действительно ты?

— Почти! Скажем так: она содержит мою память и бо́льшую часть коры головного мозга; это сложнейшее устройство, состоящее из миллионов процессоров, способно воспроизводить благодаря особой технологии цвет и фактуру кожи, а также почти идеально выполнять все функции человеческого тела.

— Но для чего? Зачем? — тоскливо спросила Джулия.

— Чтобы получить в свое распоряжение те несколько дней, которых нам всегда не хватает при жизни, те несколько часов, которые мы еще можем вырвать у вечности; просто для того, чтобы мы с тобой наконец-то смогли сказать друг другу все, чего недосказали раньше.

Джулия встала с дивана и зашагала взад-вперед по гостиной, то смиряясь с неожиданной ситуацией, то отбрасывая ее как невозможную. Зайдя на кухню, она залпом осушила полный стакан воды и вернулась к Энтони Уолшу.

— Все равно никто мне не поверит! — объявила она, нарушив тяжелое молчание.

— Но ведь именно это ты говоришь себе всякий раз, когда придумываешь очередную свою историю! Именно об этом непрерывно думаешь, пока твой карандаш скользит по бумаге, оживляя твои персонажи. Когда я отказывался верить в твою работу, вспомни, сколько раз ты меня обвиняла в том, что я невежда и ничего не смыслю в могуществе воображения. Сколько раз объясняла, что тысячи детей уводят своих родителей за собой в сказочные миры, которые ты и твои друзья создают на экране. Вспомни, как ты объявила мне, что вопреки моим сомнениям эта профессия принесла тебе премию. Ты создала выдру невообразимого цвета, и ты же первая поверила в нее. Так неужели теперь, когда у тебя на глазах ожил необычный персонаж, ты отказываешься верить в него только потому, что у него внешность не какого-то странного зверька, а твоего отца?! Если это так, то делать нечего; я ведь уже сказал: тебе достаточно нажать на эту кнопку! — заключил Энтони Уолш, указав на пульт, который Джулия забыла на столе.

Джулия иронически зааплодировала.

— О, пожалуйста, не пользуйся тем, что я умер, — это не дает тебе права насмехаться надо мной!

— Если мне и вправду достаточно нажать на кнопку, чтобы заткнуть тебе рот, то я уж как-нибудь возьму на себя труд сделать это!

Лицо Энтони Уолша омрачила тень, хорошо знакомая Джулии: она всегда предвещала его гнев, — как вдруг с улицы донеслись два отрывистых автомобильных гудка.

У Джулии панически заколотилось сердце. Этот скрежет коробки скоростей она узнала бы среди сотен других звуков: он раздавался всякий раз, как Адам включал задний ход. Сомнений не было — он парковал машину перед ее домом.

— О черт! — прошептала Джулия, бросившись к окну.

— Кто это? — спросил ее отец.

— Адам!

— Кто?

— Человек, за которого я должна была выйти замуж в эту субботу.

— Почему "должна была"?

— Потому что в субботу я была на твоих похоронах!

— Вот как?!

— Да, вот так! Но об этом мы поговорим позже. А пока давай-ка возвращайся в свой ящик!

— Не понял?

— Как только Адаму удастся исполнить свой цирковой номер — припарковаться, на что нужно еще несколько минут, он поднимется сюда, ко мне. Я отменила свадьбу, чтобы присутствовать на твоих похоронах, поэтому сделай милость, постарайся не встретиться с ним у меня в квартире, буду тебе очень благодарна!

— Не понимаю, зачем это нужно — хранить столь бесполезную тайну. Если ты собиралась делить свою жизнь с этим человеком, ты должна всецело доверять ему. С твоего позволения, я прекрасно могу сам объяснить ему сложившуюся ситуацию, как только что объяснил тебе.

— Во-первых, будь любезен не говорить об этом в прошедшем времени: что значит "собиралась"? Свадьба всего лишь отложена. Что же касается твоих объяснений, в этом как раз и заключается проблема: если уж мне трудно в них поверить, то не требуй от Адама невозможного.

— А может, у него более широкий взгляд на вещи, чем у тебя?

— Адам не способен включить даже видеомагнитофон, и я сильно сомнезаюсь, что он разберется в устройстве андроида. Так что залезай обратно в свой ящик, и поживей!

— Позволь мне заметить, что это дурацкая мысль.

Джулия разъяренно взглянула на отца.

— Да, именно дурацкая, и не смотри на меня так сердито, — продолжал тот. — Подумай хоть пару секунд! У тебя посреди гостиной стоит двухметровый закрытый ящик — тебе не кажется, что Адама заинтересует его содержимое?

Джулия смолчала, и Энтони удовлетворенно добавил:

— Ну вот видишь!

— Ладно, придумай что-нибудь другое, только поскорей! — взмолилась Джулия, выглянув в окно. — Спрячься где-нибудь, он уже заглушил мотор.

Энтони Уолш огляделся и скептически присвистнул.

— Где тут спрячешься, квартирка-то у тебя тесновата, — констатировал он.

— Она ровно такая, какая мне нужна, а другие мне не по средствам.

— Н-да, похоже на то. Будь здесь... ну, скажем... еще хоть одна маленькая гостиная, библиотека, бильярдная... да просто какой-нибудь чулан, я мог бы затаиться там и переждать. Но эти современные "студии"... Что за причуда — жить в такой конуре! Тут и не пахнет уютом!

77

— У большинства людей нет в квартире ни библиотеки, ни бильярдной — и ничего, обходятся!

— Ты имеешь в виду *своих* друзей, дорогая!

Джулия повернулась и бросила на отца мрачный взгляд:

— Слушай, ты довольно попортил мне жизнь, пока был жив, а теперь выбросил три миллиарда на эту машину, чтобы доставать меня еще и после своей смерти? Так, что ли?

— Пусть я и опытная модель, все равно эта "машина", как ты ее называешь, вовсе не стоит таких бешеных денег, иначе вряд ли кто-нибудь еще позволит себе такую роскошь.

— Да неужели? А *твои* друзья? — ехидно парировала Джулия.

— У тебя и вправду скверный характер, моя дорогая Джулия. Ладно, хватит препираться, ты забыла, что твой отец должен срочно исчезнуть, едва появившись вторично на свет божий. Что там у вас наверху — чердак, мезонин?

— Еще одна квартира!

— И там, наверное, живет соседка, с которой ты достаточно хорошо знакома, чтобы я мог позвонить к ней в дверь и попросить, например, масла или соли, а ты тем временем сплавишь своего нареченного.

Джулия вдруг ринулась в кухню и начала лихорадочно выдвигать ящики буфета.

— Что ты ищешь?

— Ключ! — шепнула она, прислушиваясь к голосу Адама, звавшего ее с улицы.

— Надеюсь, ты ищешь ключ именно от верхней квартиры? Предупреждаю: если ты намерена отправить меня в погреб, я рискую столкнуться на лестнице с твоим женихом.

— Да эта верхняя квартира принадлежит мне! Я купила ее в прошлом году на свою премию, но еще не успела отремонтировать, так что пока там полный кавардак.

— Разве только там? Неужели ты считаешь, что здесь убрано?

— Еще одно слово — и я тебя убью!

— Не хочу тебя разочаровывать, но боюсь, ты опоздала, моя милая. И потом, если бы ты наводила здесь порядок, давно бы уж заметила, что на гвоздике у плиты висят ключи.

Джулия подняла голову и бросилась к плите. Схватив связку ключей, она сунула ее отцу:

— Поднимайся и не вздумай шуметь. Он знает, что наверху никто не живет.

— Тебе следовало бы выйти и поговорить с ним, вместо того чтобы читать мне наставления; он так надрывается, вызывая тебя, что в конце концов перебудит весь квартал.

Джулия подбежала к окну и выглянула наружу.

— Я звонил в дверь раз десять, не меньше! — крикнул ей Адам, отступив назад.

— Извини, домофон, кажется, сломан, — ответила Джулия.

— Ты разве меня не слышала?

— Да... то есть нет... вот только сейчас. Я смотрела телевизор.

— Так ты откроешь?

— Да... конечно, — нерешительно сказала Джулия, не отходя от окна и дожидаясь, когда за ее отцом захлопнется дверь.

— Похоже, мой неожиданный визит тебя несказанно обрадовал.

— Естественно, обрадовал! К чему эта ирония?

— А к тому, что ты до сих пор держишь меня на улице. Когда я прослушал твое послание, я понял, что ты не в лучшей форме... В общем, мне показалось... короче, я возвращался из загородного дома и решил заглянуть к тебе, но если ты хочешь, чтобы я уехал...

— Конечно нет; сейчас открою!

Джулия подошла к домофону, нажала на кнопку и услышала внизу глухой щелчок, а затем шаги Адама на лестнице. Она торопливо забежала в кухню, схватила пульт с белой кнопкой, тут же с ужасом отбросила его, вспомнив, что им невозможно включить телевизор, открыла ящик стола и достала другой пульт, моля бога, чтобы в нем не сели батарейки. Экран засветился в тот самый миг, когда Адам вошел в квартиру.

— С каких это пор ты не запираешь дверь? — спросил он.

— Я ее только что открыла, чтобы впустить тебя, — нашлась Джулия, мысленно проклиная отца за небрежность.

Адам снял куртку и, бросив ее на стул, воззрился на экран, на котором бушевала "пурга".

— Ты действительно смотрела телевизор? А мне казалось, что ты его не выносишь.

— Один раз не в счет, — ответила Джулия, пытаясь казаться спокойной.

81

— Должен сказать, ты выбрала не самую увлекательную программу.

— Не смейся надо мной, я просто хотела его выключить, но, видно, нажала не на ту кнопку.

Адам оглядел гостиную и обнаружил странный предмет.

— Ну что еще? — спросила Джулия с наигранным недовольством.

— На тот случай, если это ускользнуло от твоего внимания, сообщаю: посреди твоей комнаты стоит ящик двухметровой высоты.

Джулия пустилась в путаные объяснения. Это просто-напросто специальная тара для отправки забарахлившего компьютера, которую вместо офиса по ошибке доставили к ней на дом.

— Наверно, он на редкость хрупкий, если вы собираетесь запаковать его в такой огромный ящик.

— Д-да, это очень сложное устройство, — добавила Джулия, — и потом, оно довольно объемистое... в общем, оно действительно очень хрупкое!

— И они, значит, ошиблись адресом? — продолжал выспрашивать заинтригованный Адам.

— Да... вернее, это я ошиблась, заполняя бланк заказа. Знаешь, я так безумно устала за последние недели, сама уже не ведаю, что творю.

— Будь осторожна, тебя ведь могут обвинить в расхищении казенного имущества.

— Не бойся, никто меня ни в чем не обвинит, — отрезала Джулия, и, хотя она сдерживалась изо всех сил, в ее тоне прозвучало легкое нетерпение.

— Ты больше ничего не хочешь мне сказать?

— С чего ты взял?

— С того, что мне пришлось звонить внизу раз десять и вопить на всю улицу, пока ты не подошла к окну; с того, что я застаю тебя в непонятном смятении; с того, что телевизор у тебя включен, а антенна выключена...

82

да что говорить — посмотри на себя! Ты какая-то странная сегодня, вот и все.

— И ты подозреваешь, что я от тебя что-то скрываю, не так ли, Адам? — с нескрываемым раздражением подхватила Джулия.

— Не знаю... я вовсе не это имел в виду... Решай сама, сказать мне или нет.

Джулия рывком распахнула дверь спальни, а следом за ней дверцу расположенной позади гардеробной, потом направилась в кухню и стала открывать все шкафчики подряд, начав с того, что висел над раковиной, и так вплоть до самого последнего.

— Господи боже, что ты делаешь? — испуганно спросил Адам.

— Ищу, куда я запрятала своего любовника, — ты разве не это хотел узнать?

— Джулия!

— Что "Джулия"?

Начинавшуюся размолвку прервал телефонный звонок, и они оба с интересом уставились на аппарат. Джулия сняла трубку, выслушала чье-то длинное сообщение, поблагодарила за звонок и, перед тем как попрощаться, поздравила звонившего.

— Кто это был?

— С работы. Они наконец решили ту проблему, которая тормозила выпуск нашего мультика, и теперь мы уложимся в срок.

83

— Вот видишь, — растроганно сказал Адам. — Значит, мы можем уехать завтра утром в свадебное путешествие, как и наметили, и ты будешь отдыхать с легким сердцем.

— Знаешь, Адам... я страшно сожалею... если бы ты знал, как мне жаль, но... я должна вернуть тебе билеты, они там, на письменном столе.

— Можешь их выбросить или оставить себе на память: их нельзя ни сдать, ни обменять.

Джулия состроила свою обычную гримаску, с горестным видом подняв брови. Так она делала всякий раз, когда воздерживалась от комментариев на неприятную тему. Адам тотчас начал оправдываться:

— Только не смотри на меня так! Согласись, редко кто отменяет свадебное путешествие за три дня до отъезда! А может, мы все-таки могли бы уехать...

— Потому что твои билеты нельзя вернуть и получить назад деньги?

— Я вовсе не это имел в виду, — возразил Адам, обняв невесту. — Но я вижу, что с тех пор как ты мне звонила, настроение у тебя не улучшилось, мне не следовало приходить. Ты хочешь побыть одна; я уже сказал и повторяю снова, что мне это по-человечески понятно. Лучше я поеду домой, а завтра все будет по-другому.

В тот миг, как он переступал порог, наверху раздалось легкое поскрипывание. Адам поднял голову, прислушался и взглянул на Джулию.

— Адам, только не начинай снова! Там, наверное, просто крыса пробежала.

— Ох, не понимаю, как ты можешь существовать в этом бардаке.

— Мне здесь хорошо. Вот увидишь, когда-нибудь я накоплю денег и смогу жить в большой квартире.

— Напоминаю, что в эту субботу мы должны были пожениться, так что ты могла бы сказать не "я", а "мы"!

— Ну извини, я неудачно выразилась.

— И долго ты еще собираешься бегать взад-вперед между твоей жалкой студией и моей двухкомнатной квартиркой, которую считаешь слишком тесной?

— Адам, давай не будем опять вступать в эту бесконечную дискуссию, сегодня вечером я не настроена спорить. Обещаю тебе, как только мы сделаем ремонт и соединим оба этажа, у нас хватит места для двоих.

— Вот только потому, что я тебя люблю, я согласился потерпеть и не вырывать тебя отсюда. Ты, кажется, к этому месту привязана больше, чем ко мне; но, если бы ты очень захотела, мы могли бы уже сейчас жить здесь вдвоем.

— На что ты намекаешь? — подозрительно спросила Джулия. — Если на деньги моего отца, то я отказывалась от них при его жизни и уж конечно не изменю своего решения после его смерти. А теперь я хочу лечь спать; поскольку свадебное путешествие отменяется, у меня завтра будет трудный рабочий день.

— Ты права, иди-ка спать, а твою последнюю реплику я объясняю лишь усталостью.

Адам пожал плечами и вышел; спускаясь по лестнице, он даже не обернулся, чтобы помахать рукой в ответ на прощальный жест Джулии. Наконец внизу хлопнула дверь.

———————

— Благодарю за крысу! Я все слышал! — воскликнул Энтони Уолш, снова входя в квартирку Джулии.

— А ты бы предпочел, чтоб я ему сказала правду: мол, там, наверху, у нас над головой, расхаживает андроид последней модели, точная копия моего отца? Вот тогда он точно вызвал бы "скорую" и отправил меня в психушку.

— А что, это было бы очень пикантно! — со смехом возразил Энтони Уолш.

— Если ты желаешь продолжить обмен любезностями, изволь, — сказала Джулия, — во-первых, я хочу тебя поблагодарить за то, что ты испортил мне свадебную церемонию.

— Ну извини, что я умер, дорогая!

— Во-вторых, отдельное спасибо за то, что ты поссорил меня с хозяином магазина на первом этаже, теперь он будет много месяцев смотреть на меня зверем.

— Какой-то жалкий торговец обувью! Да плевать я на него хотел!

— Вот именно, обувью! А что у тебя на ногах, как не обувь? В-третьих, спасибо за то, что ты испортил мне единственный свободный вечер на этой неделе!

— В твоем возрасте я отдыхал только в День благодарения!

— Я знаю! И наконец, моя последняя благодарность за то, что из-за тебя я обошлась со своим женихом как последняя стерва, это уж полностью твоя заслуга!

— Но я ни сном ни духом не виноват в вашей размолвке, всему причиной твой характер, а я совершенно ни при чем!

— Ты... ни при чем? — вскричала Джулия.

— Ну, может быть, отчасти... Слушай, давай заключим мир, а?

— Мир?! За этот вечер? За вчерашний день? За все прошлые годы молчания? Или, может, за все наши войны?

— Я никогда не воевал с тобой, Джулия, милая. Я часто отсутствовал, это правда, но вовсе не питал к тебе враждебных чувств.

— Надеюсь, это ты так шутишь? Ты же всегда старался меня контролировать даже на расстоянии, действовал самыми недостойными методами. Хотя, впрочем, что это я так разошлась?! Я же говорю с мертвецом!

— Можешь выключить меня, если хочешь.

— Возможно, именно так мне и следовало бы поступить. Засунуть тебя обратно в этот ящик и отослать назад в эту пресловутую хайтековскую фирму, как ее там?

— 1-800-300-00-01, код 654.

Джулия осеклась и удивленно взглянула на него.

— Это телефон пресловутой фирмы, — пояснил Энтони Уолш. — Тебе достаточно набрать номер, указать код, и они выключат меня на расстоянии, если у тебя самой не хватит мужества, а потом в течение суток избавят от моего присутствия. Но сперва подумай хорошенько, стоит ли это делать. Тысячи людей мечтают провести еще хоть несколько дней с умершим отцом или матерью. Второго такого шанса у тебя не будет. В нашем распоряжении всего шесть дней, ни днем больше.

— Почему именно шесть?

— Мы остановились на этом варианте из этических соображений.

— То есть?

— Ты сама должна понимать, что подобное изобретение неизбежно создает некоторые проблемы морального порядка. И мы сошлись на том, что самое важное — не дать нашим клиентам привязаться к этим... устройствам, какими бы совершенными они ни были. До сих пор у человека было немало способов сообщаться с живыми после своей кончины — посредством завещания, книг, аудио- и видеозаписей. В данном же случае предлагается сверхсовременный и, главное, интерактивный способ общения! — воскликнул Энтони Уолш с таким воодушевлением, как будто убеждал потенциального покупателя. — И теперь мы можем предложить тому или той, кому предстоит умереть, гораздо более совершенное, нежели бумага или видео, средство выразить свою последнюю волю, а живым дать шанс прожить еще несколько дней в обществе любимого человека. Но при этом лишаем их возможности проникнуться нежными чувствами к нашим механическим созданиям. Мы приняли во внимание все известные ранее прецеденты. Не знаю, помнишь ли ты, но много лет назад в магазинах продавались куклы-младенцы, сделанные до того искусно, что некоторые покупатели в конце концов начинали обращаться с ними как с живыми детьми. И мы не хотим повто-

89

рять этот извращенный опыт. Мы решили не допускать, чтобы люди вечно хранили у себя клон отца или матери, как это ни заманчиво.

Энтони взглянул на задумчивое лицо Джулии.

— Ну, во всяком случае, не допустим, насколько это зависит от нас... Словом, к концу недели батарейки истощаются, и перезарядить их невозможно. Все содержимое блока памяти стирается начисто, и последние признаки жизни окончательно исчезают.

— Неужели нет никакой возможности помешать этому?

— Нет, все было тщательно продумано. Если какой-нибудь умелец попробует добраться до батареек, вся информация, заложенная в памяти, тотчас сотрется. Грустно признаться — по крайней мере, грустно для меня, — но я подобен одноразовому карманному фонарику. Шесть дней света, а дальше — роковой прыжок в бездну. Шесть дней, Джулия, всего шесть коротких дней, чтобы наверстать упущенное время... решай же, тебе решать!

— Н-да, такая дьявольская мысль могла прийти только в твою голову. Я уверена, что ты в этой фирме был далеко не простым акционером.

— Если ты все-таки решишь сыграть в эту игру, то мне хотелось бы — во всяком случае, пока тебе не вздумается нажать на кнопку моего пульта и выключить меня, — чтобы ты говорила обо мне в настоящем времени. Пусть это будет скромной наградой за мои старания, если угодно.

— Шесть дней! Почти неделя! У меня уже целую вечность не было такого отпуска!

— Как видно, яблоко от яблони недалеко падает.

Джулия испепелила отца яростным взглядом.

— О, я пошутил, ты не должна принимать мои слова так близко к сердцу! — извинился Энтони.

— А что я скажу Адаму?

— Ну, ты, кажется, вполне успешно вышла из положения, когда только что лгала ему.

— Я не лгала, а кое-что скрыла от него, это не одно и то же.

— Извини, такие тонкие нюансы от меня ускользают. Ну что ж, ты просто будешь и дальше... э-э-э... кое-что скрывать от него, вот и все.

— А Стенли?

— Это твой друг-гомик?

— Просто друг, притом самый близкий!

— Да-да, я именно его имел в виду, — подтвердил Энтони Уолш. — Если он действительно твой самый близкий друг, придется тебе проявить всю свою изобретательность.

— А ты, значит, собираешься сидеть тут весь день, пока я буду на работе?

— Но ты же хотела уехать на несколько дней в свадебное путешествие, не правда ли? Следовательно, твое отсутствие на работе никого не удивит.

— А откуда тебе известно, что я должна была уехать?

— Пол в твоей верхней квартире — он же потолок в нижней — лишен звукоизоляции. Это вечная проблема старых заброшенных домов.

— Энтони, прекрати! — взорвалась Джулия.

— Ох, умоляю тебя, даже если я всего лишь машина, зови меня папой; я терпеть не могу, когда ты величаешь меня по имени.

— Черт подери, да я уже двадцать лет не зову тебя папой!

— Тем более стоит начать, чтобы в полной мере использовать эти шесть дней! — с широкой улыбкой ответил Энтони Уолш.

— Убей меня бог, если я знаю, что мне делать! — прошептала Джулия, направившись к окну.

— Ложись-ка спать, утро вечера мудренее. Ты первый человек на этой земле, кому представился такой выбор, — стоит обдумать его на свежую голову. Завтра утром примешь решение, и любой вариант будет во благо. В худшем случае — если ты меня выключишь — ты всего лишь немного опоздаешь на работу. Твоя свадьба повлекла бы за собой недельное отсутствие, так неужто смерть твоего папы не стоит нескольких потерянных часов работы?

Джулия долго не спускала глаз с этого странного отца — он так же пристально смотрел на нее. Если бы перед ней стоял не человек, которого она всегда безуспешно старалась разгадать, а кто-то другой, она могла бы поклясться, что в устремленном на нее взгляде мелькнула нежность. И хотя он был всего лишь подобием того, кто уже не существовал, она чуть было не пожелала ему спокойной ночи. Однако сдержалась, закрыла дверь спальни и упала на кровать.

Потекли томительные минуты, прошел час, другой. Занавеси не были задернуты, и ночной свет ложился на полки и стеллажи. В небе за окном висела полная луна — казалось, она вот-вот окажется в комнате и поплывет по гладкому паркету. Тем временем Джулия перебирала нахлынувшие воспоминания детства. Сколько таких вот ночей провела она без сна, карауля возвращение того, кто сейчас ждал ее там, за стенкой! Сколько часов пролежала, предаваясь отроческим грезам, вслушиваясь в голос ветра, который нашептывал ей истории о путешествиях ее отца, рассказывал про дальние страны с их

93

волшебными пейзажами! И сколько каран-
дашных набросков она сделала, чтобы персонажи, рожденные ее фантазией, один за
другим оживали, встречались друг с другом,
утоляли свою жажду любви! Джулия давно
поняла, что, когда в работу включается воображение, бесполезно уповать на сияние дня:
дневной беспощадный свет тут же убивает
грезы. Но где же пролегает граница между
детскими мечтами и реальностью?

Мексиканская куколка спала рядом с гип-
совой статуэткой выдры — той, первой от-
ливки зыбкой мечты, ставшей, однако, реальностью. Джулия взяла ее в руки. Интуиция
и воображение всегда были ее самыми на-
дежными союзниками. Что ж, почему бы и не
поверить...

Она отставила игрушку, накинула купаль-
ный халат и отворила дверь спальни. Энтони
Уолш сидел в гостиной на диване и смотрел
телевизор.

— Я позволил себе подключить антенну;
что за глупость — она даже не была подсо-
единена! Мне всегда ужасно нравился этот
сериал.

Джулия села рядом.

— В свое время мне не удалось посмотреть
эту серию, — продолжал отец, — а может, я ее
и видел, но забыл напрочь.

Джулия взяла пульт и выключила звук. Энтони воздел глаза к потолку.

— Ты ведь хотел поговорить? — сказала она. — Давай поговорим.

И оба замолчали. Прошло минут пятнадцать.

— Я просто в восторге; в свое время мне не удалось посмотреть эту серию, а может, я ее и видел, но забыл напрочь, — повторил Энтони Уолш, прибавляя звук.

Джулия выключила телевизор.

— To bug[1]. Ты уже дважды повторил одну и ту же фразу.

Они просидели молча еще минут пятнадцать; Энтони упорно смотрел на черный экран.

95

— Однажды вечером мы праздновали день твоего рождения; кажется, тебе исполнилось девять, мы с тобой поужинали вдвоем в китайском ресторанчике — он тебе ужасно нравился, — а потом до самой ночи смотрели телевизор, опять-таки вдвоем, больше никого не было. Ты разлеглась на моей кровати и, даже когда все передачи закончились, созерцала "пургу" на экране; впрочем, ты не можешь этого помнить, ты была слишком мала. В конце концов ты задремала; было

---

1 *Здесь*: У тебя сбой (*англ.*).

уже почти два часа ночи. Я хотел отнести тебя в твою комнату, но ты крепко обняла диванный валик у изголовья, и мне не удалось разнять твои руки. Так ты и проспала до утра, лежа поперек постели и занимая все пространство. А я устроился рядышком, в кресле, и провел ночь, глядя на тебя. Нет, ты этого помнить не можешь, тебе же было всего девять лет.

Джулия молчала, и Энтони Уолш снова включил телевизор.

— И откуда только берутся все эти истории? Наверное, нужна черт знает какая фантазия. Не перестаю восхищаться! Самое смешное, что рано или поздно ты действительно привязываешься к этим персонажам.

Они так и продолжали сидеть, Джулия и ее отец, бок о бок, ни о чем больше не говоря. Ее рука лежала рядом с рукой отца, но ни на миг не коснулась ее, и ни одно слово не нарушило глубокое безмолвие этой необычной ночи. И лишь когда в комнату проникли первые сполохи утренней зари, Джулия так же молча встала, прошла через гостиную к своей спальне и, обернувшись на пороге, сказала:

— Спокойной ночи.

6

Радиобудильник на ночном столике уже показывал девять часов. Джулия открыла глаза и одним прыжком соскочила с постели.

— О черт!

Она опрометью кинулась в ванную, ухитрившись по пути стукнуться ногой о дверной косяк.

— Уже понедельник! — простонала она. — Господи, ну и ночка!

Она задернула занавеску, включила воду и долго стояла под душем. Потом начала чистить зубы, разглядывая себя в зеркале над раковиной, и тут на нее напал какой-то истерический смех. Обмотав мокрые волосы полотенцем, Джулия завернулась в банную простыню и пошла готовить себе завтрак. Проходя через спальню, она подумала: "Сейчас глотну чаю и сразу же позвоню Стенли". Конечно, это довольно рискованно: откровенный рассказ о бредовых ночных видениях может привести к тому, что он силой уложит ее на кушетку психоаналитика, он вполне на это способен. Но бороться с искушением бесполезно, она и до полудня не дотерпит, позвонит ему или забежит сама. Такой фантастический сон заслуживал того, чтобы поделиться им с лучшим другом.

Все еще улыбаясь, она протянула руку, чтобы открыть дверь спальни и войти в гостиную, как вдруг услышала звуки, заставившие ее вздрогнуть, — позвякивание столовых приборов.

Сердце Джулии снова бешено заколотилось. Сбросив полотенца на паркет, она торопливо натянула джинсы и рубашку-поло, кое-как пригладила волосы и, взглянув на себя в зеркало, решила, что ей не помешает чуточку подрумяниться. Затем она приоткрыла дверь гостиной, выглянула и боязливо прошептала:

— Адам? Стенли?

— Я уж и не помню, что ты пила по утрам, чай или кофе, поэтому сварил кофе. — Отец стоял в кухонном отсеке гостиной, гордо воздев дымящийся кофейник. И жизнерадостно добавил: — Получилось крепковато, но я люблю именно такой.

Джулия взглянула на старый деревянный стол: ее прибор был уже на месте. Две баночки джема и баночка меда стояли в ряд, ровно по диагонали, а по бокам от них симметрично располагались масленка возле пакета с хлопьями и сахарница возле пакета молока.

— Прекрати это!

— Что именно? Что я такого опять натворил?

— Прекрати эту идиотскую игру в образцового отца. Ты ни разу в жизни не приготовил мне завтрак, так что нечего изображать заботу теперь, когда ты...

— О нет, давай-ка без прошедшего времени! Мы ведь, кажется, решили говорить друг с другом только в настоящем времени... поскольку будущее для меня теперь, увы, недоступная роскошь.

— Это правило ввел ты, а не я! Кроме того, по утрам я пью чай.

Энтони налил Джулии кофе.

— С молоком? — спросил он.

Джулия встала и взялась за электрочайник.

— Ну так что, ты уже приняла решение? — спросил Энтони Уолш, вынимая из тостера два поджаренных ломтика хлеба.

— По-моему, вчерашний вечер не слишком способствовал принятию решения, — кротко ответила Джулия.

— Ну, мне лично очень понравилось, как мы с тобой провели время, а тебе нет?

— Когда мы с тобой праздновали мой день рождения, мне исполнилось не девять лет, а десять. И мы впервые отмечали его без мамы. Это было воскресенье, а маму увезли в больницу раньше, в четверг. Тот китайский ресторан назывался "Вонг", он закрылся в прошлом году. А на следующее утро, в понедельник, на рассвете, пока я еще спала, ты собрал чемодан и уехал в аэропорт, даже не попрощавшись со мной.

— Видишь ли, у меня была назначена деловая встреча днем в Сиэтле. Хотя нет, кажется, не в Сиэтле, а в Бостоне! Хм... надо же, не помню точно. Но я вернулся домой в четверг... или в пятницу?

— Ладно, к чему теперь все эти воспоминания! — буркнула Джулия, садясь за стол.

— А ты не находишь, что, просто перекинувшись парой фраз, мы очень многое сказали друг другу? Кстати, хочу заметить: если ты не нажмешь на кнопку, чайник никогда не закипит.

Джулия понюхала содержимое.

— По-моему, я никогда в жизни в рот его не брала, — сказала она.

— Тогда откуда ты знаешь, что он тебе не нравится? — спросил Энтони Уолш, глядя, как Джулия одним глотком осушила свою чашку.

— Оттуда! — ответила она, поморщившись и отставив чашку.

— Сперва нужно привыкнуть к его горечи... а потом начинаешь ценить ту чувственность, которая в нем таится, — сказал Энтони.

— Мне пора на работу, — прервала его Джулия, открывая баночку с медом.

— Так ты приняла решение, да или нет? Меня крайне тяготит эта неопределенность; я все-таки имею право знать, на каком я свете!

— Не требуй от меня невозможного, я не знаю, что тебе сказать. Ты и твои компаньоны забыли о другой этической проблеме.

— Интересно, о какой же?

— Этично ли вмешиваться в жизнь кого-то, кто ни о чем таком не просил.

— Кого-то? — обиженно переспросил Энтони Уолш.

— Не придирайся к словам. Я не знаю, как поступить, поэтому делай что хочешь; сними трубку, позвони им, назови код, и пусть они сами все решат... на расстоянии.

— Шесть дней, Джулия, всего-навсего шесть дней, чтобы ты могла оплакать своего отца —

отца, а не кого-то чужого! — ты уверена, что не хочешь сделать выбор сама?

— И значит, предоставить тебе еще шесть дней!

— Меня уже нет на этом свете, так что же я, по-твоему, от этого выиграю? Я и подумать не мог, что когда-нибудь произнесу такие слова, однако это случилось. Впрочем, если вдуматься, ситуация довольно пикантная, — с довольной усмешкой продолжал Энтони Уолш. — Такой вариант мы тоже не предусмотрели. Просто неслыханно! Посуди сама: можно ли было предвидеть — до того, как появилось это гениальное изобретение, — что я объявлю своей дочери о собственной смерти и увижу ее реакцию?! Как ты думаешь?.. Ну ладно, раз ты даже не улыбнулась, наверное, это и в самом деле не очень смешно.

— Да уж, совсем не смешно!

— Но мне придется тебя огорчить: я не могу позвонить им. Это исключено. Единственный человек, который может закрыть программу, — это пользователь. Кроме того, я уже забыл пароль; как только я сообщил его тебе, он мгновенно стерся из моей памяти. Надеюсь, хоть ты его записала... на тот случай, если...

— 1-800-300-00-01, код 654!

— Ага, значит, ты его запомнила!

Джулия встала и подошла к раковине, поставила туда чашку, затем обернулась, пристально взглянула на отца и сняла телефонную трубку.

— Это я, — сказала она своему сотруднику. — Я решила последовать твоему совету... в общем, я беру отгул на сегодня и на завтра тоже, а может, и на больший срок, пока еще не знаю, но буду держать тебя в курсе. Присылайте мне мейл каждый вечер, я хочу знать, как продвигается работа, и конечно, звоните, если возникнет любая, даже мелкая проблема. И последняя просьба: постарайся быть полюбезней с этим новичком, Чарльзом, мы все ему обязаны по гроб жизни. Я не хочу, чтобы наши ребята сторонились его, помоги ему влиться в коллектив. Словом, я всецело полагаюсь на тебя, Дрэй.

И Джулия повесила трубку, по-прежнему не спуская глаз с отца.

— В высшей степени разумный принцип — забота о кадрах, — объявил Энтони Уолш. — Я всегда утверждал, что успех предприятия держится на трех китах: первое — кадры, второе — кадры и третье — опять-таки кадры!

— Два дня! Я даю нам с тобой два дня, слышишь? Решай сам, соглашаться или нет. Через

103

двое суток ты вернешь меня к моей обычной жизни, а сам...

— Шесть дней!

— Два!

— Шесть! — упрямо повторил Энтони Уолш.

Телефонный звонок прервал их торг. Энтони взял трубку, Джулия тотчас вырвала ее и судорожно сжала в руке, сделав знак отцу вести себя как можно тише. Адам беспокоился: он звонил ей на работу, но телефон не ответил. Он раскаивался в своей обидчивости и подозрениях на ее счет. Джулия извинилась за свою вчерашнюю раздражительность, поблагодарила за то, что он откликнулся на ее телефонное послание и заехал повидаться. Даже если он выбрал не совсем удачный момент, его неожиданное появление под ее окнами было очень романтичным.

Адам предложил заехать за ней к концу рабочего дня. Пока Энтони Уолш мыл посуду, производя при этом максимум шума, Джулия объясняла жениху, что смерть отца потрясла ее сильнее, чем она думала. Всю ночь ее мучили кошмары, и сейчас она просто совсем выдохлась. Так что не стоит повторять вчерашний опыт. Она спокойно отдохнет дома, вечером ляжет пораньше, а завтра или, самое позднее, послезавтра они увидятся. За это время она вернет себе имидж приличной молодой женщины, с которой он собирается вступить в брак.

— Я оказался прав: яблоко от яблони действительно недалеко падает, — сказал Энтони Уолш, когда Джулия повесила трубку.

Она зло посмотрела на него.

— Ну что опять не так?

— Ты же никогда в жизни не вымыл ни одной тарелки!

— Откуда ты знаешь? И потом, мытье посуды заложено в моей новой программе, — радостно сообщил Энтони Уолш.

Джулия оставила эту реплику без внимания и сняла с гвоздя связку ключей.

— Ты куда собралась? — спросил отец.

— Пойду наверх, приготовлю тебе комнату. Ты не будешь ночевать здесь, это совершенно невозможно: начнешь расхаживать туда-сюда по гостиной, а мне нужно отоспаться за прошлую бессонную ночь — надеюсь, тебе понятно, что я имею в виду.

— Если это из-за телевизора, я могу приглушить звук...

— Значит, так: сегодня вечером ты поднимешься наверх, без вариантов!

— Надеюсь, ты не засунешь меня на чердак?

— Веди себя хорошо, тогда не засуну.

— Там ведь крысы... ты сама говорила, — продолжал ее отец жалобно, как наказанный ребенок.

И в тот момент, когда Джулия выходила из квартиры, Энтони сказал ей вслед, твердо и уверенно:

— Здесь мы никогда не достигнем согласия!

Джулия захлопнула дверь и поднялась наверх. Энтони Уолш взглянул на часы, вмонтированные в кухонную плиту, задумался на минуту и стал искать пульт с белой кнопкой, который Джулия оставила на столе.

Сверху до него доносились шаги дочери, скрежет передвигаемой мебели, стук оконной рамы — видимо, она открывала и закрывала окно. Когда она спустилась, отец стоял в своем ящике с пультом в руке.

— Это еще что такое? — спросила Джулия.

— Знаешь, я хочу отключиться, так оно, наверное, будет лучше для нас обоих, особенно для тебя; я ведь вижу, что стал тебе помехой.

— А я думаю, что ты не можешь этого сделать, — сказала она, вырывая у него пульт.

— Нет, я говорил, что только ты одна можешь позвонить на фирму и сообщить код, но уж на кнопку-то я еще вполне способен нажать сам, — пробурчал Энтони, выходя из ящика.

— А впрочем, поступай как тебе угодно, — ответила Джулия, возвращая ему пульт. — Ты меня совсем замучил!

Энтони Уолш положил пульт на журнальный столик и подошел к дочери:

— Скажи-ка мне, куда вы собирались ехать?

— В Монреаль, а почему ты спрашиваешь?

Отец удивленно присвистнул:

— Ну и ну... он, часом, не свихнулся, твой жених?

— А что ты имеешь против Квебека?

— О, ровно ничего! Монреаль просто очаровательный город, я сам очень приятно проводил там время. Дело не в этом. — Энтони смущенно кашлянул.

— А в чем же?

— Да в том, что...

— Ну говори же!

— Свадебное путешествие на расстояние одного часа полета... честно говоря, поездка не из шикарных! Почему бы уж тогда не отвезти тебя в кемпинг, чтобы сэкономить на отеле?!

— А может, я сама выбрала такой маршрут? Может, я влюблена в этот город; может, для меня и Адама он связан с чудесными воспоминаниями? Что ты об этом знаешь?

— Только то, что если это ты решила провести свадебную ночь в одном часе полета от своего дома, то ты не моя дочь, вот и все! — иронически объявил Энтони. — Я вполне допускаю, что тебе нравится кленовый сироп, но не до такой же степени...

— Я вижу, ты никогда не расстанешься со своими a priori, верно?

— Согласись, что мне уже поздновато меняться. Ладно, предположим, что ты решила провести самую памятную ночь в своей жизни в городе, который хорошо знаешь. Значит, прощай любовь к дальним странствиям! Прощай романтика! Портье, дайте нам номер, который мы снимали в прошлый раз, — ведь сегодняшний вечер ничем не отличается от всех предыдущих! И приготовьте наш обычный ужин, мой жених — хотя что я говорю! — мой новоиспеченный супруг терпеть не может изменять своим привычкам!

Энтони Уолш разразился язвительным хохотом.

— Ты закончил?

— Да, прости господи, как хорошо быть мертвым — можно позволить себе болтать все, что приходит в твои электронные мозги, вот наслаждение!

— Ты был прав, мы никогда не достигнем согласия, — сказала Джулия, и ее мрачный тон свел на нет веселый настрой отца.

— Во всяком случае, здесь уж точно не достигнем. Нам нужна нейтральная территория.

Джулия изумленно уставилась на него.

— Хватит нам играть в прятки в твоей квартире, давай покончим с этим. Даже с учетом комнаты наверху, куда ты решила меня засунуть, тут слишком мало места, а у нас осталось не так много драгоценных минут, которые мы сейчас растрачиваем без толку, как глупые дети. А ведь их не вернешь.

— И что же ты предлагаешь?

— Небольшое путешествие. Туда, где не будет звонков с работы и набегов твоего Адама, где мы не будем сидеть как истуканы перед телевизором, а будем гулять и свободно беседовать. Вот за этим-то я и вернулся оттуда... из такой дали... на краткий миг, всего на несколько дней, чтобы провести их с тобой вдвоем, только вдвоем, и никого больше!

— Ты просишь меня подарить тебе то, чего сам никогда не хотел дать мне, правильно я понимаю?

— Перестань воевать со мной, Джулия. Через шесть дней у тебя будет целая вечность, чтобы возобновить эту войну, а мое оружие перестанет существовать — ну, разве что в твоей памяти. Шесть дней... вот и все, что нам осталось, все, что я у тебя прошу.

109

— И куда же мы отправимся на такой короткий срок?

— В Монреаль!

Джулия не смогла сдержать радостную улыбку:

— В Монреаль?

— Почему бы и нет — ведь билеты нельзя ни сдать, ни компенсировать!.. Зато можно попытаться изменить имя одного из пассажиров...

Вместо ответа Джулия заколола волосы, набросила куртку на плечи и, по всей видимости, собралась уходить. Энтони встал перед дверью, загородив ей проход.

— Не гляди на меня так, ведь Адам сказал, что ты можешь их выбросить.

— На тот случай, если это ускользнуло от твоих любопытных ушей, уточняю, что он предложил мне сохранить эти билеты на память, притом говорил с иронией. Но я что-то не припомню, чтобы он советовал мне ехать в Монреаль с кем-то другим.

— Не с кем-то, а с родным отцом!

— Дай мне, пожалуйста, пройти!

— И куда же ты? — спросил Энтони Уолш, пропуская Джулию к двери.

— Подышать воздухом.

— Ты сердишься?

Вместо ответа он услышал стук каблуков на лестнице.

У перекрестка Гринвич-стрит затормозило такси, и Джулия торопливо села в машину. Она не испытывала никакого желания поглядеть вверх, на окна своего дома. И без того было ясно, что Энтони Уолш следит из окна гостиной за желтым "фордом", удалявшимся в сторону Девятой авеню. Как только автомобиль исчез за углом, Энтони прошел на кухню, снял трубку и сделал два звонка.

Джулия попросила высадить ее в начале квартала Сохо. В обычной ситуации она проделала бы пешком этот путь, который знала наизусть. Ходьба занимала минут пятнадцать, не больше, но ей так хотелось поскорее сбежать из дому, что она без колебаний украла бы чей-нибудь велосипед, оставленный без присмотра на углу ее улицы. Она толкнула дверь маленького антикварного магазина, и у входа затренькал колокольчик. Стенли, сидевший в старинном вычурном кресле, поднял голову от книги:

— Даже Грета Гарбо в "Королеве Кристине" не произвела бы такого эффекта!

— Что ты имеешь в виду?

— Твое появление, моя принцесса, твое величественное и вместе с тем устрашающее появление!

— Не смейся надо мной, сегодня неподходящий день.

— Ни один день, как бы ясен и прекрасен он ни был, нельзя прожить без малой толики иронии. Почему ты не на работе?

Джулия подошла к старинному книжному шкафчику и стала внимательно разглядывать изящные настольные часы с позолотой, стоявшие на верхней полке.

— Ты сбежала из своей конторы, чтобы узнать, который час в восемнадцатом веке? — осведомился Стенли, поправляя очки, сползшие на кончик носа.

— Очень красивая вещь.

— Да, красивая. Я и сам вполне недурен. Что стряслось?

— Ничего, просто шла мимо и решила повидаться.

— Это так же достоверно, как то, что я завтра перестану торговать Людовиком Шестнадцатым и займусь продажей поп-арта! — парировал Стенли, роняя на пол книгу.

Он выбрался из кресла и присел на угол стола из красного дерева.

— Неужели эту хорошенькую головку отягощают печальные мысли?

— Похоже на то.

И Джулия прижалась лбом к плечу Стенли.

— Да, я чувствую, мысли и в самом деле тяжелые! — сказал он, обнимая ее. — Давай-ка я приготовлю тебе чай, один мой друг присылает мне его из Вьетнама. Этот чай обезвреживает любую отраву, и ты в этом убедишься, его достоинства неоспоримы, — вероятно, потому, что у этого моего друга нет никаких достоинств.

Стенли снял с полки заварочный чайничек и включил электрический, стоявший на старинном бюро, которое служило прилавком для кассового аппарата. Несколько минут магический напиток настаивался, затем его разлили в две фарфоровые чашечки, извлеченные из того же старинного шкафа. Джулия вдохнула нежный аромат жасмина и отпила маленький глоток.

— Я слушаю тебя, и не противься, — этот божественный напиток способен развязывать язык самым упорным молчунам.

— Скажи, ты бы поехал со мной в свадебное путешествие?

— Если бы я женился на тебе, то почему бы и нет... Но для этого нужно, чтобы тебя, моя Джулия, звали Джулианом, иначе наше свадебное путешествие обернулось бы полным крахом.

— Стенли, ты не можешь на недельку закрыть свой магазин и позволить мне умыкнуть тебя...

113

— Звучит весьма романтично... и куда же это?

— В Монреаль.

— Ни за что на свете!

— Ты тоже что-то имеешь против Квебека?

— Я провел там полгода в невыносимых муках, похудел на три кило, и уж конечно не намерен снова набирать их за несколько дней. Квебекские рестораны притягательны до ужаса... как, впрочем, и их официанты! Кроме того, меня отнюдь не привлекает роль второго номера.

— Почему второго?

— Если я верно понял, номер первый отказался с тобой ехать?

— Это не важно! Ты все равно мне не поверишь.

— Может, для начала стоило бы объяснить, что стряслось?

— Даже если я объясню все с самого начала, ты ни за что не поверишь.

— Ну, предположим, что я круглый дурак... А вот скажи мне, когда это ты позволяла себе отдыхать целых полдня в начале рабочей недели?

И видя, что Джулия упорно молчит, Стенли продолжал:

— Ты врываешься ко мне в магазин в понедельник, с утра пораньше, при этом от тебя разит кофе, которого ты терпеть не можешь. Под твоими румянами — кстати, весьма халтурно наложенными — помятая физиономия человека, который спал считаные минуты, и в довершение всего ты просишь меня бросить все дела и заменить твоего жениха в свадебном путешествии. Что же случилось? Ты провела ночь не с Адамом, а с другим мужчиной?

— Вот уж нет! — возмутилась Джулия.

— Ладно, считай, что я ничего не спрашивал. Тогда кого или чего ты боишься?

— Ничего я не боюсь...

— Ну вот что, моя дорогая, у меня полно работы, и если ты мне больше не доверяешь, то лучше я займусь своей описью, — прервал ее Стенли, делая вид, что хочет уйти в дальнее помещение магазина.

— Когда я пришла, ты сидел и зевал над книгой! Так что врун из тебя никакой! — со смехом сказала Джулия.

— Ну наконец-то я больше не вижу эту мрачную мину! Хочешь, пойдем прогуляемся? Скоро откроются магазины, а тебе наверняка нужна пара новых туфель.

— Видел бы ты, сколько у меня в шкафу обуви, которую я ни разу не надела!

— Но я собирался купить туфли не для того, чтобы ты их надела, а чтобы поднять моей подруге настроение.

Джулия взяла в руки маленькие позолоченные часы. Стекла на циферблате не было. Она легонько провела по нему пальцем.

— А они и вправду очень красивые, — сказала она, сдвигая назад минутную стрелку.

И, словно проснувшись от ее прикосновения, часовая стрелка тоже деловито пошла в обратном направлении.

— Как было бы хорошо, если бы мы могли вернуться в прошлое...

Стенли испытующе взглянул на Джулию:

— И обратить время вспять? Сколько бы ты ни отводила стрелки назад, этому старью молодость не вернешь. — И добавил, водворяя часы на полку: — Смотри на вещи иначе: эти часы дарят нам красоту старины. А теперь, может, расскажешь наконец, что тебя гнетет?

— Если бы тебе предложили уехать... совершить путешествие по следам твоего отца, ты бы согласился?

— А чем бы я рисковал?! Лично я, будь у меня шанс отыскать хоть частичку жизни моей матери, пусть даже на краю света, давно уже сидел бы в самолете и изводил стюардесс, вместо того чтобы тратить время на болтовню с какой-то ненормальной, хотя сам же и выбрал ее себе в лучшие подруги. Так что, если тебе представилась такая возможность, поезжай не раздумывая!

— А если уже слишком поздно?

— Слишком поздно бывает только тогда, когда ситуация становится необратимой. Даже скончавшись, твой отец продолжает существовать рядом с тобой.

— О, ты даже не подозреваешь, до какой степени!..

— И что бы ты мне ни плела, тебе его не хватает.

— За долгие годы я уже смирилась с его отсутствием. И прекрасно научилась жить без него.

— Дорогая моя, даже те дети, которые никогда не знали своих биологических родителей, рано или поздно испытывают желание найти свои корни. Это жестоко по отношению к тем, кто их растил и любил, но такова уж человеческая природа. Человеку очень трудно идти по жизни, не зная, кто произвел его на свет. И поэтому, если тебе необходимо пуститься в какое-то странствие, чтобы понять, кем был твой отец, и примириться с его прошлым, отправляйся без промедления!

— Должна тебе сказать, что у нас с ним не так-то много общих воспоминаний.

— А может, их больше, чем ты думаешь? Прошу тебя, хоть один раз забудь о своей гордости, которой я всегда восхищался, и соверши это путешествие! Если не ради себя

117

самой, то ради одной из моих самых близких подруг; когда-нибудь я тебя с ней познакомлю, из нее выйдет замечательная мамаша.

— Это еще кто? — поинтересовалась Джулия, и в ее голосе проскользнула нотка ревности.

— Ты! Ты — через несколько лет.

— Стенли, ты замечательный друг! — прошептала Джулия, нежно целуя его в щеку.

— Да я тут ни при чем, дорогая, это все чай!

— Ну, тогда поздравь своего вьетнамского приятеля; его чай и в самом деле обладает волшебными свойствами, — сказала Джулия, переступая порог.

— Ладно, если он пришелся тебе по вкусу, я заготовлю еще несколько пачек, и они будут ждать тебя по возвращении. Я покупаю его в бакалее на углу!

7

Джулия взбежала по лестнице, прыгая через ступеньки, и вошла в квартиру. Гостиная была пуста. Она позвала несколько раз, но ответа не последовало. Ни в прихожей, ни в спальне, ни в ванной, да и в комнате наверху никого не было. Джулия заметила на камине фотографию Энтони Уолша в тонкой серебряной рамочке; раньше она здесь не стояла.

— Где ты была? — спросил вдруг отцовский голос, и Джулия вздрогнула от неожиданности.

— Фу, как ты меня напугал! Куда ты подевался?

— Весьма тронут, что ты обо мне беспокоишься. Я вышел погулять. Мне стало скучно здесь одному.

— А это что такое? — спросила Джулия, ткнув пальцем в серебряную рамку.

— Я прибирал свою комнату наверху — я называю ее своей, поскольку сегодня вечером меня туда сошлют, — и чисто случайно обнаружил эту вещицу... под толстым слоем пыли. Знаешь, я не собираюсь спать в комнате, где стоит моя фотография! Вот я и принес ее сюда, но если хочешь, можешь поставить ее где-нибудь еще.

— Ты еще не раздумал совершить путешествие? — спросила Джулия.

— Я как раз вернулся из агентства; оно там, в конце твоей улицы. Ничто никогда не заменит человеческого общения. Там была очаровательная юная девушка — знаешь, она немного похожа на тебя, только улыбается... О чем это я?..

— Об очаровательной юной девушке...

— Ах да, верно! Она охотно согласилась обойти правила и тут же забарабанила по клавиатуре компьютера; это заняло у нее не меньше получаса, и я уж начал думать, не перепечатывает ли она целиком роман Хемингуэя, но нет, в конце концов ей удалось переделать и вытащить из своей машины билет на мое имя. Тогда я воспользовался ее любезностью, чтобы забронировать места бизнес-класса вместо экономического.

— Ну, с тобой не соскучишься! Значит, ты был уверен, что я соглашусь?..

— Да ни в чем я не был уверен, но раз уж ты собиралась наклеивать эти билеты в свой памятный альбом, то пусть лучше они будут первого класса. Это вопрос семейного престижа, моя дорогая!

Джулия направилась в свою комнату, и Энтони Уолш спросил, куда она снова уходит.

— Собрать дорожную сумку на ДВА дня. — Она сделала упор на цифру. — Ты ведь этого добивался?

— Наша поездка займет ШЕСТЬ дней, потому что даты отъезда и приезда изменению не подлежат: как я ни уговаривал Элоди — ту самую очаровательную девушку из агентства, о которой я тебе рассказывал, — в этом вопросе она осталась неумолимой.

121

— ДВА дня! — яростно прокричала Джулия из-за двери ванной.

— Ну, делай что хочешь; в худшем случае мы купим тебе там, на месте, другие джинсы. Учти, если ты сама этого не заметила, твои джинсы продрались так, что коленки видны!

— А ты сам-то поедешь с пустыми руками? — спросила Джулия, выглянув из ванной.

Энтони Уолш подошел к деревянному ящику, торчавшему посреди гостиной, и приподнял подставку, скрывавшую второе дно. В тайнике лежал черный кожаный чемоданчик.

— Они предусмотрели небольшой набор вещей, позволяющий выглядеть элегантно шесть дней — примерно на столько рассчитаны мои батарейки! — сказал он не без легкого самодовольства... — Пока тебя не было, я позволил себе взять мой паспорт, который тебе отдали. И еще, уж не обессудь, нашел и надел свои часы, — добавил он, с гордостью продемонстрировав Джулии левое запястье. — Надеюсь, ты не будешь возражать, если я поношу их несколько дней? Наступит момент, когда они вернутся к тебе... ну, ты понимаешь, что я имею в виду...

— Я была бы тебе очень благодарна, если бы ты перестал рыться в моих вещах!

— Рыться в твоих вещах, моя дорогая, — это все равно что заниматься спелеологией! Я обнаружил свои личные вещи в мешке из крафтовской бумаги, валявшемся в куче мусора на чердаке!

Джулия застегнула дорожную сумку и выставила ее в прихожую. Потом сказала отцу, что ненадолго выйдет и постарается вернуться как можно скорее. Ей предстоит объяснить свой отъезд Адаму.

— И что ты намерена ему сказать? — спросил Энтони Уолш.

— По-моему, это касается только его и меня, — отрезала Джулия.

— Мне совершенно безразлично то, что касается его, зато очень заботит все, что имеет отношение к тебе.

— Ах вот как? И это тоже заложено в твою программу?

— Какую бы причину ты ему ни назвала, я не советую тебе сообщать ему, куда мы едем.

— И я полагаю, что мне стоит прислушаться к советам отца, который может похвастаться большим опытом по части сохранения секретов.

— Прими мои рекомендации просто как дружеский совет. А теперь беги, нам нужно выехать из Манхэттена самое позднее через два часа.

123

Такси доставило Джулию на авеню Америки, к дому № 1350. Она вошла в высокое здание из стекла и бетона, где располагался отдел детской литературы крупного нью-йоркского издательства. В холле ее мобильник не сработал, она подошла к стойке приема посетителей и попросила телефонистку соединить ее с мистером Гуверменом.

— У тебя все в порядке? — спросил Адам, узнав голос Джулии.

— Ты на совещании?

— Мы обсуждаем макет, кончим через четверть часа. Если хочешь, я закажу столик на восемь часов у нашего итальянца.

И тут взгляд Адама упал на экран его телефонного аппарата.

— Ты что, здесь, внизу?

— Да, в холле...

— Это очень некстати, у нас сейчас общий сбор — презентация новых изданий...

— Нам нужно поговорить, — прервала его Джулия.

— А это не может подождать до вечера?

— Адам, я не смогу сегодня поужинать с тобой.

— Ладно, иду! — ответил он и повесил трубку.

Адам нашел Джулию в холле и по ее мрачному лицу сразу понял, что новости плохие.

— У нас внизу есть кафетерий, давай-ка пойдем туда, — предложил он.

— Давай лучше прогуляемся в парке, там будет легче разговаривать.

— Неужели все так серьезно?

Джулия не ответила. Они пошли вверх по Шестой авеню, миновали три квартала и оказались в Центральном парке.

Зеленые аллеи были почти безлюдны, лишь несколько спортсменов-любителей в наушниках пробежали мимо них бодрой рысцой, сосредоточенные на себе и полностью отрешенные от окружающего мира. Рыженькая белка прискакала к Джулии и Адаму и встала столбиком в ожидании лакомства. Джулия пошарила в кармане плаща, присела и протянула белке горстку орешков.

Смелый зверек подобрался поближе, жадно глядя на лакомство, но не решаясь взять его. Наконец аппетит пересилил страх; белка ловким движением схватила орешек и, отпрыгнув на несколько метров, принялась его грызть; Джулия растроганно смотрела на нее.

— Ты всегда носишь в кармане орешки? — со смехом спросил Адам.

— Нет, просто я знала, что приведу тебя сюда, и купила перед тем, как сесть в такси, — ответила Джулия, протягивая еще один орешек белке, к которой храбро присоединились другие.

— И ты вытащила меня с собрания, чтобы продемонстрировать свои таланты дрессировщицы?

Джулия высыпала на лужайку все, что осталось, выпрямилась и пошла дальше по аллее. Адам зашагал следом.

— Я уезжаю, — грустно сказала она.

— Ты меня бросаешь? — испуганно спросил Адам.

— Да нет же, дурачок, всего на несколько дней.

— На сколько?

— На два... или, возможно, на шесть, но не больше.

— Так на два или на шесть?

— Пока не знаю.

— Джулия, ты без предупреждения заявляешься ко мне на работу и просишь пойти с тобой таким тоном, словно мир вокруг тебя рухнул; пожалуйста, не заставляй вытягивать из тебя клещами каждое слово!

— А что, твое время так дорого стоит?

— Ты сейчас сильно раздражена, и, конечно, у тебя на это свои причины, но ведь не я тебя разозлил. Я тебе не враг, Джулия, я очень люблю тебя, а это не всегда легко. Так не вынуждай меня расплачиваться за то, в чем я совершенно не виноват.

— Сегодня утром мне звонил личный секретарь отца. Я должна уладить кое-какие дела за пределами Нью-Йорка.

— И где же?

— На севере Вермонта, на границе с Канадой.

— Но почему бы нам вдвоем не съездить туда в ближайший уик-энд?

— Это срочное дело, оно не терпит отлагательства.

— А оно, случайно, не связано с нашим свадебным путешествием — мне как раз сегодня звонили по этому поводу из агентства?

— И что они тебе сказали? — дрожащим голосом спросила Джулия.

— Кто-то приходил к ним, и по какой-то причине, которую я так и не понял, они возвращают мне стоимость билета — моего, но не твоего. Они отказались от всяких разъяснений по этому поводу. А я в тот момент уже шел на совещание, и мне неудобно было задерживаться.

— Вероятно, к ним приходил именно секретарь моего отца, он очень усердно исполняет свои обязанности — прошел хорошую школу.

— Значит, ты едешь в Канаду?

— На границу Канады, я же тебе сказала.

— И тебе действительно хочется совершить эту поездку?

— Похоже, что да, — мрачно ответила Джулия.

Адам обнял ее за плечи и прижал к себе:

— Тогда поезжай, если так надо. Я ни о чем не буду тебя расспрашивать. Не хочу опять выглядеть в твоих глазах ревнивцем; кроме того, мне нужно поскорей вернуться в офис. Ты меня проводишь?

— Нет, я еще немного побуду здесь.

— Со своими белками? — иронически спросил Адам.

— Да, с моими белками.

Он запечатлел поцелуй на лбу Джулии, попятился, прощально махая ей рукой и, отвернувшись, торопливо зашагал по аллее.

— Адам!

— Что?

— Как жаль, что у тебя сейчас это совещание, мне бы так хотелось...

— Я знаю, но в последние дни нам с тобой не очень-то везет.

И Адам послал ей воздушный поцелуй.

— Мне и правда надо бежать! Позвони мне из Вермонта и расскажи, благополучно ли ты добралась. Ладно?

Джулия молча проводила его глазами.

128

— Ну как, все прошло хорошо? — благодушно спросил Энтони Уолш, увидев входящую дочь.

— Замечательно!

— Тогда почему у тебя такая похоронная мина? Хотя... лучше поздно, чем никогда...

— Вот и я думаю: почему? Может, потому, что я впервые солгала человеку, которого люблю.

— Нет, не впервые, дорогая Джулия, первый раз ты сделала это вчера... Впрочем, вчерашний инцидент не в счет, это был, так сказать, пробный забег.

— Час от часу не легче! Значит, за последние два дня я предала Адама дважды, а он оказался настолько великодушным и деликатным, что позволил мне уехать, не задав ни единого вопроса. Я села в такси и поняла, что поступила с ним как последняя стерва, а ведь когда-то поклялась себе больше такого не допускать.

— Ну-ну, не стоит преувеличивать!

— Ах, не стоит?! А что может быть отвратительней женщины, которая обманывает того, кто ей безраздельно доверяет, ни о чем не допытываясь?!

— Отвратительней этого может быть только человек, который занят работой до такой степени, что его не интересует жизнь близких.

— Неужели?! Уж кто бы говорил!..

— Тот, кто разбирается в этом вопросе, как ты сама недавно заметила. Но кажется, внизу нас ждет машина... нужно поторапливаться. При нынешних правилах досмотра в аэропортах проводишь больше времени, чем в самолетах.

Пока Энтони Уолш выносил оба их чемодана, Джулия в последний раз обошла квартиру. Взглянув на серебряную рамку, она развернула фотографию отца лицом к стене и вышла, захлопнув за собой дверь.

———

Спустя час лимузин въехал на эстакаду, ведущую к терминалам аэропорта Кеннеди.

— Лучше было взять простое такси, — сказала Джулия, глядя на самолеты, стоявшие на взлетном поле.

— Да, но согласись, что лимузин намного комфортабельнее. Я отыскал у тебя свои кредитные карточки, а поскольку ты не собираешься принимать от меня наследство, так позволь уж мне им распоряжаться. Если бы ты знала, сколько людей всю жизнь копили деньги, мечтая, подобно мне, тратить их после смерти! Если вдуматься, это ведь неслыханная роскошь! Прошу тебя, Джулия, перестань смотреть так мрачно! Через несколько дней ты вернешься к своему Адаму и найдешь его еще более влюбленным, чем прежде. А пока используй на все сто эти несколько коротких дней в обществе отца. Что-то не припомню, когда мы в последний раз путешествовали вместе с тобой.

— Мне было семь лет, мама еще была жива, мы с ней проводили каникулы, сидя вдвоем у бассейна, пока ты торчал в телефонной кабине отеля, обсуждая дела, — ответила Джулия, выходя из лимузина, затормозившего у края тротуара.

— Ну чем же я виноват, что тогда не было мобильников! — воскликнул Энтони Уолш, открывая дверцу со своей стороны.

———————

Международный терминал был полон народу. Энтони с тяжким вздохом встал в длинную очередь, которая тянулась через весь зал к стойкам регистрации. Но это было еще не все: получив посадочные талоны — драгоценные сезамы, добытые ценой изнурительного ожидания, — пассажиры выстраивались в другую очередь, к рамке контроля безопасности.

— Посмотри на людей, они раздражены этими дурацкими формальностями, которые портят все удовольствие от путешествия. Трудно даже осуждать их за это — поневоле начнешь психовать, когда тебя вынуждают стоять часами, а здесь ведь и матери с детьми, и старики, которых ноги уже не держат. Неужели ты думаешь, что вот эта молодая женщина — перед нами — запихала взрывчатку в баночки с детским питанием для своего младенца? Компот из абрикосов, яблок и ревеня с динамитной приправой — смех, да и только!

— Уверяю тебя, что и такое возможно.

— Да брось, давай рассуждать здраво! А куда же подевались английские джентльмены, которые невозмутимо пили чай в те минуты, когда начался блицкриг?

— То есть под бомбами? — шепнула Джулия, смущенная тем, что Энтони говорил слишком громко. — Я вижу, свою иронию ты не утратил. А что, если я объясню служащему на контроле, что мой попутчик не совсем мой отец, и изложу прочие нюансы нашей с тобой ситуации? Как ты думаешь, сохранит он в этом случае способность рассуждать здраво? Я, например, оставила свое здравомыслие в деревянном ящике, который стоит посреди моей гостиной!

Энтони пожал плечами и шагнул вперед: настал его черед пройти через рамку. Джулия мысленно повторила свою последнюю фразу, встрепенулась и торопливо окликнула отца изменившимся от волнения голосом.

— Уйдем отсюда, — сказала она, борясь с охватившей ее паникой, — уйдем скорей, это была глупая затея — лететь самолетом. Давай возьмем машину напрокат, я сяду за руль, и через шесть часов мы будем в Монреале. Я тебе обещаю, что по дороге мы будем разговаривать. В машине ведь беседовать приятней, правда?

— Да что с тобой, Джулия, дорогая, что тебя так напугало?

— Неужели ты не понимаешь? — прошептала она ему на ухо. — Тебя же моментально засекут! Ты так набит электроникой, что металлоискатели завоют на весь зал. Набегут полицейские, тебя арестуют, обыщут, просветят с головы до ног рентгеном, а потом разберут на составные части, чтобы выяснить, возможно ли такое технологическое чудо.

Энтони усмехнулся и подошел к офицеру службы досмотра. Он раскрыл свой паспорт, достал из карманчика обложки какую-то справку и протянул ее офицеру.

Тот пробежал глазами документ и позвал старшего по званию, а Энтони Уолша попросил подождать. Начальник, в свою очередь ознакомившись с бумагой, повел себя крайне учтиво. Энтони Уолша отвели в сторонку, необычайно бережно ощупали и по завершении этой процедуры пропустили в обход рамки, разрешив передвигаться дальше без ограничений.

Самой Джулии пришлось подвергнуться стандартному досмотру, как и всем другим пассажирам. Ей велели снять обувь и вынуть ремень из джинсов. Затем конфисковали заколку для волос, сочтя ее слишком длинной и острой, ножнички из косметички, про которые она совершенно забыла, а заодно и пилку для ногтей, поскольку ее длина превышала два сантиметра. А напоследок сделали суровый выговор за невнимательность.

Разве на плакатах не перечислены достаточно крупным шрифтом предметы, которые запрещено проносить на борт самолета, спросили ее. Джулия осмелилась возразить, что проще было бы перечислить те, что разрешается проносить, и пограничник тоном армейского сержанта-инструктора поинтересовался, нет ли у нее проблем с соблюдением установленных правил. Джулия поспешила сказать, что нет, — ее самолет вылетал через сорок пять минут, и она, не дожидаясь ответной реакции, подхватила сумку и присоединилась к Энтони, который с усмешкой наблюдал за ней издали.

— Можно узнать, почему у тебя такие льготы?

Энтони помахал документом, который все еще держал в руке, и, улыбаясь, вручил его дочери.

— Ты носишь кардиостимулятор?

— Вот уже десять лет, милая Джулия.

— Почему?

— Потому что у меня был инфаркт и мое сердце нуждалось в поддержке.

— И когда же это случилось?

— Если я скажу, что это произошло в годовщину смерти твоей матери, ты наверняка снова обвинишь меня в тяге к театральным эффектам.

— А почему я об этом не знала?

— Ну, может быть, потому, что была слишком занята своей личной жизнью?

— И никто мне не сообщил...

134

— Для этого сначала нужно было понять, куда ты подевалась... Впрочем, давай не будем придавать значения этой истории! В первые месяцы я просто кипел от негодования при мысли, что вынужден носить в теле этот аппарат. А сегодня другой аппарат носит меня, всего целиком! Вот так... Ну что ж, пошли, иначе опоздаем, — сказал Энтони Уолш и взглянул на табло вылетов. — Ах нет, тут объявлено, что наш рейс задерживается на час. Не хватало еще, чтобы самолеты перестали летать по расписанию!

Джулия тем временем решила обследовать газетный киоск. При этом она то и дело поглядывала из-за вертушки с журналами на Энтони, зная, что он ее не видит. Он сидел в кресле, устремив отрешенный взгляд куда-то вдаль, в сторону взлетного поля, и Джулия впервые почувствовала, что соскучилась по отцу. Отвернувшись, она набрала номер Стенли.

— Я в аэропорту, — сказала она в трубку почти шепотом.

— Ты скоро вылетаешь? — спросил он так же тихо.

— У тебя, наверное, народ в магазине — я помешала?

— Я хотел задать тебе тот же вопрос.

— Да нет же, это ведь я тебе звоню, — удивилась Джулия.

— А тогда почему ты шепчешь?

— Ой, я даже не заметила.

— Тебе надо почаще заглядывать в мой магазин, ты мне приносишь удачу: представь себе, я продал те часы восемнадцатого века через час после твоего ухода. А ведь они у меня тут пылились целых два года!

— Если они действительно такие старинные, то парой месяцев позже или раньше — не имеет значения.

— И они тоже отлично умели врать. Не знаю, с кем ты там, и знать не хочу, но не держи меня за дурачка, я этого терпеть не могу.

— Стенли, это действительно не то, что ты думаешь, поверь мне!

— Вера, моя дорогая, — вопрос религии, и ничего больше.

— Стенли, я буду скучать по тебе.

— Ладно, постарайся провести эти дни с пользой: путешествия просвещают молодежь!

Он повесил трубку, не дав Джулии оставить за собой последнее слово. Потом взглянул на выключенный телефон и добавил:

— Езжай с кем хочешь, но не вздумай втюриться в какого-нибудь канадца, который запрет тебя в своей стране. Один день без тебя — это уже много, я начинаю скучать.

8

В 17:30 самолет "American Airlines-4742" совершил посадку в монреальском аэропорту Трюдо. Они беспрепятственно прошли таможню. Их уже ждала машина. Шоссе было свободно, и полчаса спустя они ехали через деловой квартал города. Энтони указал на высокую стеклянную башню.

— Подумать только, я видел, как ее строили, — со вздохом сказал он. — Она твоя ровесница.

— Зачем ты мне это сообщаешь?

— Но ты ведь утверждала, что особенно любишь этот город, вот я и оставляю тебе "сувенир" на память. Если когда-нибудь тебе случится снова гулять здесь, ты вспомнишь, что твой отец несколько месяцев работал в этой башне. И эта улица уже не будет для тебя безликой, как все остальные.

— Ладно, запомню, — ответила Джулия.

— Тебя не интересует, чем я тут занимался?

— Я полагаю, бизнесом.

— А вот и нет, в те времена я всего лишь держал скромный газетный киоск. Ты ведь не родилась в сорочке. Сорочка появилась гораздо позже.

— И долго ты этим промышлял? — удивленно спросила Джулия.

— Пока мне не пришло в голову торговать еще и горячими напитками. И вот тогда-то я действительно заделался бизнесменом! — продолжал Энтони, и у него весело заблестели глаза. — Люди приходили с улицы, окоченев от ледяного ветра, который начинает дуть здесь с конца осени и унимается только с наступлением весны. Видела бы ты, как они набрасывались на кофе, горячий шоколад или чай, которые я продавал... по двойной цене.

— А потом?

— Ну а потом я пополнил меню еще и сэндвичами. Твоя мать начинала их делать с самого рассвета. И кухня нашей квартиры очень скоро превратилась в настоящую лабораторию.

— Значит, вы с мамой жили в Монреале?

— Да, и притом в окружении салатов, ломтиков ветчины и целлофановой упаковки.

А когда я организовал доставку еды прямо на рабочие места в нашей башне и в той, что была построена рядом, мне пришлось нанять своего первого служащего.

— И кто же это был?

— Твоя мать. Она торговала в нашем киоске, а я разносил заказы. Она была такая красивая, что люди приходили раза по четыре в день, лишь бы полюбоваться ею. Как же мы веселились в те времена! У твоей мамы был свой рейтинг клиентов. Например, бухгалтер из офиса № 1407, который питал к маме нежные чувства, в награду получал сэндвичи с двойной порцией зелени, а вот директора по кадрам с двенадцатого этажа она сильно невзлюбила, и ему вечно доставались жалкие остатки горчицы и увядшие листья салата.

Тем временем машина подъехала к отелю. Носильщик вынул из багажника чемоданы и проводил прибывших к стойке портье.

— Мы не бронировали, — сказала Джулия, протягивая портье свой паспорт.

Тот просмотрел на экране компьютера список свободных мест, затем набрал ее фамилию:

— О нет, вас уже ждет номер, да еще какой!..

Джулия удивленно взглянула на него; Энтони предусмотрительно отступил на несколько шагов.

139

— Мистер и миссис Уолш... Гувермен! — провозгласил портье. — Если не ошибаюсь, вы проведете у нас всю эту неделю.

— Как ты посмел?!.. — прошипела Джулия, обернувшись к отцу, который ответил ей ангельски невинным взглядом.

Портье прервал назревающую перепалку:

— Мы предоставили вам люкс... — Тут он сделал многозначительную паузу, как бы отмечая разницу в возрасте "мистера и миссис Уолш", и договорил с легкой заминкой: — Э-э-э... свадебный.

— Мог бы, по крайней мере, выбрать другой отель! — шепнула Джулия на ухо отцу.

140

— Нет, не мог, этот отель включен в пакет услуг! — объяснил Энтони. — Твой будущий муж заказал комплексную поездку — перелет, машину и пребывание в гостинице. Слава богу, он хоть от полупансиона отказался. Но обещаю тебе, что он не понесет убытков, я оплачу счет своей кредитной картой. Ты же моя наследница, и значит, мы будем тратить твои денежки! — весело добавил он.

— Да меня вовсе не это беспокоит! — яростно бросила Джулия.

— Вот как? А что же?

— Этот номер... он же свадебный!

— Пусть это тебя не волнует, я проверил еще в агентстве: он состоит из двух спален и салона между ними. И находится на последнем этаже — надеюсь, ты не боишься высоты?

Пока Джулия выговаривала отцу, портье вручил ей ключ и пожелал приятно провести время...

Носильщик проводил их к лифтам. Внезапно Джулия кинулась назад и налетела на портье:

— Это совсем не то, что вы думаете! Он мой отец!

— Но... я ничего такого не думаю, мадам, — пробормотал ошарашенный служащий.

— Нет, думаете! Я вижу, что думаете, и вы ошибаетесь!

— Мадемуазель, могу вам признаться, что в силу своей профессии я много чего повидал здесь, — сказал портье, перегнувшись через стойку, чтобы их никто не услышал. — Но это умрет вместе со мной! — заверил он Джулию торжественным и, по его мнению, достаточно убедительным тоном.

Джулия уже открыла рот, чтобы ответить какой-нибудь хлесткой репликой, но тут Энтони схватил ее за руку и силой оттащил от стойки:

— Ты слишком близко принимаешь к сердцу чужое мнение.

— А тебе-то какое дело?

— А такое, что при этом ты теряешь некоторую часть своей свободы и бо́льшую часть чувства юмора. Идем скорей, бой держит для нас лифт, а мы здесь не единственные, кому нужно подняться.

———————

Люкс вполне соответствовал описанию Энтони. Окна обеих спален, разделенных маленькой гостиной, выходили на старый город. Едва Джулия бросила дорожную сумку на кровать, как в номер постучали, и ей пришлось идти открывать. За дверью оказался коридорный со столиком на колесиках, где красовались бутылка шампанского в ведерке, два бокала и коробка шоколадных конфет.

— Это еще что такое? — спросила Джулия.

— Наш отель поздравляет вас, мадам, — ответил служащий. — Примите этот подарок для новобрачных.

Джулия мрачно взглянула на него и прочла записку, лежавшую на столике. Директор отеля благодарил мистера и миссис Уолш-Гувермен за то, что они избрали его заведение, дабы отметить свою свадьбу. Весь персонал гостиницы к их услугам, чтобы сделать пребывание здесь незабываемым. Джулия разорвала записку в клочки, аккуратно положила их на столик и захлопнула дверь перед носом коридорного.

— Мадам, но это же включено в стоимость номера! — услышала она его голос.

Джулия не ответила, но, когда повизгивание колесиков стало удаляться, она распахнула дверь, решительным шагом догнала молодого человека, взяла со столика коробку шоколада и молча пошла обратно. Парень вздрогнул, когда дверь люкса № 702 грохнула во второй раз.

— Что там за шум? — спросил Энтони Уолш, выходя из своей спальни.

— Понятия не имею! — ответила Джулия, присев на подоконник в маленькой гостиной.

— Красиво, не правда ли? — сказал он, глядя на видневшуюся вдали реку Святого Лаврентия. — И день какой погожий, не хочешь ли прогуляться?

— Все что угодно, лишь бы не торчать в этом отеле!

— Ну это не я его выбрал! — парировал Энтони, накидывая пуловер на плечи дочери.

———————

Улочки старого Монреаля с их горбатыми булыжными мостовыми вполне могут соперничать с самыми красивыми кварталами европейских городов. Прогулка Энтони и Джулии началась с площади Оружейников, и Энтони счел своим долгом рассказать дочери о жизни господина Мезоннёва, чья статуя высится в центре небольшого водоема. Зевнув, она прервала его и оставила одного перед памятником основателю города — ее внимание привлек стоявший поодаль продавец конфет.

Минуту спустя она вернулась с полным пакетиком сладостей и предложила их отцу, но он отказался, брезгливо поджав губы, или "собрав их в куриную гузку", как выразились бы квебекцы. Джулия осмотрела статую господина Мезоннёва, перевела взгляд на отца, затем снова на бронзовую фигуру и одобрительно кивнула.

— В чем дело? — спросил Энтони.

— Вы похожи как две капли воды — наверное, вы бы прекрасно поладили.

И она потащила его на улицу Нотр-Дам. Энтони хотел остановиться перед домом 130, самым старинным зданием Монреаля. Он начал объяснять дочери, что это здание всегда служило приютом членам конгрегации Святого Сульпиция, одно время правившей городом.

Однако Джулия вновь зевнула, ускорила шаг и, обогнав отца, прошла мимо базилики, опасаясь, что он затащит ее внутрь.

— Ты даже не представляешь, что упустила! — крикнул он ей вслед. — Там свод расписан под звездное небо — зрелище великолепное!

— Хорошо-хорошо, теперь буду знать! — ответила она, не останавливаясь, и Энтони снова пришлось кричать:

— Здесь мы с твоей матерью тебя крестили!

Джулия тотчас остановилась и подошла к отцу, шокированному ее равнодушием. Но теперь она была уже заинтригована и капитулировала.

— Ладно, пошли, так и быть, осмотрим твой звездный свод! — сказала она, поднимаясь по ступеням церкви Нотр-Дам.

145

Ее интерьер и впрямь являл собой изумительное зрелище. Стены центрального нефа были украшены роскошными резными панелями, а на куполе и потолке сияли яркие лазурные звезды. Восхищенная Джулия подошла к алтарю.

— Я даже не представляла, что тут так красиво, — прошептала она.

— Очень рад, что тебе нравится, — торжествующе ответил Энтони.

И он провел ее к часовне Сердца Иисусова.

— Вы правда крестили меня здесь? — взволнованно спросила Джулия.

— Конечно нет! Твоя мать была атеисткой, она никогда бы не позволила мне проделать над тобой эту церемонию.

— Тогда зачем ты меня обманул?

— Затем, чтобы ты увидела, как тут красиво! — парировал Энтони, направляясь к монументальным деревянным дверям собора.

Когда они проходили по улице Сен-Жак, Джулии показалось, что она находится на юге Манхэттена, — настолько белые фасады высоких жилых домов с колоннами походили на те, что тянулись вдоль Уолл-стрит. Улица Сент-Элен, где только что зажглись фонари, привела их к парку с аллеями и зелеными газонами. Внезапно Энтони пошатнулся и едва не упал навзничь, но успел схватиться за спинку скамьи.

— Ничего страшного, — успокоил он бросившуюся к нему Джулию, — просто еще один сбой, на этот раз отказал коленный сустав.

Джулия помогла ему сесть:

— Тебе очень больно?

— К сожалению, вот уже несколько дней как я забыл, что такое боль, — ответил он со страдальческой гримасой. — Нужно признать, что и у смерти есть некоторые преимущества.

— Прекрати болтать! Зачем ты кривляешься? Я ведь вижу, что тебе больно.

— Наверное, такая мимика тоже заложена в программу. Если человек получает травму и у него нет никаких внешних проявлений боли, это выглядит неестественно.

— Ладно, помолчи! Я не желаю знать все эти подробности. Чем я могу помочь?

Энтони вынул из кармана черный блокнот и протянул его Джулии вместе с ручкой:

— Будь добра, запиши, что на второй день правая нога стала пошаливать. И не забудь в следующее воскресенье передать им этот блокнот. Мои заметки наверняка помогут им усовершенствовать модели следующего поколения.

Джулия ничего не ответила, но, когда она начала записывать то, о чем попросил отец, у нее дрожала рука.

Энтони увидел это и забрал у дочери ручку.

— Не надо, все это пустяки, — сказал он, вставая. — Смотри, я уже могу ходить вполне нормально. Просто маленькая неполадка, которая прошла сама собой, так что не стоит ее фиксировать.

На площадь Ювиль выехала одноконная прогулочная коляска, и Джулия объявила, что давно мечтает на такой прокатиться. Сколько дней она гуляла по Центральному парку пешком, но не могла позволить себе такую роскошь — и вот теперь настал идеальный момент. Она сделала знак кучеру. Энтони с ужасом взглянул на дочь, но она дала ему понять, что не расположена препираться. Он с тяжким вздохом уселся в коляску, пробурчав:

— Мы выглядим просто смешно!

— А кто это говорил, что не нужно принимать близко к сердцу чужое мнение?

— Я говорил, но все имеет свои границы!

— Ты хотел попутешествовать вместе со мной, ну вот мы и путешествуем, — отрезала Джулия.

Энтони мрачно созерцал вилявший при каждом шаге круп коня.

— Предупреждаю тебя: если я увижу, что это толстокожее поднимает хвост, я тут же сойду!

— Лошади не принадлежат к семейству толстокожих, — возразила Джулия.

— С такой-то задницей?! Нет уж, позволь мне в этом усомниться!

———

Коляска остановилась в старом порту, возле матросской таверны. Гигантские зернохранилища на причале, там, где прежде стояла ветряная мельница, не позволяли разглядеть противоположный берег. Казалось, эти величественные округлые сооружения выныривают прямо из воды и упираются макушками в ночной небосвод.

— Слушай, пойдем отсюда! — недовольно сказал Энтони. — Мне никогда не нравились эти бетонные монстры, заслоняющие горизонт. Не понимаю, почему их до сих пор не снесли.

— Я думаю, потому, что они являются национальным достоянием, — ответила Джулия. — И кто знает, возможно, через какое-то время люди будут находить в них определенный шарм.

— Я этого не увижу: к тому времени меня уже не будет на свете, и могу держать пари, что тебя тоже!

149

И он повел дочь по набережной старого порта. Они шли по зеленой аллее вдоль берега реки Святого Лаврентия. Джулия шагала чуть впереди отца. Вечерний ветерок вздымал прядь ее волос.

— На что ты смотришь? — спросила Джулия.

— На тебя.

— И о чем же ты думаешь, глядя на меня?

— О том, что ты очень хороша и похожа на свою мать, — ответил он, едва заметно улыбаясь.

— Я проголодалась, — объявила Джулия.

— Мы выберем столик, который тебе понравится, вон там, чуть дальше. На этой набережной полным-полно маленьких ресторанчиков... один мерзостней другого!

— И какой из них, по-твоему, самый мерзкий?

— Не беспокойся, в этом я доверяю нам обоим: если постараемся, обязательно найдем.

Дойдя до набережной, Джулия и Энтони побродили вокруг лавчонок и магазинчиков и вскоре вышли к старенькому причалу.

— Посмотри на того человека! — воскликнула вдруг Джулия, указав на силуэт в густой толпе.

— На какого человека?

— Вон на того, в черной куртке, возле продавца мороженого, — уточнила она.

— Ничего не вижу!

Джулия потащила за собой Энтони, вынуждая его почти бежать.

— Какая муха тебя укусила?

— Поторопись, не то мы его упустим!

Внезапно Джулия угодила в самую гущу туристов, хлынувших на причал.

— Да скажи мне наконец, что случилось? — пропыхтел Энтони, с трудом поспевая за дочерью.

— Скорей, скорей, я тебе говорю! — командовала Джулия, не оглядываясь на отставшего отца.

Но тут Энтони объявил, что не сделает дальше ни шагу, и сел на скамейку; Джулия бросила его и кинулась почти бегом на поиски таинственного субъекта, привлекшего ее внимание. Однако спустя несколько минут она с разочарованной миной вернулась назад:

— Упустила!

— Ты можешь мне объяснить, что это за игры?

— Вон там, около лотков с сувенирами... Я абсолютно уверена, что видела твоего личного секретаря.

— О моем секретаре никак не скажешь, что в нем есть что-то личное. Он похож на любого, кого ни возьми, и любой человек похож на него. Ты просто обозналась, вот и все.

— Тогда почему ты вдруг встал как вкопанный?

— Мой коленный сустав... — жалобно пробормотал Энтони Уолш.

— Как?! Ты же уверял, что не чувствуешь боли!

— Значит, моя дурацкая программа опять дала сбой. И потом, будь снисходительна ко мне, я ведь не распоряжаюсь собой полностью — чересчур сложное устройство... Впрочем, даже если это и был мистер Уоллес, он имеет право находиться где угодно. Он теперь в отставке, и у него полно свободного времени.

— Может, и так, однако это очень странное совпадение.

— Мир тесен! Но я готов поспорить, что ты его спутала с кем-то другим. Если не ошибаюсь, ты мне говорила, что проголодалась?

Джулия помогла отцу встать.

— Думаю, все вошло в норму, — заявил он, подвигав ногой. — Вот видишь, я снова могу нормально шагать. Давай пройдемся еще немножко, прежде чем сесть за стол.

С приходом весны торговцы всякой мишурой для туристов — сувенирами, поделками и прочим — вновь расставили свои лотки на прибрежном бульваре.

— А ну-ка пошли вон туда, — сказал Энтони, увлекая дочь вперед, к насыпи.

— По-моему, мы шли ужинать!

Но Энтони указал ей на хорошенькую молодую женщину, которая рисовала желающих; портрет углем стоил десять долларов.

— Потрясающее мастерство! — воскликнул Энтони, разглядывая ее работу.

Несколько эскизов, развешанных на решетке за спиной художницы, и впрямь свидетельствовали о ее таланте, это же подтверждал и портрет какого-то туриста, который она набрасывала в данный момент. Но Джулию эти рисунки ничуть не заинтересовали. Когда у нее пробуждался аппетит, все остальное уже не существовало. А ее аппетит чаще всего походил на волчий голод. Жадное воодушевление, с которым она ела, неизменно восхищало окружающих, будь то коллеги по работе или люди, так или иначе принимавшие участие в ее жизни. Однажды Адам решил провести опыт: поставил перед ней целую гору выпечки. Когда Джулия весело приступила к седьмому блину, ее сотрапезник, сдавшийся после пятого, уже начал страдать от первых приступов несварения, которое ему надолго запомнилось. Но самая большая несправедливость заключалась в том, что фигура Джулии никоим образом не страдала от всех этих излишеств.

153

— Ну что, идем? — нетерпеливо сказала она.

— Погоди-ка! — ответил Энтони, садясь на табурет, с которого только что встал довольный турист.

Джулия закатила глаза к небу.

— Что ты выдумал? — сердито спросила она.

— Хочу иметь свой портрет! — с веселым упрямством возразил Энтони. И, взглянув на художницу, которая затачивала грифель, спросил: — Как лучше, анфас или в профиль?

— Может, в три четверти? — предложила молодая женщина.

— Слева или справа? — осведомился Энтони, поворачиваясь на табурете то так, то эдак. — Мне всегда говорили, что мой правый профиль выглядит импозантнее. А вы как думаете? Джулия, ты как считаешь?

— Никак! Абсолютно никак! — отрезала та, повернувшись к отцу спиной.

— Ты ведь набила желудок этими похожими на резину сластями, так что он еще потерпит. Я вообще не понимаю, как можно быть голодной, наевшись до отвала конфет.

Портретистка сочувственно улыбнулась Джулии.

— Это мой отец, мы много лет не виделись, поскольку его интересовала исключительно собственная персона; последний раз мы вот так гуляли вместе, когда он провожал меня в детский сад. А недавно он возобновил наши отношения. Только не говорите ему, что мне больше тридцати лет, для него это будет страшный удар!

Молодая женщина отложила карандаш и взглянула на Джулию:

— Если вы будете и дальше меня смешить, я испорчу набросок.

— Вот видишь, — подхватил Энтони, — ты мешаешь мадемуазель работать. Иди-ка лучше посмотри готовые портреты, а мы скоро закончим.

— Да ему плевать на рисование, он застрял здесь просто потому, что находит вас хорошенькой! — объяснила Джулия художнице.

Энтони знаком подозвал к себе дочь, словно хотел поделиться с ней каким-то секретом. Она с мрачным видом наклонилась к нему.

— Как по-твоему, — шепнул он ей на ухо, — сколько молодых женщин мечтали бы посмотреть, как их отец позирует для портрета через три дня после своей смерти, позволь спросить?

Джулия не нашлась, что ответить, и удалилась.

Стараясь не менять позу, Энтони искоса наблюдал за дочерью, которая разглядывала портреты тех, кто не взял свой заказ, или тех, кого молодая художница рисовала просто так, чтобы набить руку.

Внезапно лицо Джулии застыло, глаза изумленно уставились в одну точку, а рот приоткрылся, словно ей не хватало воздуха. Возможно ли такое чудо, чтобы несколько штрихов углем разом оживили целый мир,

155

прочно погребенный в памяти?! Это лицо на прицепленном к решетке листе, эта едва намеченная ямочка на подбородке, эта тонкая линия, подчеркнувшая выпуклые скулы, этот взгляд, который был устремлен на нее с бумаги и от которого она не могла отвести глаз, этот крутой, упрямый лоб вернули ее на много лет назад, в такое далекое прошлое, к давно забытым чувствам...

— Томас? — пролепетала она...

9

...Первого сентября 1989 года Джулии исполнилось восемнадцать. В ознаменование этой даты она собиралась покинуть колледж, куда в свое время ее записал Энтони Уолш, так как узнала о программе международных обменов в совершенно иной области, нежели та, что выбрал для нее отец. За несколько лет учебы она собрала приличную сумму денег, заработав их частными уроками, а в последние месяцы еще и позируя тайком от друзей на факультете графики; к этому добавились выигрыши у сокурсников в ожесточенных карточных баталиях и стипендия, которую ей удалось получить не без труда. Для этого пришлось привлечь на свою сторону секретаря Энтони Уолша, иначе директорат факультета, знавший о богатстве ее отца, отказал бы в этой просьбе. Уоллес крайне неохотно, то и дело приговаривая "Мисс Уолш, на что вы меня толкаете! Если ваш отец узнает!..", все-таки подписал свидетельство о том, что его хозяин уже давным-давно не помогает родной дочери материально. Представив эту бумагу в отдел грантов университета, Джулия убедила руководство в своем праве на стипендию.

Затем последовал короткий и бурный визит в дом отца на Парк-авеню, где Джулия чуть ли не силой забрала у него свой паспорт, громко хлопнув напоследок дверью, потом отъезд в аэропорт Кеннеди и прибытие в Париж ранним утром 6 октября 1989 года.

И вдруг ей вспомнилась ее студенческая комнатка. Деревянный столик, привинченный к подоконнику, а за окном незабываемый вид на крыши Обсерватории, железный стул, старомодная, чуть ли не из прошлого века, лампа, кровать с шершавыми, но такими душистыми простынями, две подружки, обитавшие на той же площадке, — вот только их имена затерялись в прошлом. Бульвар Сен-Мишель, по которому она ежедневно проходила, направляясь в Школу изобразительных искусств. Забегаловка на углу бульвара Араго с ее завсегдатаями, которые курили, сидя за стойкой и попивая с утра пораньше кофе с коньяком. Наконец-то ее мечта о независимой жизни стала реальностью, и любой флирт был под запретом — ничто не должно было мешать ее занятиям. Джулия рисовала, рисовала с утра до вечера и с вечера до утра. Она успела посидеть чуть ли не на каждой скамейке Люксембургского сада, обойти все его аллеи, полежать на всех лужайках, куда был запрещен доступ людям, но зато там расхаживали птицы, и она наблюдала за их неуклюжими шажками и подскоками. Октябрь уже кончился, и ясные зори ее первой парижской осени померкли в надвигавшейся серой ноябрьской хмари.

Как-то вечером студенты Сорбонны, сидевшие в кафе "Араго", бурно обсуждали события в Германии. С самого начала сентября немцы из ГДР тысячами пересекали венгерскую границу в попытке уйти на Запад. Накануне по улицам Берлина прошла демонстрация, в которой участвовало около миллиона человек.

— Это историческое событие! — кричал один из студентов.

Его звали Антуан.

И ее захлестнула мощная волна воспоминаний.

— Нужно ехать туда! — предложил второй.

А это был Матиас. Я прекрасно помню, что он все время курил, приходил в возбуждение от любой мелочи, непрерывно говорил, а когда совсем уж нечего было сказать, насвистывал. Никогда не встречала человека, который бы так боялся тишины.

Энтузиасты тут же сбились в команду. Машина должна была отправиться в Германию той же ночью. Сменяя друг друга за рулем, они рассчитывали прибыть в Берлин еще до рассвета или чуть позже.

Что толкнуло Джулию поднять руку в тот вечер в кафе "Араго"? Какая сила заставила ее подойти к столику студентов из Сорбонны?

— А можно я поеду с вами? — спросила она, подойдя к ним.

Я помню каждое свое слово.

— Я умею водить машину и как раз сегодня спала целый день...

Вот тут я соврала.

— ...так что смогу просидеть за рулем много часов подряд.

Антуан посоветовался с товарищами. *Постой-ка, это был Антуан или Матиас?*

Впрочем, не важно — студенты проголосовали почти единогласно, — и она получила право присоединиться к ним.

— Она американка, а мы им еще как обязаны! — сказал Матиас, заметив, что Антуан все еще колеблется. И добавил, подняв руку: — Вот она вернется к себе на родину и будет рассказывать, с каким сочувствием французы относятся ко всем революциям, происходящим в мире.

Ребята подвинулись, давая Джулии место, и она села между своими новыми друзьями.

Позже, когда они вышли на бульвар Араго, ей пришлось обнимать кого-то, целовать чьи-то незнакомые лица — ведь она теперь входила в команду отъезжающих, как же не попрощаться с теми, кто оставался в Париже. Им предстояло одолеть тысячу километров, времени было в обрез. В ту ночь, 7 ноября, проезжая вдоль Сены по набережной Берси, Джулия и не подозревала, что навсегда покидает Париж и больше не увидит крыши Обсерватории из окна своей студенческой комнатки.

Санлис, Компьень, Амьен, Камбре... сколько таинственных названий на дорожных указателях промелькнуло перед ней в пути и сколько незнакомых городов!..

Незадолго до полуночи они уже подъезжали к границе Бельгии, и в Валансьене Джулия села за руль.

На границе таможенники долго и удивленно изучали ее американский паспорт; к счастью, положение спас студенческий билет Школы изобразительных искусств, и поездка продолжилась.

Матиас без конца пел, и это раздражало Антуана, я же внимательно слушала, стараясь запоминать незнакомые слова: это помогало мне бороться с усталостью.

Это воспоминание вызвало у Джулии улыбку, за ним тут же нахлынули другие.

Свернув с автотрассы на площадку для отдыха, они сделали первую остановку. *Мы подсчитали свои наличные и решили купить багеты и ветчину.* В честь Джулии — еще бутылку кока-колы, но ей достался всего один глоток.

Ее попутчики говорили слишком быстро, и многого она не понимала. А ей-то казалось, что шестилетние занятия сделали для нее французский почти родным! *Почему папа решил учить меня именно этому языку? Неужели в память о днях, проведенных в Монреале?* Но пора было снова отправляться в путь.

Миновав Монс у развилки Ла-Лувьер, они сбились с пути. Да и проезд через Брюссель стал хоть и маленьким, но приключением. Там тоже говорили по-французски, но с акцентом, который делал этот язык понятней для нее, американки, хотя кое-какие выражения она слышала впервые. Интересно, почему Матиас так смеялся, когда прохожий старательно объяснял им, как проехать в Льеж? Антуан снова уткнулся в карту, рассчитывая время, у него получалось, что возвращение займет больше часа, а Матиас умолял гнать побыстрей: революция ждать не станет. Словом, дорога на север выглядела слишком длинной, и они решили ехать по другой, южной, через Дюссельдорф.

Но сперва они пересекли фламандский Брабант. Здесь французский язык сдавал свои позиции. Какой необыкновенный край: люди, живущие буквально в нескольких километрах друг от друга, изъяснялись на трех разных языках!

"Страна из мультиков и анекдотов" — так окрестил Бельгию Матиас. На подъезде к Льежу Джулия начала клевать носом, и машину сильно занесло в сторону.

Остановились на обочине, и, когда оправились от испуга, Антуан сделал Джулии выговор и сослал на заднее сиденье.

Впрочем, эта кара оказалась вполне безобидной: Джулия благополучно проспала паспортный контроль на границе с Западной Германией. Матиас, имевший дипломатические водительские права благодаря своему отцу послу, уговорил офицера-пограничника не будить сводную сестру: она, бедняжка, только что прилетела из Америки.

Офицер посочувствовал и ограничился проверкой документов, лежавших в бардачке.

Когда Джулия открыла глаза, они уже подъезжали к Дортмунду. Вся компания единодушно минус один голос — ее мнения не спросили — проголосовала за привал и нормальный завтрак в кафе. В то утро, 8 ноября, Джулия впервые в жизни проснулась в Германии. На следующий день ее привычный, хорошо знакомый мир накроет волна неожиданных событий, и этот буйный поток властно подчинит себе жизнь молодой девушки.

Машина миновала Билефельд, впереди был Ганновер, и Джулия снова села за руль. Антуан попробовал возражать, но ни он, ни Матиас не в состоянии были вести автомобиль, а до Берлина было еще далеко. Оба приятеля тотчас заснули, и Джулия наконец-то смогла насладиться короткими мгновениями тишины. Впереди показался Хельмштедт. Окружающий мир выглядел довольно угрожающе. Заграждения из колючей проволоки указывали на близость границы с Восточной Германией. Матиас продрал глаза и велел Джулии поскорее съехать на обочину.

Тут они перераспределили роли: Матиас сел за руль, Антуан — рядом с ним на переднее сиденье, а Джулию отправили назад. Дипломатический паспорт должен был убедить пограничников пропустить их дальше.

"Генеральная репетиция! — приказал Матиас. Ни слова о настоящей цели поездки. Если их спросят, зачем они едут в ГДР, он, Матиас, ответит, что собирается навестить отца-дипломата, работающего в Берлине; Джулия сыграет на том, что она американка и ее отец якобы тоже чиновник берлинского дипломатического ведомства. "А я? — спросил Антуан. "А ты будешь молчать в тряпочку!" — бросил Матиас, включая мотор.

Справа вдоль дороги тянулся густой ельник. Наконец в просвете, на лужайке, показались темные контуры пограничного поста. Его зона была так обширна, что напоминала транзитную железнодорожную станцию. Их машина пристроилась между двумя грузовиками, но офицер-пограничник знаком велел им выехать на другую полосу. Матиас уже не улыбался.

По обе стороны шоссе над кронами деревьев торчали столбы с прожекторами и стояли попарно, друг против друга, четыре смотровые вышки почти такой же высоты. Решетчатые ворота, которые смыкались за каждой пропущенной машиной, венчал щит с надписью "Мариенборнский пограничный контроль".

При первом осмотре их заставили открыть багажник. Таможенники обыскали сумки

Антуана и Матиаса, и только тут Джулия вспомнила, что не взяла с собой никаких вещей. Затем им приказали проехать вперед, по узкому коридору между белыми жестяными будками, где им предстояла проверка документов. Офицер велел Матиасу остановить машину на обочине и следовать за ним. Антуан пробурчал, что вся их затея — чистое безумие, он с самого начала знал, чем это кончится, но Матиас напомнил ему их уговор во время "генеральной репетиции". Джулия взглядом спросила, что ей делать. *Матиас взял наши паспорта – я все помню так ясно, как будто это было вчера, – и пошел следом за пограничником. Мы с Антуаном сидели и ждали и, хотя чувствовали себя ужасно одиноко в этой железной западне, все-таки не произнесли ни слова, помня о его распоряжениях. Некоторое время спустя Матиас вернулся в сопровождении военного. По его лицу ни Антуан, ни я не могли понять, что нас ждет. Молодой солдат по очереди внимательно рассмотрел нас, затем вернул паспорта Матиасу и знаком разрешил проезжать. Никогда в жизни, ни до ни после, я не испытывала такого страха перед чужим, враждебным окружением, такого чувства потерянности, которое леденило кровь, пронизывало до мозга костей. Машина медленно ползла в сторону следующего пропускного пункта; там она опять остановилась, и все началось по новой. Матиаса увели в глубь помещения, и, когда он наконец вернулся, мы поняли по его улыбке, что все в порядке, дорога на Берлин нам открыта. При этом нам запретили сворачивать с автострады.*

———————

Ветерок, гулявший по променаду старого монреальского порта, заставлял Джулию слегка поеживаться. Ее взгляд был по-прежнему прикован к мужскому лицу, возникшему из прошлого и запечатленному на белом листе бумаги, гораздо более белом, чем белая жесть будок, возведенных на границе, которая некогда разделяла две Германии.

167

———————

Томас, я тогда не знала, что еду к тебе. Мы были так беззаботны, а ты – ты был еще жив.

Матиасу понадобился целый час, чтобы прийти в себя и снова запеть. Если не считать нескольких грузовиков, единственными машинами, которые они встречали или обгоняли на дороге, были "трабанты". Казалось, все жители этой страны сообща решили покупать одинаковые автомобили, чтобы избежать соперничества с соседями. Зато их "пежо-504", гордо мчавшийся по автостраде ГДР, производил фурор; не было водителя, который не присвистнул бы с восхищением при виде этой машины, когда она проносилась мимо.

Позади остались Шермен, Тиссен, Кёперниц, за ними промелькнул Магдебург и наконец Потсдам; до Берлина оставалось всего пятьдесят километров. Антуан объявил, что непременно должен сидеть за рулем в тот миг, когда они въедут в предместье. Джулия расхохоталась и напомнила друзьям, что это ее соотечественники освободили город почти пятьдесят пять лет тому назад.

— И сидят здесь до сих пор! — ехидно заметил Антуан.

— Вместе с французами! — так же ехидно парировала Джулия.

— Как же вы оба мне надоели! — заключил Матиас.

Все умолкли и так доехали до границы маленького анклава Западной Германии, внедренного в Восточную; они не произнесли ни слова до тех пор, пока не очутились в городе, и тут Матиас неожиданно провозгласил: "Ich bin ein Berliner!"[1]

1 Я берлинец! (*нем.*)

10

Однако все их расчеты оказались неверными. День 8 ноября уже был на исходе, но никто не волновался из-за задержек в пути. Они были измотаны, но не думали об усталости. В городском воздухе явственно чувствовалось возбуждение; стало ясно, что ожидаются какие-то события. Антуан оказался прав: четыре дня назад по другую сторону железного занавеса прошла миллионная демонстрация жителей Восточного Берлина с требованием свободы. Стена, с ее тысячами солдат и сторожевых собак, с патрулями, не смыкавшими глаз ни днем ни ночью, разделяла тех, кто любил друг друга, тех, кто раньше жил вместе, а теперь ждал, почти ни на что не надеясь, что им позволят воссоединиться. Вот уже двадцать восемь лет, как родственники, друзья, просто соседи были отгорожены друг от друга сорокатрехкилометровой бетонной стеной с колючей проволокой и смотровыми вышками — ее с варварской жестокостью возвели в то печальное лето, которое ознаменовало собой начало "холодной войны".

Присев за столик кафе, трое друзей прислушивались к разговорам окружающих. Антуан призвал на помощь все свои знания немецкого, полученные в лицее, стараясь как можно точнее переводить Матиасу и Джулии то, что говорили берлинцы. Коммунистический режим долго не продержится. Некоторые утверждали даже, что скоро откроются пропускные пункты. Все изменилось с тех пор, как Горбачев в октябре посетил ГДР. Журналист из "Тагесшпигель", забежавший в кафе на минутку хлебнуть пива, сообщил, что в редакции его газеты царит полная неразбериха.

Газеты, обычно поступавшие в этот час из типографий, до сих пор не вышли. Назревало что-то важное, но что именно, он не знал.

С наступлением ночи усталость от поездки все-таки взяла свое. Джулия непрерывно зевала, вдобавок на нее напала жуткая икота. Матиас испробовал все известные ему способы избавления от этой напасти, для начала испугав Джулию неожиданным криком, — каждая его попытка вызывала лишь взрыв хохота, а Джулия икала все сильней. Тогда за дело взялся Антуан. Он заставил ее выполнить какие-то хитроумные движения — например, выпив стакан воды, опустить голову и раскинуть руки. Он уверял, что этот метод безотказен, однако на сей раз и он не сработал — спазмы только усилились. Некоторые посетители бара предлагали свои способы, как то: выпить пинту жидкости залпом, до дна; постараться как можно дольше не дышать, заткнув при этом нос; улечься на пол, согнув колени и прижав их к животу. Они соревновались в изобретательности до тех пор, пока один симпатичный врач, тянувший пиво у стойки, не посоветовал Джулии на почти безупречном английском просто-напросто отдохнуть: круги у нее под глазами — явное свидетельство того, что она вконец измотана. И сон — лучшее лекарство. Трое друзей решили поискать недорогой молодежный хостел.

171

Антуан спросил, где можно найти такой приют. Но усталость не пощадила и его: бармен так и не понял, чего он хочет. В конце концов им удалось снять два номера в какой-то маленькой гостинице — один достался парням на двоих, второй — целиком Джулии. Они с трудом взобрались на четвертый этаж и, разойдясь по комнатам, рухнули на кровати. Правда, Антуану пришлось провести ночь на одеяле прямо на полу, потому что Матиас, едва войдя в номер, уснул поперек постели.

***

Портретистка никак не могла закончить рисунок. Она трижды призывала своего заказчика посидеть спокойно, но Энтони Уолш почти не слушал ее. Тщетно она пыталась схватить выражение его лица — он то и дело отворачивался, чтобы посмотреть на дочь, стоявшую поодаль. Джулия по-прежнему не сводила глаз с выставленных рисунков. Казалось, ее отрешенный взгляд ищет в них иные, далекие образы. Пока отец позировал художнице, дочь неотрывно смотрела на тот портрет... Энтони окликнул ее, но она не ответила.

***

Близился полдень того памятного дня, 9 ноября, когда они, все трое, собрались в холле их маленькой гостиницы. Для начала они решили познакомиться с городом. *Еще несколько часов, Томас, всего несколько часов, и я встречу тебя.*

Первым делом они решили осмотреть колонну Победы. Матиас нашел, что она выглядит более величественно, чем Вандомская, но Антуан возразил, что подобные сравнения бессмысленны. Джулия спросила, всегда ли они так собачатся, как сейчас, и оба парня удивленно воззрились на нее, не понимая, что она имеет в виду. Потом их заинтересовала главная торговая артерия Курфюрстендам, а затем они прошли пешком, наверное, не меньше ста улиц и только временами, когда Джулия уже совсем не чуяла под собой ног, садились в трамвай. В середине дня они очутились перед церковью Воспоминания, построенной в память о кайзере Вильгельме II: берлинцы окрестили ее "гнилым зубом", так как половина здания была разрушена бомбежками во время Второй мировой войны, а уцелевшая часть имела ту самую оригинальную форму, из-за которой и получила свое прозвище. Руины церкви сохранили как мемориал.

173

В половине седьмого путешественники остановились возле парка и решили прогуляться там.

Вскоре они узнали, что восточногерманское правительство огласило декларацию, которой предстояло изменить облик современного мира или как минимум конец XX века. Отныне гражданам Восточной Германии разрешалось выезжать за границу и свободно переходить на Запад; солдатам на контрольных пунктах у Стены было приказано не стрелять в людей и не спускать на них собак. Страшно подумать, сколько мужчин, женщин и детей погибли в трагические годы "холодной войны", пытаясь перебраться через эту постыдную преграду! Сотни смельчаков расстались там с жизнью под пулями усердных охранников.

И вот теперь было просто-напросто объявлено, что берлинцы получают свободу передвижения! И тут кто-то из журналистов спросил у представителя властей, когда это распоряжение войдет в силу. Не совсем поняв вопрос, тот ответил: "С настоящей минуты".

В двадцать часов эта информация была передана по всем каналам радио и телевидения в обеих Германиях; невероятная новость произвела оглушительный эффект.

Тысячи западных немцев хлынули к пограничным пунктам. Тысячи восточных сделали то же самое. И посреди этой толпы, в бурном потоке людей, неистово рвущихся к свободе, ликовали вместе со всеми двое французов и одна американка.

В 22:30 каждый житель Западного и Восточного Берлина отправился на какой-нибудь контрольный пункт. Военные, неготовые к такому повороту событий, затерялись в тысячных толпах людей, опьяненных нежданной свободой, и тоже очутились у подножия Стены. Шлагбаумы на Борнхаймер-штрассе поднялись, и обе Германии двинулись к своему объединению.

Ты шел по городу, от улицы к улице, стремясь к свободе, а я – я шла к тебе, не сознавая, что за сила побуждает меня идти и идти вперед. Ведь эта победа не была моей, и эта страна не была моей, и эти улицы были мне чужими, хотя нет – это я была здесь чужой. И я тоже побежала – побежала, чтобы вырваться из этой гнетущей толпы. Антуан и Матиас оберегали меня; мы мчались вдоль бесконечной бетонной преграды, которую уже разукрасили во все цвета радуги полные надежд художники. Некоторые твои соотечественники, кому стали невыносимы эти последние часы ожидания у пропускных пунктов, начали карабкаться на Стену. И мы, стоявшие по эту сторону мира, следили за ними. Справа от меня какие-то люди протягивали руки, чтобы помочь другим спрыгнуть вниз, слева кто-то влезал на плечи тех, кто посильней, чтобы хоть на несколько секунд раньше увидеть рвущихся к Стене бывших пленников еще не разрушенного железного занавеса. И наши крики сливались с вашими, и этот общий хор подбадривал вас, избавлял от страха, подтверждал, что мы здесь, с вами. И внезапно я, американка, сбежавшая из Нью-Йорка, дитя страны, победившей твою родину, которая наконец обрела человечность, стала превращаться в немку; с наивным

175

энтузиазмом молодости я, как Матиас, прошеп-
тала: "Ich bin ein Berliner" – и заплакала. О, как
я плакала, Томас...

———————

В тот вечер Джулия, затерявшаяся в толпе туристов, бродивших по набережной старого
порта в Монреале, тоже плакала. Она смотрела
на рисунок углем, и по ее щекам текли слезы.

Энтони Уолш не спускал с нее глаз. Он
снова окликнул ее:

— Джулия! С тобой все в порядке?

Но дочь была слишком далеко, чтобы его
услышать, — их разделяли двадцать истек-
ших лет.

176

———————

...Толпа бурлила все сильней и сильней. Люди
в дикой давке стремились пробраться к Стене.
Некоторые принялись долбить ее всем, что по-
палось под руку: отвертками, камнями, ледору-
бами, перочинными ножами; конечно, это было
нелепо, и бетон не поддавался, но людям так
хотелось поскорей стереть это препятствие
с лица земли! И вдруг в нескольких метрах от
меня произошло чудо: в Берлин приехал один из
величайших виолончелистов мира[1]. Узнав о слу-

———

1 Мстислав Ростропович.

чившемся, он присоединился к нам – к вам. Он установил свою виолончель и начал играть. Не помню, было ли это в тот же вечер или на следующий. Но какая разница – главное, что его музыка тоже поколебала Стену. Эта мелодия, состоявшая из обыкновенных нот – фа, ля, си, – звучала специально для вас, была той стихией, в которой рождалась песнь свободы. И знаешь, в те мгновения плакала не я одна. Той ночью я видела много слез. Слезы матери и дочери, которые судорожно обнялись после двадцати восьми лет разлуки, когда им запрещалось видеться, касаться друг друга, дышать одним воздухом. Слезы седых отцов, которые искали своих сыновей в толпе, среди тысяч незнакомцев. Слезы берлинцев, которые плакали потому, что только слезы могли смыть причиненное им зло. А потом, внезапно, я увидела на самом верху Стены твое лицо среди многих других, твое серое от пыли лицо, твои глаза. Ты был первым, кого я увидела там, на Стене, – ты был первым немцем с Востока, который увидел первую девушку с Запада, и этой девушкой была я.

177

—————

— Джулия! — снова крикнул Энтони Уолш.

Она медленно повернула к нему голову, не в силах произнести ни слова, и снова обратила свой взгляд на портрет.

———————

Ты стоял там, на гребне Стены, долгие минуты, и наши изумленные взгляды никак не могли разъединиться. Перед тобой был новый мир, он целиком принадлежал тебе, и ты смотрел на меня так, словно нас связывала прочная невидимая нить. Я продолжала реветь, как дурочка, и вдруг ты мне улыбнулся. Присев, ты спрыгнул со Стены, и я сделала то же, что другие, – открыла тебе объятия. Ты упал в них, и мы оба рухнули на землю, по которой ты еще никогда не ходил. Ты извинился по-немецки, а я поздоровалась с тобой по-английски. Потом мы встали и ты стряхнул пыль с моих плеч таким уверенным жестом, словно делал это всегда. Ты что-то говорил, но я ничего не понимала. И, видя это, ты время от времени просто кивал мне. Меня разобрал смех, потому что ты был в эти минуты ужасно смешной, а я, наверное, еще смешней. И тут ты протянул мне руку и произнес имя, которое я потом повторяла без конца, – имя, которое я с тех пор так давно не повторяла: Томас.

———————

Какая-то женщина, шедшая по набережной, на ходу толкнула ее и даже не подумала извиниться. Джулия не обратила на нее никакого внимания. Бродячий торговец бижутерией тряс перед ней бусами из светлого дерева, она медленно покачала головой, не слыша ни одного слова из его монотонных, как заклинания, уговоров. Энтони вручил художнице десять долларов и встал. Та протянула ему рисунок: выражение лица было схвачено верно, сходство просто поразительное. Энтони с довольным видом снова сунул руку в карман и удвоил сумму вознаграждения. Затем подошел к Джулии:

— Что это ты так пристально изучаешь целых десять минут?

Томас, Томас, Томас... Я уже и забыла, как это сладостно – произносить твое имя. Забыла твой голос, твои ямочки на щеках, твою улыбку, все забыла, пока не увидела этот рисунок, который так похож на тебя, так ясно напоминает мне тебя. Как бы мне хотелось, чтобы ты никогда не ездил за репортажами на эту проклятую войну! Если бы я знала – в тот день, когда ты сказал мне, что хочешь стать репортером, – если бы я знала, чем это кончится, я бы постаралась убедить тебя, что это скверная затея.

А ты бы ответил мне, что тот, кто рассказывает правду о нашем мире, не может заниматься скверным делом, даже если фоторепортажи бывают безжалостны, если они бередят душу. Ты бы воскликнул – неожиданно серьезно, – что если бы пресса знала о жизни по ту сторону Стены, то наши правители собрались бы разрушить ее гораздо раньше. Но ведь они знали, Томас, они доподлинно знали жизнь каждого из вас, ведь они следили за вами, но правители трусливы, они боятся перемен, и я вспоминаю твои слова о том, что нужно родиться, как я, в стране, где можно свободно думать обо всем, свободно говорить обо всем, чтобы не опасаться репрессий. На эту тему мы могли бы спорить с тобой всю ночь напролет и на следующий день. Если бы ты знал, как мне не хватает наших споров, Томас.

И я не нашла бы веских аргументов и признала бы себя побежденной, как сделала это в тот день, когда мне пришлось уехать. Да и как я могла уберечь того, кому так долго не хватало свободы?! Да, ты был прав, Томас, ты выбрал для себя одну из самых прекрасных профессий на свете. Удалось ли тебе встретиться с Масудом? Дал ли он тебе интервью теперь, когда вы оба на небесах, и стоило ли оно такой цены? Он умер через много лет после тебя. В похоронном шествии, в долине Панджшера, участвовали тысячи людей, но твои останки так никто и не смог собрать. Какой бы стала моя жизнь, если бы та мина не разнесла в клочья твою группу, если бы я не испугалась, если бы не бросила тебя прежде, чем это случилось?

———————

Энтони тронул Джулию за плечо:

— С кем ты говоришь?

— Ни с кем, — ответила она, вздрогнув.

— Ты прямо околдована этим рисунком, у тебя даже губы дрожат.

— Оставь меня, — прошептала Джулия.

———————

Я помню свое минутное смущение, чувство зыбкой неуверенности. Я познакомила тебя с Антуаном и Матиасом, особенно подчеркнув слово "друзья", настойчиво повторив его раз шесть, чтобы ты меня понял. Это было глупо: твой тогдашний английский оставлял желать лучшего. Но ты, кажется, все-таки понял, ты улыбнулся и по-приятельски хлопнул их по плечу. Матиас бурно сжал тебя в объятиях, поздравляя с освобождением. Антуан ограничился рукопожатием, но был взволнован не меньше своего друга. И мы, все четверо, пошли бродить по городу. Ты кого-то искал, и я было подумала, что женщину, но нет, это был твой друг детства. Десять лет назад ему вместе с семьей удалось бежать за Стену, и с тех пор вы не виделись. Но разве найдешь друга среди тысяч людей, которые обнимаются, поют, пьют и пляшут прямо на улицах?! И ты сказал: мир велик, дружба — безгранична. Не знаю, что рас-

смешило Антуана, твой акцент или твоя наивность – я-то нашла ее замечательной. Как случилось, что, хотя жизнь и причинила тебе столько
зла, ты сохранил детскую чистоту мечты,
а наши пресловутые свободы ее в нас задушили?!
Мы решили помочь тебе и стали вместе обходить
улицы Западного Берлина. Ты шагал так целе-
устремленно, словно вы где-то уже назначили друг
другу встречу. На ходу ты вглядывался в каждое
лицо, сталкиваясь с прохожими, все время озирался. Еще не поднялось солнце, когда Антуан
вдруг встал как вкопанный посреди какой-то площади и заорал: "Господи, ну хоть имя этого типа
можно узнать? Ищем, как идиоты, уже столько
часов!" Ты не понял. Тогда Антуан крикнул еще
громче: "Имя... Name... Vorname!" Ты разволно-
вался, ты прокричал во все горло: "Кнапп!" Так
звали твоего друга. И Антуан, желая показать,
что он злится вовсе не на тебя, тоже завопил во
весь голос: "Кнапп! Кнапп!"

Матиас, хохоча как безумный, присоединился
к нему, да и я тоже начала громко звать: "Кнапп!
Кнапп!" Мы шли, весело приплясывая и выкри-
кивая имя человека, которого ты искал целых десять лет.

И вдруг в гигантской толпе кто-то обернулся,
и я увидела мужское лицо. Он был примерно твоих
лет. Ваши взгляды встретились, и я ощутила
укол ревности.

Вы оба застыли на месте, приглядываясь друг к другу, как волки, отбившиеся от стаи и встретившиеся на другом конце леса. Миг спустя Кнапп произнес твое имя: "Томас?" Как же вы оба были красивы на фоне серых западноберлинских мостовых! Ты судорожно обнимал своего друга, и ваши лица светились какой-то неземной радостью. Антуан плакал, Матиас успокаивал его, уверяя, что чем дольше разлука, тем сильнее счастье встречи. Но Антуан захлебывался рыданиями и твердил сквозь слезы, что такая встреча – невозможное чудо... Ты уткнулся головой в плечо своего вновь обретенного друга. Но, заметив, что я смотрю на тебя, тотчас выпрямился и повторил: "Мир велик, а дружба безгранична!" – и Антуан разрыдался еще громче.

183

Мы уселись на террасе какого-то бара. Было холодно, но нам все было нипочем. Вы с Кнаппом сели чуть поодаль. Десять потерянных лет требуют особых слов, а иногда и просто долгого молчания. Мы так и не расстались ни той ночью, ни на следующий день. Утром второго дня ты объяснил Кнаппу, что должен уйти. Ты не мог больше оставаться здесь: твоя бабушка жила по ту сторону Стены, и ее нельзя было надолго оставлять одну, ты был ее единственной опорой. Этой зимой ей могло бы исполниться сто лет; надеюсь, она тоже отыскала тебя там, где ты сейчас. Как она мне понравилась, твоя бабушка! До чего она была хороша, когда заплетала в косы свои длинные седые волосы, прежде чем постучать в нашу комнату. Ты обещал Кнаппу вернуться в самом скором времени... если все не пойдет вспять. Но он уверял, что двери на Запад больше никогда не закроются, и ты ответил: "Может быть. Но если нам придется снова ждать десять лет, я буду думать о тебе каждый день".

Ты встал и поблагодарил нас за подарок, который мы тебе сделали. Мы, правда, ничего особенного не сделали, но Матиас все же сказал: не за что, мы рады, что оказались тебе полезными. Антуан предложил проводить тебя до пропускного пункта.

И мы снова тронулись в путь. Все расходились по домам, потому что революция революцией, а дома и семьи этих людей находились в разных частях города.

По дороге ты взял меня за руку, и я не отняла ее; так мы и прошагали несколько километров.

———————

— Джулия, ты дрожишь, я боюсь, что ты простудишься. Давай-ка вернемся в отель. Если хочешь, давай купим этот портрет, и ты сможешь любоваться им сколько угодно, только в тепле.

— Нет, его нужно оставить здесь, он не продается. Пожалуйста, дай мне еще несколько минут, и мы уйдем.

Люди, находившиеся по обе стороны пропускного пункта, все еще ожесточенно долбили бетонную Стену. Здесь нам предстояло разойтись. Ты первым попрощался с Кнаппом. "Позвони, как только сможешь", – сказал тот, протянув свою визитку. Он был журналистом – не потому ли и ты выбрал эту профессию? Или, может, вы оба в юности поклялись заниматься журналистикой? Я много раз задавала тебе этот вопрос, и всякий раз ты уклонялся от ответа, заменяя его хитроватой усмешкой – как делал ты всегда, если я тебе очень уж досаждала. Ты пожал руки Антуану и Матиасу и только потом повернулся ко мне.

185

Если бы ты знал, Томас, как я испугалась тогда, испугалась, что так никогда и не узнаю твоих губ. Ты вошел в мою жизнь, как наступает лето – внезапно, без предупреждения, как проникают утром в комнату блики солнечного света. Погладив меня по щеке, ты наклонился и легонько поцеловал в глаза. "Спасибо". Это было единственное слово, которое ты произнес, уже отойдя от меня. Кнапп следил за нами, я подметила его пристальный взгляд. Он словно ждал от меня каких-то слов, которые помогли бы навсегда стереть память о тех годах, что разлучили вас, сделали такими разными жизни двух близких друзей. И вот теперь один из них возвращался в свою редакцию, а другой – в Восточный Берлин.

И я крикнула: "Возьми меня с собой! Я хочу познакомиться с твоей бабушкой!" – и, не ожидая ответа, просто схватила тебя за руку, и, клянусь, никакая сила в мире не заставила бы меня разжать пальцы. Кнапп пожал плечами и, глядя в твое оторопелое лицо, сказал: "Теперь путь свободен, приходите в любое время, когда вздумается!"

Антуан попытался меня отговорить, убедить, что это безумие. Может, он был прав, но я никогда в жизни не испытывала такого опьянения. Матиас толкнул его локтем: с какой стати он вмешивается? Потом подбежал ко мне и обнял. "Позвони нам, когда вернешься в Париж", – шепнул он, торопливо нацарапав номер телефона на клочке бумаги. Я в свой черед обняла их обоих, и мы расстались. Томас, я так никогда и не вернулась в Париж.

Я пошла за тобой; на заре 11 ноября, воспользовавшись суматохой, царившей на границе, мы перешли в Восточный Берлин; наверное, в то утро я была первой американской студенткой, вошедшей в эту часть города, а если не первой, то уж во всяком случае самой счастливой.

Знаешь, я ведь сдержала свое обещание. Помнишь то темное кафе, где ты заставил меня поклясться, что, если когда-нибудь судьба разлучит нас, я должна быть счастлива несмотря ни на что? Я хорошо понимала, почему ты это сказал: иногда моя любовь слишком угнетала тебя, ты ведь так настрадался от недостатка свободы, что тебе было трудно решиться связать свою жизнь с моей. И я сдержала эту клятву, хотя тогда и рассердилась на тебя – ведь этими словами ты омрачил мое счастье.

Я собираюсь выйти замуж, Томас, вернее, я должна была выйти замуж в прошлую субботу, но свадьбу пришлось отложить. Это длинная история, но именно она привела меня сюда. И, может быть, привела именно затем, чтобы я последний раз смогла увидеть твое лицо. Поцелуй от меня свою бабушку там, на небесах.

187

— Джулия, это же просто нелепо! Видела бы ты себя со стороны — точь-в-точь твой отец на батарейках с истекшим сроком годности! Целую четверть часа торчишь как вкопанная перед этими рисунками, да еще бормочешь невесть что...

Вместо ответа Джулия быстро пошла вперед. Энтони Уолш ускорил шаг, чтобы догнать ее.

— Могу я в конце концов узнать, что случилось? — настойчиво спросил он, поравнявшись с ней.

Но Джулия замкнулась в упрямом молчании.

— Взгляни-ка, — продолжал Энтони, показывая дочери свой портрет, — ведь здорово получилось! Держи, я дарю его тебе, — весело добавил он.

Джулия никак не отреагировала.

— Ну ладно, я тебе преподнесу его позже. Видно, ты сейчас не в настроении.

И поскольку Джулия по-прежнему молчала, Энтони заговорил сам:

— Скажи, почему тот портрет, который ты так внимательно разглядывала, кого-то мне напоминает? Не этим ли объясняется твое странное поведение там, на набережной? Не могу понять, в чем дело, но это лицо мне явно знакомо, просто дежавю какое-то!

Еще бы незнакомо — ведь на это лицо обрушился твой кулак в тот день, когда ты примчался за мной в Берлин. И это было лицо человека, которого я любила, когда мне было восемнадцать лет, и с которым ты меня разлучил, насильно отправив в Нью-Йорк!

11

Ресторан был почти полон. Услужливый официант тотчас принес им два бокала шампанского. Энтони к своему не притронулся, Джулия же выпила шампанское залпом, после чего осушила бокал отца и знаком велела официанту налить еще. К тому времени как им подали меню, она уже захмелела.

— Не пора ли тебе остановиться? — посоветовал Энтони, когда она заказала четвертый бокал.

— С какой стати? Смотри, сколько в нем пузырьков, и вкус бесподобный!..

— Ты пьяна.

— Ну нет, до этого еще далеко! — ответила Джулия, хихикая.

— Все же могла бы сдержать себя. Неужели ты хочешь испортить наш первый совместный ужин? Вовсе не обязательно напиваться до тошноты, просто скажи откровенно, что хочешь уйти, и все.

— Ни за что! Я хочу есть!

— Можно заказать ужин в номер, если тебе угодно.

— А по этому поводу скажу вот что: по-моему, я уже вышла из того возраста, когда слушаются чужих советов.

— Девочкой ты вела себя точно так же, когда пыталась вывести меня из терпения. Но ты права, Джулия, мы оба уже вышли из этого возраста — и ты и я.

— Если вдуматься, это был единственный выбор, который ты не сделал вместо меня.

— Какой выбор?

— Томас!

— Нет, он был не единственным, а первым, и впоследствии, если помнишь, ты сделала много других.

— А ты всегда стремился контролировать мою жизнь.

— Что ж, этой болезнью страдают многие отцы, однако ты непоследовательна, ведь ты упрекнула меня в том, что я почти всегда отсутствовал.

— Я бы предпочла, чтобы ты отсутствовал, но ты ограничивался тем, что тебя не было *со мной*!

— Джулия, ты пьяна и слишком громко говоришь, это неприлично.

— Ах, неприлично? А прилично было врываться без предупреждения в ту квартиру в Берлине? Прилично было орать во всю глотку, до смерти напугав бабушку человека, которого я любила, и допытываться у нее, куда мы подевались? Прилично было взломать дверь комнаты, где мы спали, и свернуть Томасу челюсть? Может, это было прилично?

— Ну, скажем, это было чересчур, тут я с тобой согласен.

— Ах, согласен?! А прилично было тащить меня за волосы к машине, которая ждала перед домом? Прилично было провести через зал аэропорта, вцепившись мне в плечо и встряхивая, как тряпичную куклу? Прилично было пристегнуть меня ремнем к креслу, чтобы я не выпрыгнула из самолета в воздухе? Прилично было привезти меня в Нью-Йорк, швырнуть в мою комнату, как преступницу в камеру, и запереть дверь на ключ?

— Знаешь, бывают минуты, когда я говорю себе, что правильно сделал, умерев на прошлой неделе.

— Ой, только не надо опять этих громких слов, я уже сыта ими по горло.

— Нет, это не имеет никакого отношения к твоему блестящему монологу, я думал совсем о другом.

— Интересно о чем?

— О твоем поведении с того момента, как ты увидела портрет, напомнивший Томаса.

Джулия изумленно вытаращила глаза:

— А какая тут связь с твоей смертью?

— Забавно звучит эта фраза, не правда ли? Ответ таков: я невольно, без всякого злого умысла помешал тебе выйти замуж в прошлую субботу, — объявил Энтони Уолш с широкой улыбкой.

— И тебя это так сильно радует?

— То, что тебе пришлось отложить свадьбу? Еще минуту назад меня это искренне огорчало, но теперь — совсем другое дело...

Смущенный поведением этих бурно споривших клиентов, официант вмешался, предложив взять у них заказ. Джулия попросила принести мяса.

— Как прикажете зажарить?

— Лучше всего с кровью! — ответил Энтони Уолш.

— А для месье?

— У вас не найдется для месье свежих батареек? — осведомилась Джулия.

Увидев, что официант лишился дара речи, Энтони Уолш поспешил сказать, что ужинать не будет.

— Одно дело свадьба, — продолжал он, обращаясь к дочери, — и совсем другое, уж ты мне поверь, делить всю свою жизнь с другим человеком. Для этого требуется много любви, много пространства для любви. Эту территорию обустраивают вдвоем, и на ней не должно быть тесно ни одному из вас.

— Да кто ты такой, чтобы судить о моих чувствах к Адаму? Ты же ровно ничего не знаешь о нем.

— Я говорю не об Адаме, а о тебе, о том пространстве, которое ты будешь в силах подарить ему; но если ваши отношения омрачит память о другом человеке, вряд ли вам удастся сделать свою супружескую жизнь такой уж безоблачной.

— О, я вижу, ты кое-что смыслишь в супружеской жизни!

— Твоя мать умерла, Джулия, и я тут ни при чем, хотя ты упорно винишь меня в этом.

— Томас тоже умер, но даже если ты и тут ни при чем, я вечно буду винить тебя в этом. Так что, как видишь, мы с Адамом располагаем неограниченным пространством для жизни.

Энтони Уолш кашлянул, и на его лбу выступили капельки пота.

— Ты потеешь? — удивленно спросила Джулия.

— О, это просто легкая технологическая дисфункция, без которой я бы прекрасно обошелся, — сказал он, аккуратно промокая салфеткой взмокший лоб. — Тебе было всего восемнадцать лет, Джулия, и ты вздумала связать свою жизнь с коммунистом, которого знала всего несколько недель.

— Четыре месяца!

— Значит, шестнадцать недель.

— И он был восточногерманским немцем, но вовсе не коммунистом.

— Ну и слава богу!

— Но вот чего я никогда не забуду, так это причину, по которой я иногда смертельно тебя ненавидела!

— Мы, кажется, решили обходиться без прошедшего времени, ты не забыла? Не бойся, говори со мной в настоящем — даже мертвый, я все еще твой отец... или то, что от него осталось...

Официант принес Джулии заказ. Она попросила наполнить ее бокал. Но Энтони Уолш прикрыл его ладонью:

— Я полагаю, нам еще нужно многое сказать друг другу.

Официант понял и безмолвно удалился.

— Ты жила в Восточном Берлине и несколько месяцев ничего не сообщала о себе. Каким был бы следующий этап твоего путешествия, уж не в Москву ли?

— Как ты меня разыскал?

— По той статейке, которую ты опубликовала в одной западногерманской газете. Нашелся человек, который позаботился сделать для меня копию.

— Кто?

— Уоллес. Вероятно, ища оправдания за то, что у меня за спиной помог тебе уехать из Соединенных Штатов.

— Значит, ты и об этом знал?

— А может, он тоже боялся за тебя и счел, что пора положить конец твоим эскападам, пока ты не угодила в какую-нибудь опасную передрягу.

— Мне ничто не угрожало, я любила Томаса.

195

— До определенного возраста человек опьяняется любовью к другому, но на самом деле это чаще всего любовь к самому себе. Тебе предстояло учиться на юридическом факультете в Нью-Йорке, ты же все бросила и поехала в Париж, в Школу изобразительных искусств; оказавшись в Париже, ты через какое-то время отправилась в Берлин, втюрилась в первого встречного и, как по мановению волшебной палочки, напрочь забыла о рисовании и решила заделаться журналисткой. Если память мне не изменяет, он ведь тоже мечтал стать журналистом? Странное совпадение, верно?

— А какое тебе было дело до всего этого?

— Это я велел Уоллесу отдать тебе твой паспорт в тот день, когда ты придешь за ним, Джулия, и, пока ты рылась в ящиках моего стола, разыскивая его, я сидел в соседней комнате.

— Не понимаю, зачем все эти ухищрения? Почему не отдать мне его самому?

— Потому что тогда, если помнишь, наши отношения оставляли желать лучшего. И, сделай я это, ты не получила бы такого удовольствия от своей авантюры. Так что, позволив тебе сбежать после бурного скандала со мной, я придал твоему отъезду пикантный привкус мятежа, не правда ли?

— Так, значит, ты совершил это вполне сознательно?

— Я сообщил Уоллесу, где лежат твои документы, а сам действительно сидел рядом, в гостиной; впрочем, может быть, во всей этой истории мною руководило еще и чувство уязвленного самолюбия.

— Уязвленного — у тебя-то?!

— А как быть с Адамом?

— Адам здесь совершенно ни при чем!

— Хочу напомнить, что, если бы я не умер — как ни странно мне самому говорить тебе это, — ты сейчас уже была бы его женой. Ну хорошо, я попытаюсь сформулировать свой вопрос иначе, но сначала попрошу тебя закрыть глаза.

Не понимая, чего добивается отец, Джулия помедлила, но он настаивал, и она выполнила его просьбу.

— Закрой глаза как можно крепче. Мне нужно, чтобы ты почувствовала себя в кромешной тьме.

— Что это еще за фокусы?

— Выполни хоть раз мою просьбу, это займет всего несколько секунд.

Джулия старательно зажмурилась, и ей почудилось, будто она тонет в непроницаемом мраке.

— Теперь нащупай свою вилку и ешь.

Увлекшись этой игрой, она попыталась сделать то, что он просил. Ее рука пошарила по скатерти и наконец наткнулась на искомый предмет. Затем она неуверенным движением попыталась наколоть на вилку кусочек мяса в тарелке и приоткрыла рот, совершенно не представляя, что сейчас там окажется.

— Скажи мне, изменился ли вкус мяса оттого, что ты его не видишь?

— Возможно, — ответила она, не открывая глаз.

— Тогда сделай для меня еще кое-что, но, главное, с закрытыми глазами.

— Говори, — глухо произнесла Джулия.

— Вспомни какое-нибудь счастливое мгновение своей жизни.

И Энтони умолк, пристально вглядываясь в лицо дочери.

────────────

Остров музеев... я помню, как мы гуляли по нему вдвоем. Когда ты познакомил меня со своей бабушкой, она прежде всего спросила, чем я занимаюсь. Вести разговор было нелегко: ты переводил ее вопросы на свой скудный английский, я же и вовсе не говорила по-немецки. Тем не менее мне кое-как удалось объяснить ей, что я учусь в Школе изобразительных искусств в Париже. Она улыбнулась, отошла к своему комоду и вынула из него открытку с репродукцией картины Владимира Рацкина, русского художника, которого любила. А потом велела нам идти гулять – грех не воспользоваться таким погожим днем. Ты ничего не рассказал ей о своем необыкновенном приключении у Стены, ни словом не обмолвился об обстоятельствах нашей встречи. И только когда мы уже выходили, она спросила, нашел ли ты Кнаппа. Ты замялся и долго молчал, но по выражению твоего лица нетрудно было догадаться, чем кончились твои поиски. Она просияла и сказала, что счастлива за тебя.

Едва мы вышли на улицу, ты взял меня за руку и потащил за собой; каждый раз, когда я спраши-

*вала, куда мы бежим, ты отвечал: "Скорей, скорей!"
Наконец мы перешли по узкому мосту через Шпрее.*

*Остров музеев... я никогда не видела так много
зданий, отданных искусству, в одном и том же
месте. Мне казалось, что в твоей стране царила
серость, а тут меня ошеломило буйство красок.
Ты увлек меня к дверям Altes Museum[1]. Это было
огромное квадратное здание, но когда мы в него
вошли, то оказались внутри ротонды. Мне ни
разу не приходилось встречаться с подобной архи-
тектурой, такой странной, почти невероятной.
Ты провел меня в самый центр этой ротонды
и велел сделать полный оборот, затем второй,
третий; ты заставлял меня вращаться все быстрее и быстрее, пока у меня не закружилась голова.
Тогда ты остановил этот безумный вальс, сжал
меня в объятиях и сказал: вот это и есть немец-
кий романтизм – круг, заключенный в квадрат,
символ того, что любые различия могут идеально
сочетаться друг с другом. А потом ты повел меня
в Пергамон[2].*

199

———————

— Ну так как, — спросил Энтони, — ты пережила еще раз этот миг счастья?

1 Берлинский государственный музей изобразительного искусства.
2 П е р г а м о н — музей в Берлине, где выставлен алтарь Зев-
са (180 г. до н.э.) из Пергама.

— Да, — ответила Джулия, не разжимая век.

— И кого ты увидела?

Она открыла глаза.

— Можешь не отвечать, Джулия, этот миг целиком принадлежит тебе. Я больше не собираюсь вмешиваться в твою жизнь.

— Почему ты попросил меня закрыть глаза?

— Потому что всякий раз, закрывая глаза, я вижу лицо твоей матери.

— Томас возник на этом так похожем на него портрете как призрак, как тень и сказал мне: иди и живи в мире, выходи замуж и больше не думай обо мне, не жалей ни о чем. Это был *знак*.

Энтони кашлянул:

— Господи, какой там знак — это был обыкновенный набросок углем, и ничего более. Представь себе, что я брошу салфетку в тот угол, — изменится ли хоть что-нибудь от того, повиснет она на вешалке у входа или упадет на пол? Представь себе, что последняя капля вина из бутылки попадет в бокал той молодой женщины, что сидит за соседним столиком, а не на скатерть, — поможет ли ей данное обстоятельство выйти через год замуж за болвана, с которым она сегодня ужинает? Только не смотри на меня как на марсианина: просто этот придурок весь вечер так громко разглагольствовал, пытаясь запудрить мозги своей подружке, что я слышал каждое слово.

— Ты говоришь так потому, что никогда не верил в знаки судьбы. Слишком уж ты привык сам все на свете контролировать!

— Джулия, таких знаков не бывает! Я тысячу раз бросал скомканные листы бумаги в корзинку для мусора под моим письменным столом в полной уверенности, что, если не промахнусь, мое желание сбудется; увы, судьба так и не подала мне долгожданного знака. Я продолжил свой дурацкий спор с ней, убедив себя, что заслужу награду, когда заброшу бумажный комок в цель три или четыре раза подряд, и за два года усердной практики наловчился попадать в самый центр корзинки, стоявшей теперь в десяти метрах от меня. Но что же я получил? Ровно ничего! Однажды мне пришлось ужинать в обществе трех очень важных клиентов. Пока один из моих компаньонов старательно перечислял им все страны, где находятся филиалы нашей фирмы, я выискивал среди них ту страну, где могла бы жить женщина, которую я ждал; я пытался представить себе улицы, по которым она проходит, выйдя утром из дома. После ужина один из моих со-

201

трапезников, китаец, — только, пожалуйста, не спрашивай его имя! — рассказал мне чудесное поверье. Оно гласит: если прыгнуть в середину лужи, в которой отражается полная луна, ее дух тотчас перенесет вас к тем, кого вам не хватает. Надо было тебе видеть лицо моего компаньона, когда я прыгнул обеими ногами в водосток, забрызгав своего клиента с головы до ног, так что вода стекала даже с его шляпы. Вместо того чтобы извиниться, я объявил, что его трюк не сработал! Женщина, которую я ждал, так и не появилась. Так что забудь про эти идиотские знаки, за них цепляются лишь те, кто почему-то утратил веру в Бога.

— Не смей так говорить! — вскричала Джулия. — Когда я была маленькая, я тысячи раз "прыгала в лужи", чтобы к вечеру ты вернулся домой. А теперь слишком поздно морочить мне голову такими баснями. Мое детство давным-давно прошло!

Энтони Уолш грустно взглянул на дочь. Джулия по-прежнему пылала гневом. Она с грохотом отодвинула стул, встала и вышла из ресторана.

— Извините мою даму, — сказал он официанту, выкладывая на стол несколько купюр. — Я думаю, это у нее от шампанского, в нем слишком много пузырьков.

———————

Джулия и Энтони возвращались в отель молча, ни единым словом не нарушая ночную тишь. Они шли вверх по извилистым улочкам старого города. Джулия шагала неровной походкой, временами спотыкаясь о булыжники мостовой. Энтони тотчас протягивал руку, чтобы поддержать ее, но она восстанавливала равновесие и отмахивалась от него, не позволяя прикоснуться к себе.

— Я счастливая женщина! — вдруг объявила она, пошатнувшись. — Счастливая женщина в полном расцвете! Я занимаюсь делом, которое люблю, у меня есть замечательный друг, которого я люблю, и я собираюсь выйти замуж за мужчину, которого люблю! В полном расцвете... — повторила она заплетающимся языком.

Внезапно у Джулии подвернулась нога, и она чуть не упала, но удержалась и, привалившись к фонарному столбу, мягко соскользнула наземь.

— О ч-ч-черт! — пробормотала она, плюхнувшись на тротуар.

Отец протянул руку, чтобы помочь ей встать на ноги, но она оттолкнула ее. Тогда он опустился на колени и присел рядом. Улочка была безлюдна, и они минут десять сидели на тротуаре, привалившись к столбу. Затем Энтони пошарил в кармане плаща и извлек оттуда небольшой пакетик.

— Это еще что? — спросила Джулия.

— Конфеты.

Джулия пожала плечами и отвернулась.

— Мне кажется, на самом дне притаились два или три шоколадных медвежонка... По последним сведениям, они там играли с лакричной змейкой.

Джулия не отреагировала, но, когда Энтони сделал вид, что хочет вернуть сладости в карман, она выхватила пакетик у него из рук.

— Как-то в детстве ты притащила в дом уличного кота, — сказал Энтони, пока Джулия расправлялась с третьим медвежонком. — Ты его обожала, он тебя тоже, но спустя неделю он удрал обратно на улицу. Если хочешь, давай вернемся в отель.

— Нет, — ответила Джулия, дожевывая конфету.

Мимо них продефилировала рыжая лошадь, запряженная в коляску. Энтони приветственно помахал вознице.

Они вернулись в отель только через час. Джулия пересекла холл и села в правый лифт, Энтони поднялся в левом. Они встретились на площадке верхнего этажа и бок о бок прошли по коридору к своему свадебному люксу. Энтони пропустил Джулию вперед. Она сразу скрылась в своей комнате, а Энтони вошел к себе.

Джулия тотчас плюхнулась на кровать и начала рыться в сумочке, отыскивая мобильник. Взглянув на часы, она позвонила Адаму. Однако услышала только автоответчик, дождалась конца записи и отключила свой телефон еще до того, как прозвучал короткий писклявый сигнал — приглашение говорить. Затем набрала номер Стенли.

— Судя по всему, ты там в хорошей форме!

— Знаешь, мне тебя уж-ж-жасно недостает!

— Ну надо же, а я и не знал, что ты ко мне так привязана. Как твоя поездка?

— Думаю, что завтра вернусь домой.

— Уже? Разве ты нашла то, что искала?

— В основном да.

— А от меня только что ушел Адам, — торжественно сообщил Стенли.

— Он приходил к тебе?

— Я именно это и сказал — ты что, напилась?

— Слегка.

— Кажется, ты действительно в хорошей форме.

— Вот именно! А почему, черт возьми, вам всем хочется, чтобы мне было плохо?

— Кому это "всем"? Я тут в общем-то один.

— И что ему от тебя понадобилось?

— Мне кажется, просто поговорить о тебе; а может, он решил сменить ориентацию, но тогда он напрасно потерял вечер: такие мужчины совершенно не в моем вкусе.

— Значит, Адам пришел к тебе, чтобы поговорить обо мне?

— Нет, он пришел для того, чтобы я с ним поговорил о тебе. Так обычно поступают люди, когда тоскуют по любимым.

Джулия молчала; Стенли услышал в трубке ее тяжелое дыхание.

— Он явно опечален, моя дорогая. Я не питаю к нему особой симпатии, чего никогда не скрывал от тебя, но мне грустно видеть несчастных влюбленных.

— Так почему же он опечален? — спросила Джулия, и в ее голосе прозвучало искреннее огорчение.

— Слушай, ты что, совсем потеряла соображение или набралась сверх меры? Как ему не печалиться, если через два дня после несостоявшейся свадьбы его невеста (господи, меня прямо тошнит, когда он тебя так называет, пошлость какая, ну да ладно!) сбежала черт знает куда, не оставив адреса и никак не объяснив причины. Это ты хотя бы уяснила или тебе надо сначала протрезветь?

— Во-первых, я оставила адрес, а во-вторых, зашла к нему перед отъездом...

— Ну как же, Вермонт! Ты ему нагло заявила, что едешь в Вермонт! И это ты называешь адресом?

— А что, с Вермонтом были какие-то проблемы? — виновато спросила Джулия.

— Н-нет... вернее, их не было, пока я не дал маху...

— Что ты там натворил? — спросила Джулия, затаив дыхание.

— Сказал, что ты в Монреале. А как я мог предвидеть твое идиотское вранье?! В следующий раз, когда соберешься обмануть жениха, предупреди меня, я тебя научу, как это делается, или мы хотя бы настроимся на одну волну.

— Черт возьми!

— Ты меня опередила, именно это я и хотел сказать...

— Может, вы еще и ужинали вместе?

— Ну... я накормил его тем, что нашлось в доме...

— Ах Стенли!

— Что "Стенли"! Не хватало еще, чтобы вдобавок к его печалям я дал ему умереть с голода! Не знаю, моя дорогая, чем ты там занимаешься в Монреале, а главное, с кем; если я правильно понял, меня это не касается, но очень тебя прошу, позвони Адаму, уж такую малость ты можешь для него сделать.

— Стенли, здесь совсем не то, что ты думаешь.

— А откуда ты знаешь, что я думаю? Если это тебя успокоит, то знай: я ему поклялся, что твой отъезд никак не связан с вашими отношениями и ты просто решила попутешествовать в тех местах, где бывал твой отец. Вот видишь, чтобы убедительно врать, требуется определенный талант!

— Но я тебе клянусь, что в данном случае ты ему не солгал.

— И еще я добавил, что смерть отца сильно потрясла тебя и для вашей будущей супружеской жизни очень важно, чтобы ты навсегда закрыла двери в прошлое, оставшиеся приотворенными. Ведь влюбленным в их гнездышке вовсе не нужны сквозняки, не правда ли?

Джулия опять смолчала.

— Ну и как продвигаются твои расследования касательно истории папаши Уолша? — поинтересовался Стенли.

— Кажется, я обнаружила еще кое-что из того, что вызывало у меня ненависть к нему.

— Прекрасно! Это все?

— И может быть, еще кое-что из того, что вызывало у меня любовь к нему.

— И ты собираешься завтра вернуться домой?

— Сама не знаю... Пожалуй, лучше бы мне поскорее встретиться с Адамом.

— Иначе что?..

— А вот что: сегодня я гуляла по набережной, и там сидела художница-портретистка...

Джулия рассказала Стенли о своей находке в старом порту Монреаля, и на сей раз ее друг воздержался от ехидных реплик.

— Как видишь, пора мне возвращаться, не правда ли? Всякий раз, как я покидаю Нью-Йорк, это для меня плохо кончается. И потом, если я завтра не вернусь, кто будет приносить тебе удачу?

— Хочешь добрый совет? Запиши на листе бумаги все, что тебе приходит в голову, и сделай ровно наоборот! Спокойной ночи, моя дорогая!

И Стенли повесил трубку. Джулия встала с кровати, чтобы пойти в ванную, и не услышала мягких, крадущихся шагов отца, который скрылся в своей комнате.

12

Небо над Монреалем уже начинало розоветь. Мягкое сияние рассвета озарило гостиную, разделявшую две спальни. В дверь постучали, Энтони открыл, и коридорный вкатил тележку с завтраком на середину комнаты. Молодой человек предложил накрыть стол, но Энтони сунул ему в карман несколько долларов и сам взялся за ручки тележки. Парень вышел, Энтони проследил, чтобы он не нашумел, закрывая дверь. Он не знал, какой выбрать стол — низкий в центре гостиной или узкий возле окон, откуда открывалась великолепная панорама. Наконец он предпочел завтрак с видом на город, тихонько расстелил скатерть, разложил приборы, расставил тарелки, кувшин с апельсиновым соком, чашки с хлопьями, корзинку с выпечкой и узкий кувшинчик, в котором горделиво стояла роза. Отступив на шаг, он осмотрел свою композицию, выпрямил наклонившийся цветок, а молочник придвинул поближе к хлебной корзинке. Затем положил на тарелку Джулии свернутый в трубку лист бумаги, перевязанный красной ленточкой, и прикрыл его столовой салфеткой. На этот раз он отступил на целый метр, чтобы оценить результаты своих усилий. Подтянув повыше узел галстука, он легонько стукнул в дверь спальни дочери и объявил, что завтрак для мадам готов. Джулия сонно заворчала и спросила, который час.

211

— Уже пора вставать, через пятнадцать минут подъедет школьный автобус, как бы тебе снова не опоздать на него!

Джулия, угревшаяся под теплым одеялом, натянутым до самого носа, сладко потянулась. Давненько ей не доводилось так крепко спать. Она взъерошила волосы и медленно подняла веки, давая глазам свыкнуться с дневным светом. Потом одним прыжком вскочила на ноги, но у нее тут же закружилась голова, и пришлось сесть обратно, на край постели. Будильник на ночном столике показывал восемь утра.

— Ну зачем так рано? — простонала она, входя в ванную.

Пока Джулия принимала душ, Энтони Уолш, сидевший в кресле маленькой гостиной, несколько раз посмотрел на красную ленточку, свисавшую с тарелки, и вздохнул.

———————

212

Самолет компании Air Canada вылетел в 7:10 из аэропорта Ньюарка. В динамиках сквозь потрескивание раздался голос командира корабля, объявлявший, что самолет уже начал снижение и будет в Монреале точно по расписанию. Затем командира сменил старший стюард, перечисливший обязательные правила поведения во время приземления. Адам потянулся, насколько это было возможно в тесном кресле, убрал складной столик и выглянул в иллюминатор. Самолет летел над рекой Святого Лаврентия. Вдали уже вырисовывались контуры города, и можно было различить зубчатые очертания Мон-Руаяль. MD-80 заложил крутой вираж, и Адам пристегнул ремень. Впереди по курсу самолета светились огни посадочной полосы.

———————

Джулия туго стянула на талии пояс купального халата и вошла в маленькую гостиную. Она оглядела накрытый стол и улыбнулась Энтони, который подвинул ей стул.

— Я заказал для тебя "Earl Grey", — сказал он, наполняя ее чашку. — Этот тип из ресторанной службы чего только мне не навязывал: чай черный, очень черный, желтый, белый, зеленый, с дымком, китайский, сычуаньский, формозский, корейский, цейлонский, индийский, непальский и еще штук сорок других — я уж и забыл названия — и угомонился лишь тогда, когда я пригрозил ему, что сейчас покончу жизнь самоубийством.

— "Earl Grey" — это то, что надо, — ответила Джулия, разворачивая салфетку.

Она увидела обвязанную красной лентой трубочку и вопросительно взглянула на отца.

213

Но Энтони тотчас взял ее у нее из рук:

— Откроешь после завтрака.

— А что это? — спросила Джулия.

— Вот эти длинные слойки, — сказал он, указывая на выпечку в корзинке, — называются круассаны, эти квадратные, откуда с двух концов выглядывает коричневая начинка, — шоколадные булочки, а эти, похожие на улиток с цукатами на спинках, — хлебцы с изюмом.

— Я тебя спрашивала о том свертке с красной ленточкой, что ты прячешь за спиной.

— Я же сказал: после завтрака.

— Тогда зачем ты его положил на мою тарелку?

— Ну... я только что передумал, лучше посмотреть позже.

Однако Джулия воспользовалась тем, что Энтони отвернулся, и резким движением выхватила у него рулончик.

Стянув ленточку, она развернула бумагу. С листа ей снова улыбнулось лицо Томаса.

— Когда ты успел его купить? — спросила она.

— Вчера, когда мы уходили с причала и ты помчалась вперед, не обращая на меня внимания. Я щедро заплатил художнице, и она сказала, что я могу взять этот рисунок: клиент от него отказался, а ей он не нужен.

— Почему ты это сделал?

— Я подумал, что тебе будет приятно — ты так долго его рассматривала.

— Нет, я хочу знать правду: почему ты его купил? — настаивала Джулия.

Энтони присел на диван, не сводя глаз с дочери:

— Потому что нам нужно поговорить. Я надеялся, что нам никогда не придется обсуждать эту тему, и, признаться, долго колебался, прежде чем затронуть ее. Впрочем, я совершенно не предвидел, что наше путешествие рискует испортить наши отношения, ибо я заранее знаю, какова будет твоя реакция, но, поскольку *знаки*, как ты выражаешься, направляют меня на этот путь... я должен тебе кое-что сообщить.

— Кончай кривляться и говори прямо, в чем дело, — резко приказала ему дочь.

— Джулия, я думаю, что Томас не совсем мертв.

———————

Адам кипел от ярости. Он уехал налегке, без багажа, надеясь как можно скорее выбраться из аэропорта, но все пропускные пункты плотно осадила толпа пассажиров с "боинга-747", прибывшего из Японии. Он взглянул на часы. Стоявшая перед ним очередь грозила задержать его не меньше чем на двадцать минут, так что он не скоро сможет сесть в такси.

"Sumimasen!" Это слово всплыло в его памяти неожиданно, словно там щелкнул выключатель. Корреспондент Адама, работавший в одном японском издательстве, употреблял его так часто, что он привык считать это "извините!" национальной традицией. "Sumimasen, прошу извинить!" — повторил он раз десять, протискиваясь между пассажирами рейса "Japan-Al"; еще десяток "Sumimasen!", и Адаму удалось предъявить паспорт офи-

церу канадской пограничной службы, который поставил в него штамп и тотчас вернул
владельцу. Наплевав на запрещение пользоваться мобильниками до зоны выдачи багажа,
он выудил свой телефон из кармана пиджака,
включил и набрал номер Джулии.

———

— Мне кажется, я слышу твой телефон — ты,
наверно, оставила его в спальне, — сдавленно
пробормотал Энтони.

— Не отвлекайся. Что значит "не совсем
мертв"?

— Ну, можно выразиться иначе — например, "жив"...

— Томас жив? — повторила Джулия, едва не
теряя сознание.

Энтони утвердительно кивнул.

— Откуда ты знаешь?

— Из его письма; обычно люди, покинув-
шие этот мир, писать уже не могут. С одной
оговоркой: если не считать меня... Я об этом
как-то не подумал, а ведь на самом деле инте-
реснейший сюжет...

— Что за письмо? — спросила Джулия.

— То, которое ты получила через полгода
после той ужасной катастрофы. На нем стоял
берлинский штемпель, а на обороте значи-
лась его фамилия.

— Я никогда не получала от Томаса никаких писем. Скажи, что это неправда!!!

— Как ты могла его получить, если сбежала из дома, а я не мог тебе его переслать, поскольку ты не оставила адреса. Тем не менее предвижу, что этот факт станет еще одним веским мотивом, который ты включишь в свой список.

— В какой еще список?

— В список причин, по которым ты меня ненавидела.

Джулия встала и оттолкнула столик с завтраком.

— Если помнишь, мы договорились не употреблять в разговорах прошедшее время. Так вот, эти последние слова ты мог бы произнести в настоящем времени! — крикнула она, выбегая из гостиной.

Дверь, ведущая в ее спальню, оглушительно хлопнула; оставшись в одиночестве, Энтони сел на то место, которое только что занимала дочь.

— Сколько добра пропадает! — прошептал он, обращаясь к корзинке с выпечкой.

———————

В очереди на такси его уловка оказалась бесполезной. Там стояла женщина в форме и указывала каждому пассажиру предназначенную для него машину. Адаму пришлось ждать, как и всем. Он снова набрал номер Джулии.

———

— Слушай, либо выключи его, либо ответь, эти звонки действуют мне на нервы! — сказал Энтони, входя в спальню Джулии.

— Уйди отсюда!

— Господи, Джулия, но ведь с тех пор прошло двадцать лет!

— И за эти двадцать лет тебе ни разу не представился случай сказать мне об этом? — завопила она.

— За эти двадцать лет у нас вообще было очень мало случаев поговорить друг с другом, — твердо ответил он. — Да если бы и так, не знаю, сделал бы я это или нет. Зачем? Чтобы дать тебе повод разрушить все, что ты создала за эти годы? У тебя была прекрасная работа в Нью-Йорке, студия на Сорок второй улице, друг, который учился, если не ошибаюсь, на актера, потом второй, тот, что выставлял свою чудовищную мазню в Квинсе, и ты его бросила как раз перед тем, как сменила работодателя и прическу, или, может, в обратном порядке?

— Откуда ты все это знаешь?

— Видишь ли, если моя жизнь тебя никогда не интересовала, то я, представь себе, старался следить за твоей.

Энтони устремил на дочь долгий взгляд, затем направился в гостиную.

— Ты его распечатал? — спросила она отца, когда тот переступал порог.

— Я никогда не позволял себе читать твою корреспонденцию, — не оборачиваясь, ответил он.

— Но ты его сохранил?

— Оно в твоей комнате — я имею в виду ту комнату, которую ты занимала, когда еще жила дома. Я положил его в ящик твоего письменного стола; мне показалось, что именно там оно и должно тебя ждать.

— А почему ты не сказал мне об этом, когда я вернулась в Нью-Йорк?

219

— А почему ты выжидала целых шесть месяцев, прежде чем позвонить мне по возвращении в Нью-Йорк, Джулия? Да ты и позвонила-то лишь тогда, когда догадалась, что я заметил тебя в окне той аптеки в Сохо. А может, после стольких лет отсутствия и полного молчания ты хоть немного соскучилась по мне? Если ты думаешь, что в нашем поединке я всегда был в выигрыше, то жестоко ошибаешься.

— Значит, для тебя это было поединком, игрой?

— Не хотелось бы так думать: в детстве ты обожала ломать свои игрушки.

И Энтони положил на кровать Джулии конверт.

— Оставляю его тебе, — добавил он. — Я, конечно, должен был сказать это раньше, но ты лишила меня такой возможности.

— Что это? — спросила Джулия.

— Наши билеты на самолет до Нью-Йорка. Я заказал их у портье сегодня утром, пока ты спала. Как я уже сказал, я предвидел твою реакцию и полагаю, что наше путешествие на этом и закончится. Одевайся и собирай вещи. Встретимся в холле, мне еще нужно оплатить счет.

И Энтони вышел, тихо прикрыв за собой дверь.

———————

Автотрасса была забита машинами, и такси свернуло на улицу Святого Патрика. Но и здесь было не лучше. Шофер предложил выехать на шоссе 720 — оно чуть дальше, зато потом можно срезать по бульвару Рене Левека. Адаму было плевать на маршрут, лишь бы поскорей добраться до места. Водитель вздохнул: его клиент может нервничать сколько влезет, дорога от этого свободней не станет. Они приедут минут через тридцать, а может, и меньше — лишь бы пробиться в город, а там, бог даст, будет полегче. Подумать только, некоторые считают, что таксисты нелюбезны с клиентами... И он прибавил звук в радиоприемнике, чтобы положить конец разговору.

Вдали показалась верхушка башни делового центра Монреаля; значит, и отель уже совсем близко.

———————

Повесив сумку на плечо, Джулия пересекла холл и решительно направилась к стойке портье. Тот бросил дела и поспешил ей навстречу.

— Мадам Уолш! — воскликнул он, раскинув руки. — Месье ожидает вас на улице; лимузин, который мы заказали, чуточку запаздывает, пробки сегодня в городе ужасные!

— Спасибо, — сказала Джулия.

— Я очень огорчен, мадам Уолш, что вы так преждевременно нас покидаете; надеюсь, тому виной не качество обслуживания в нашем отеле? — осведомился он, скорбно глядя на нее.

— Ваши круассаны бесподобны! — соврала Джулия не моргнув глазом. — Только прошу вас, запомните наконец, что я "мадемуазель", а не "мадам"!

Она вышла из отеля и поискала глазами Энтони — он ждал на тротуаре.

— Машина сейчас подойдет, — сказал он. — Ага, вот и она.

Рядом с ними остановился черный "линкольн". Перед тем как выйти и усадить пассажиров, шофер нажал кнопку, поднимавшую задний багажник. Джулия открыла дверцу и села на заднее сиденье. Пока швейцар укладывал в багажник вещи, Энтони обошел машину спереди. Рядом раздался громкий гудок: какое-то такси проехало буквально в нескольких сантиметрах, едва не сбив его с ног.

— Ну что за люди, не смотрят куда идут! — выругался шофер, остановив машину во втором ряду перед отелем "Сен-Поль".

Адам протянул ему несколько долларовых купюр и, не дожидаясь сдачи, бросился к вращающимся дверям. Назвав свое имя портье, он спросил номер комнаты мадемуазель Уолш.

На улице черный лимузин ждал, когда такси, загородившее ему дорогу, соблаговолит отъехать. Однако таксист увлекся пересчетом денег и не думал торопиться.

— Очень сожалею, но месье и мадам Уолш уже покинули отель, — ответила регистраторша.

— *Месье* и мадам Уолш? — повторил тот, особенно напирая на слово "месье".

Портье поспешил подойти к Адаму.

— Я могу вам чем-нибудь помочь, месье? — проникновенно спросил он.

— Скажите только одно: моя жена действительно провела эту ночь в вашем отеле?

— Ваша жена? — переспросил портье, бросив взгляд на улицу через плечо Адама.

Лимузин все еще не отъехал.

— Мадемуазель Уолш!

— О да... мадемуазель этой ночью была здесь, но она уехала.

— Одна?

— Я не думаю... я не видел, чтобы ее кто-то сопровождал, — ответил портье, совсем сбитый с толку.

Концерт автомобильных гудков перед отелем заставил Адама оглянуться.

— Месье! — окликнул его портье, стараясь отвлечь его внимание от улицы. — Может быть, вам угодно перекусить?

— Ваша служащая сказала мне, что месье и мадам Уолш покинули вашу гостиницу, иными словами, их было двое! Так она была одна или не одна? — упорно допытывался Адам.

— Наша служащая просто ошиблась, — заявил портье, метнув на помощницу яростный

223

взгляд, — это не удивительно, у нас столько клиентов... Месье угодно кофе или, может, чаю?

— Давно она уехала?

Портье снова исподтишка глянул на улицу. Черный лимузин наконец выруливал со стоянки. Проводив его глазами, портье облегченно вздохнул.

— Мне кажется, довольно давно, — ответил он. — У нас превосходные фруктовые соки! Позвольте проводить вас в зал, где завтракают, сегодня вы мой гость!

224

13

Во время полета они ни слова не сказали друг другу. Джулия упорно смотрела в иллюминатор.

———————

Сидя в самолете, я каждый раз высматривала в гуще облаков твое лицо, пыталась представить себе твои черты в этих туманных, клубившихся в небе завихрениях. Я написала тебе сто писем, и получила сто писем от тебя по два за каждую неделю. Мы поклялись друг другу встретиться снова, как только я найду для этого средства. В перерывах между занятиями я работала, чтобы накопить денег и когда-нибудь вырваться к тебе. Я служила официанткой в ресторанах, билетершей в кино, даже раздавала рекламные проспекты, и все мои усилия преследовали одну-единственную цель — в одно прекрасное утро прилететь в Берлин, в тот самый аэропорт, где ты будешь меня ждать.

Сколько ночей я засыпала, вспоминая о том, как мы смеялись, гуляя по улицам серого города! Твоя бабушка иногда говорила мне, когда ты уходил, что не годится так неистово верить в нашу любовь. Что она долго не продлится. Что слишком многое разделяет нас – меня, девушку с Запада, и тебя, парня с Востока. Но всякий раз, как ты возвращался и обнимал меня, я глядела на нее из-за твоего плеча и улыбалась ей в святой уверенности, что она ошибается. Когда отец силой усадил меня в машину, которая ждала под окнами, я выкрикивала твое имя, я хотела, чтобы ты меня услышал. И в тот вечер, когда в новостных передачах объявили о "несчастном случае" в Кабуле, где погибли четверо журналистов, в том числе один немец, я сразу почувствовала, что речь идет о тебе, и у меня кровь застыла в жилах. Я потеряла сознание прямо в ресторане, за старенькой деревянной стойкой, где в ту минуту протирала бокалы. Диктор сообщил, что ваша машина подорвалась на мине, оставленной советскими войсками. Судьба как будто решила снова поймать тебя в свои сети, не дать насладиться свободой. Газеты не входили в подробности этой истории – четыре жертвы, и всё, этой информации миру было вполне достаточно, а все остальное – имена погибших, их жизни, близкие, которых они навсегда покинули, – уже не имело значения. Но я знала, знала, что тем немцем был ты. И мне понадобилось целых два дня, чтобы разыскать Кнаппа, два дня, в течение которых я и крошки не смогла проглотить.

А потом он сам наконец позвонил мне, и по звуку его голоса я сразу поняла: он лишился друга, а я – любимого. Своего лучшего друга, твердил он. Кнапп винил себя в том, что помог тебе стать репортером, а я, сама умирая от горя, утешала его как могла – рассказывала, как ты казнил себя за то, что не сумел найти нужных слов благодарности. И тогда мы с Кнаппом стали говорить о тебе, чтобы ты не покинул нас окончательно и бесповоротно. Это он рассказал мне, что тела погибших так и не были опознаны. По словам одного из свидетелей, когда мина взорвалась, ваш грузовик буквально разлетелся на куски. Шоссе на десятки метров вокруг было усеяно обломками железа, а в центре зияла гигантская яма, где только и было, что обгоревший, изуродованный каркас машины – свидетельство бессмысленной людской жестокости. Кнапп простить себе не мог, что послал тебя туда, в Афганистан. Необходимо было срочно заменить кого-то, кто не смог поехать, – объяснял он, рыдая. Если бы ты не оказался рядом с ним тогда!.. Но я-то понимала, что в тот момент он подарил то, чего ты хотел больше всего на свете. "Как мне жаль, как жаль!" – всхлипы-

227

вая, твердил Кнапп, а я, застыв в своем горе, не пролила ни слезинки. Я так и не смогла повесить трубку, Томас, я просто уронила ее на стойку, развязала фартук и вышла на улицу. И долго шла, сама не зная куда. А город вокруг меня жил своей обычной жизнью, как будто ничего не случилось.

Да и кого тут интересовало, что в то утро в предместье Кабула репортер по имени Томас погиб, подорвавшись на мине?! Кого бы это опечалило?! Кто мог понять, что я тебя больше не увижу, что мой мир никогда уже не будет прежним?!

228

Я уже говорила тебе, что целых два дня не могла есть. Впрочем, это не имеет значения. Я могла бы повторить это еще десять раз, лишь бы продолжать говорить с тобой о себе, лишь бы услышать, как ты говоришь со мной о себе. На углу какой-то улицы я потеряла сознание.

Знаешь ли ты, что благодаря тебе я познакомилась со Стенли, который стал моим лучшим другом с той самой минуты, как мы с ним встретились? Он вышел из соседней палаты и с потерянным видом побрел по длинному больничному коридору. Моя дверь была приоткрыта, он остановился, заглянул в мою палату и улыбнулся мне. Ни один клоун в мире не смог бы изобразить на своем лице такую скорбную улыбку. У него дрожали губы. Внезапно он прошептал те два слова, которые я запрещала себе произносить, но ему – ему,

*кого я еще не знала, – я могла бы поведать свое горе.
Ведь поведать самое сокровенное незнакомцу – совсем не то, что близкому человеку, это всего лишь
минутная слабость, которую легко стереть из памяти именно потому, что ее услышали посторонние. "Он умер", – сказал Стенли, и я ему ответила:
"Да, он умер". Он говорил о своем друге, а я – о тебе.
Вот так мы со Стенли и познакомились, в тот
день, когда оба потеряли тех, кого любили. Эдвард
умер от СПИДа, а ты – от той чумы, которая
продолжает косить людей по всему свету. Он присел в ногах моей постели и спросил, удалось ли мне
поплакать, а когда я ответила "нет", признался,
что и он тоже не может. Он протянул мне руку,
я крепко сжала ее, и вот тут-то и брызнули из
глаз наших первые слезы, и их поток унес тебя безнадежно далеко от меня, а Эдварда – от Стенли.*

229

———————

Энтони Уолш отказался от напитков, предложенных стюардессой. Он бросил взгляд
на заднюю часть салона. Самолет был почти
пуст, однако Джулия предпочла сесть десятью рядами дальше, у иллюминатора, и ее
взгляд был по-прежнему устремлен в небо.

———————

*Выйдя из больницы, я покинула дом. Но перед
этим перевязала красной ленточкой сто твоих*

писем и спрятала их в ящик своего письменного стола. Мне больше не нужно было их перечитывать, чтобы вспоминать о тебе. Я сложила вещи в чемодан и уехала, даже не попрощавшись с отцом, – не могла простить ему, что он нас разлучил. На деньги, накопленные для встречи с тобой, я стала жить одна. А еще через несколько месяцев начала работать художником-графиком и учиться жить без тебя.

Мы со Стенли много времени проводили вместе. Вот так и завязалась наша дружба. В то время он работал в Бруклине, на блошином рынке. Мы завели привычку встречаться по вечерам на середине моста. И бывало, целыми часами стояли там, опершись на перила и глядя на пароходики, снующие вверх-вниз по течению, или бродили по берегу. Он рассказывал мне про Эдварда, я ему – про тебя, и, возвращаясь домой, каждый из нас приносил в свои бессонные ночи частичку вас.

Я искала твой силуэт в тенях, которые деревья по утрам отбрасывали на тротуар; искала черты твоего лица в бликах, игравших на водах Гудзона, и тщетно ловила твои слова в голосах всех ветров, гулявших в городе. Целых два года я вновь мысленно переживала каждую минуту нашей жизни в Берлине, иногда даже смеялась над нами, но никогда не переставала думать о тебе.

Я так и не получила твоего письма, Томас, того письма, из которого узнала бы, что ты жив. Я даже не подозревала, что ты мне написал. Это было двадцать лет назад, а я испытываю странное чувство: мне кажется, что ты послал это письмо только вчера. Может быть, в нем говорится, что после долгих месяцев твоего непонятного отсутствия ты решил больше не ждать меня в берлинском аэропорту? Что после моего отъезда прошло слишком много времени? Что мы, наверное, достигли того предела, когда чувства увядают? Что у любви тоже есть осень и познает ее тот, кто забыл вкус поцелуев любимого? Может быть, ты уже перестал верить в нашу любовь; а может, я потеряла тебя по иной причине. Двадцать лет, почти двадцать лет... письмо шло слишком долго.

231

Мы уже давно не те, что прежде. Способна ли я теперь сорваться с места и проделать путь от Парижа до Берлина? И что случилось бы, если б наши взгляды опять встретились через Стену — я по одну ее сторону, ты по другую? Распахнул бы ты мне свои объятия, как распахнул их навстречу Кнаппу тем ноябрьским вечером 1989 года? Побежали бы мы вместе по улицам города, который помолодел, в отличие от нас, постаревших? Твои губы... будут ли они такими же нежными, как тогда? Может быть, твоему письму лучше так и лежать нераспечатанным в ящике моего стола? Может быть, так будет легче для всех?

———————

Стюардесса тронула ее за плечо: пора было пристегнуть ремни. Самолет подлетал к Нью-Йорку.

———————

Адаму пришлось покориться обстоятельствам и провести часть дня в Монреале. Служащая авиакомпании "Air Canada" сделала все, чтобы угодить ему, но единственное свободное место до Нью-Йорка нашлось в самолете, который вылетал только в шестнадцать часов. Он непрерывно звонил Джулии, но ее мобильный стоял на автоответчике.

———————

На сей раз они ехали по другому шоссе: из окна машины были видны башни Манхэттена. "Линкольн" нырнул в манхэттенский туннель.

— У меня странное чувство: похоже, моей дочери больше не хочется видеть меня в своем доме. И вообще, если выбирать между твоим смрадным чердаком и моими апартаментами, то, наверное, мне будет гораздо лучше у себя. Я, пожалуй, вернусь к тебе в субботу, чтобы успеть закрыться в ящике до того, как за ним приедут. А сейчас хорошо бы тебе позвонить

Уоллесу и проверить, на месте ли он, — сказал Энтони, протянув Джулии листок бумаги, где был написан номер телефона.

— Значит, твой "домоправитель" по-прежнему живет у тебя?

— Честно говоря, понятия не имею, чем теперь занимается мой личный секретарь. Со дня моей смерти мне было как-то недосуг поинтересоваться его жизнью. Но если хочешь уберечь его от инфаркта, то лучше бы ему не находиться у меня дома, когда мы туда приедем. Можешь выдумать любую причину, но меня очень устроит, если ты его уговоришь исчезнуть до конца этой недели — пусть едет хоть на край света.

233

Вместо ответа Джулия набрала номер Уоллеса. Автоответчик сообщил ей, что мистер Уоллес взял месячный отпуск в связи с кончиной его работодателя. Оставлять сообщения бесполезно. В случае возникновения срочных дел, касающихся мистера Уолша, следует обращаться напрямую к его нотариусу.

— Можешь быть спокоен, путь свободен! — сказала Джулия, пряча мобильник в сумку.

Через полчаса машина затормозила у тротуара рядом с особняком Энтони Уолша. Джулия посмотрела на фасад дома, и ее взгляд тотчас устремился к балкону третьего этажа.

Именно там однажды днем, возвращаясь из школы, она увидела свою мать, которая уже перевесилась через балконную решетку. Что сделала бы мама, если бы Джулия не выкрикнула в тот миг ее имя? Увидев дочку, она помахала ей рукой, словно стирая этим жестом следы своего опасного намерения.

Энтони открыл чемоданчик и протянул Джулии связку ключей.

— Надо же, они доверили тебе твои ключи?

— Ну, скажем так: мы предвидели возможность того, что ты не захочешь держать меня у себя дома или выключишь не сразу... Так ты отопрешь дверь? Не стоит торчать здесь слишком долго, есть риск, что кто-нибудь из соседей меня узнает.

— Вот как, тебя даже соседи теперь волнуют? Это тоже что-то новенькое!

— Джулия!

— Ладно, пошли, — вздохнула она, поворачивая кованую ручку двери.

Вместе с ними в открытую дверь проник свет с улицы. Внутри все выглядело прежним, нетронутым, таким же, как в ее самых ранних воспоминаниях. Черно-белый плиточный пол в холле, похожий на огромную шахматную доску. Справа — веер темных деревянных ступенек лестницы, изящной дугой поднимавшейся наверх. Ее фигурная балюстрада была творением знаменитого мастера-краснодеревщика, чье имя ее отец не без удовольствия называл, демонстрируя гостям парадные покои особняка. Двери в глубине холла вели в кладовые и кухню, куда более просторные, чем все квартиры, где Джулия жила после своего ухода от отца. Слева кабинет отца, где он занимался своей персональной бухгалтерией в те редкие вечера, когда бывал дома. И все, буквально все дышало богатством, которое отгородило Энтони Уолша от тех времен, когда он торговал кофе в монреальской башне. На самой длинной стене висел ее детский портрет. Сохранились ли в ее теперешних глазах те веселые искорки, которые художник уловил во взгляде пятилетней девочки? Джулия подняла голову, чтобы полюбоваться кессонным потолком. Если бы оттуда, сверху, на деревянные резные панели свисала паутина, интерьер выглядел бы декорацией к фильму ужасов, но особняк Энтони Уолша всегда содержался в образцовом порядке.

— Ты помнишь, с какой стороны твоя комната? — спросил Энтони, входя в свой кабинет. — Иди туда самостоятельно — думаю, найдешь дорогу. Если проголодалась, то в кухонных шкафах, вероятно, остались про-

235

дукты — паштеты и другие консервы. Я ведь умер не так уж давно.

И он проводил взглядом Джулию, которая шагала вверх через две ступеньки, скользя рукой по деревянным перилам точно так же, как делала это ребенком. И точно так же, добравшись до площадки, она обернулась проверить, не идет ли кто-нибудь за ней следом.

— Ну, что тебе? — спросила она, глядя на него сверху вниз.

— Ничего, — с улыбкой ответил Энтони.

И вошел в свой кабинет.

Перед ней тянулся коридор. Первая дверь вела в спальню матери. Джулия нажала на дверную ручку, та медленно подалась вниз и так же тихонько вернулась на место, когда она, передумав, не стала входить в эту комнату. Она пошла вперед, в конец коридора, нигде больше не задерживаясь.

В комнате царил таинственный мерцающий полумрак. Задернутые тюлевые занавеси ниспадали на ковер, сохранивший всю яркость красок. Джулия подошла к своей кровати, присела на краешек и уткнулась лицом в подушку, жадно вдыхая запах наволочки. И тут же всплыли воспоминания о том, как она украдкой читала под одеялом при свете карманного фонарика и вымышленные персонажи оживали в складках портьер, колыхавшихся от ветерка, если окно было открыто. Сколько теней, ее тайных сообщников, посещали ее в часы бессонницы! Она вытянула поудобней ноги и огляделась. Вот люстра, немножко похожая на мобиль, но слишком массивная, и потому ее черные крылья не вращались, когда Джулия влезала на стул и дула на них. Вот платяной шкаф, а рядом деревянный шкафчик, где она хранила свои тетрадки, некоторые фотографии и карты стран с завораживающими названиями, купленные в писчебумажном магазине или выменянные у одноклассников на открытки с видами, которые имелись у нее в двух экземплярах — с какой стати дважды посещать одно и то же место, когда в мире еще столько неизведанных уголков?! Ее взгляд упал на этажерку; там тесным рядком стояли ее школьные учебники, зажатые между двумя старыми игрушками — красной собакой и синим котом, которые по-прежнему высокомерно игнорировали друг друга. Темно-красная обложка учебника истории, оставшегося лежать на письменном столе со времен окончания колледжа, поманила ее, и Джулия встала с кровати.

Деревянная поверхность, вся в царапинах... Сколько же часов она провела, склонившись над столом, откровенно бездельничая или же старательно выписывая в тетрадке одну и ту же фразу, когда Уоллес стучал в дверь, чтобы проверить, как продвигаются домашние задания. Этот крик души занимал целые страницы: "Мне скучно, мне скучно, мне скучно!" Фарфоровая ручка ящика имела форму звезды. Достаточно было слегка потянуть, и ящик послушно выдвигался. Она приоткрыла его. Красный фломастер, лежавший на дне, покатился вглубь. Джулия сунула туда руку. Щель была неширокой, юркий фломастер ускользнул от ее пальцев. Джулии понравилась эта игра, и она принялась обследовать ящик ощупью.

Указательный палец наткнулся на угольник для черчения, мизинец коснулся бус, выигранных на ярмарке и слишком безвкусных, чтобы их носить, средний еще пребывал в нерешительности, не зная, что там ему попалось — точилка для карандашей в виде лягушки или рулончик скотча в футлярчике-черепахе? Большой палец коснулся бумажного четырехугольника. Зубчатый краешек в его верхнем правом углу выдавал присутствие почтовой марки. За истекшие годы ее уголок, видимо, отклеился от конверта и слегка торчал кверху. Она погладила конверт, затаившийся в темной глубине ящика, и провела пальцем по углублениям, оставленным перьевой ручкой, стараясь не отрывать его от извилистых линий; это было похоже на игру, когда один из влюбленных должен угадать, какие слова другой чертит ногтем на его коже. Джулия узнала почерк — почерк Томаса.

Она достала конверт, распечатала его и вынула письмо.

"Сентябрь 1991 г.

239

Джулия,

Я остался в живых, несмотря на людское безумие. Остался единственным выжившим в этой страшной катастрофе. Я уже сообщал тебе в последнем письме, что мы наконец отправились на поиски Масуда. Но после оглушительного взрыва, который все еще отдается во мне жутким эхом, я забыл, почему мне так хотелось с ним встретиться. Забыл о том энтузиазме, который гнал меня вперед, чтобы запечатлеть на пленке все как есть. Я встретил одну только ненависть, которая едва не сгубила меня и навсегда унесла моих спутников. Местные крестьяне подобрали меня среди обломков, в двадцати метрах от того места, где я должен был погибнуть. Почему дыхание смерти, разорвавшей в клочья моих товарищей, пощадило меня, всего лишь отшвырнув подальше? Этого я никогда не узнаю. Те люди сочли меня мертвым и уложили на повозку. Если бы мальчишка, вертевшийся среди взрослых, не соблазнился моими часами и, преодолев страх, не попытался снять их у меня с запястья, если бы в этот миг моя рука не шевельнулась и парень не заорал во всю глотку, они бы, наверное, похоронили меня заживо. Но я повторяю: мне удалось выжить, несмотря на людское безумие. Говорят, что, когда за человеком приходит смерть и целует его, перед ним проносится вся его жизнь. Но когда она целует слишком уж крепко, ничего такого не происходит. Лежа в горячечном бреду, я видел только одно – твое лицо. Я мог бы заставить тебя ревновать, сказав, что за мной ухаживала молоденькая очаровательная медсестра, но, увы, это был мужчина с длинной неухоженной бородой. Последние четыре месяца я провалялся на больничной койке в Кабуле. У меня обожжена кожа, но я пишу тебе не для того, чтобы жаловаться и ныть.

Пять месяцев без единой весточки – слишком долгий срок для людей, привыкших писать друг другу дважды в неделю. Пять месяцев молчания, почти полгода – это еще тяжелее оттого, что мы так давно не виделись, не касались друг друга. Очень трудно любить на расстоянии – вот что непрерывно, каждый день мучит меня.

Кнапп прилетел в Кабул, как только узнал, что я жив. Видела бы ты, как он плакал, когда входил ко мне в общую палату, да, признаться откровенно, я и сам пустил слезу. К счастью, раненый на соседней койке спал сном праведника, иначе хороши бы мы были перед этими солдатами, с их несгибаемым мужеством! И если он не позвонил тебе сразу и не сообщил о моем спасении, то лишь потому, что я просил его этого не делать. Я знаю, что это он рассказал тебе о моей гибели, но теперь хочу сам известить, что жив. А может, истинная причина в другом; может, это письмо позволит тебе окончательно смириться с печальным концом нашей с тобой истории.

Джулия, наша любовь родилась из наших различий, из той жажды открытий, которая охватывала нас каждое утро, едва мы просыпались. И, раз уж я заговорил об утрах, ты даже не знаешь, сколько утренних часов я провел, глядя, как ты спишь, как улыбаешься во сне. Ведь ты всегда улыбалась во сне, хотя этого не знала. Как не знала, сколько раз прижималась ко мне во сне, бормоча слова на непонятном языке, а вот я могу точно сказать – сто!

241

*Джулия, я знаю: строить что-либо вместе –
это совсем другая история. Я ненавидел твоего
отца, но потом мне захотелось его понять.
Понять, как я поступил бы на его месте в таких же обстоятельствах. Представь себе, что
ты родила мне дочь, что мы с ней остались
одни, что она влюбилась в иностранца, живу-
щего в мире, созданном из ничего или из того,
что меня ужасает, – возможно, я бы действовал точно так же, как он. У меня никогда не
возникало желания рассказать тебе о долгих
годах, проведенных за Стеной, – я не хотел
омрачать нашу любовь хоть на минуту воспоминаниями об этом абсурде, потому что ты
заслуживала лучшего, чем мрачное повествова-
ние о жестокостях, на которые способны люди;
но твой отец – он-то наверняка знал об этом
кошмаре и уж конечно не желал для тебя такой
участи.*

*Я возненавидел твоего отца за то, что он
похитил тебя, оставив меня с окровавленным
лицом в нашей комнате, и за то, что я оказался бессилен удержать свою возлюбленную.
В ярости я бил кулаками в стены, где еще жило
эхо твоего голоса, но потом мне все-таки захотелось понять твоего отца. Как убедить тебя
в своей любви, даже не попытавшись понять?*

*А ты вернулась к своей жизни – что ж,
жизнь так устроена. Помнишь, ты часто гово-*

рила мне о знаках, которые подает нам судьба; я в это не верил, но в конце концов внял твоим доводам, даже если сегодня вечером, когда я пишу тебе эти строки, она готовит мне самое страшное.

Я любил тебя такой, какая ты есть, и никогда не захочу, чтобы ты изменилась; я любил тебя, далеко не все понимая, убежденный, что время все расставит по своим местам; может быть, в самом апофеозе этой любви я иногда забывал спрашивать тебя, любишь ли ты меня так беззаветно, что согласна принять все, что нас разделяет. А может, ты сама не давала мне времени задать тебе этот вопрос, как не успевала задать его себе самой. Но оно все же настало, это время, настало несмотря ни на что.

243

Завтра я возвращаюсь в Берлин. И опущу это письмо в первый же почтовый ящик, который встретится мне по дороге. Оно придет к тебе, как всегда, через несколько дней – если не ошибаюсь, где-нибудь между шестнадцатым и семнадцатым числами.

Ты найдешь в этом конверте одну вещь, которую я до сих пор хранил в тайне; мне хотелось бы послать тебе свою фотографию, но в настоящий момент я не очень-то красиво выгляжу, и вдобавок это было бы слишком самонадеянно с моей стороны. Нет, это всего лишь билет на самолет. Вот видишь, теперь тебе не придется работать еще много месяцев, чтобы прилететь ко мне – если ты по-прежнему этого хочешь. Я тоже зарабатывал деньги, чтобы приехать за тобой. И взял этот билет с собой сюда, в Кабул, чтобы послать тебе. Ты увидишь... он все еще действителен.

Я буду ждать тебя в берлинском аэропорту, в последний день каждого месяца.

Если мы встретимся, я обещаю тебе не отнимать дочь, которую ты мне родишь, у человека, которого она когда-нибудь полюбит. И что бы их ни разделяло, я пойму того, кто украдет ее у меня, пойму свою дочь, потому что я любил ее мать.

Джулия, я никогда не обижусь на тебя, я приму твой выбор, каким бы он ни был. Если ты не прилетишь, если мне придется возвращаться из аэропорта в каждый последний день месяца одному, без тебя, знай, что я всё пойму; для этого я и пишу тебе.

Но знай также, что я никогда не забуду прелестное лицо, которое жизнь подарила мне однажды в ноябрьский вечер, в тот вечер, когда к нам вернулась надежда и когда я вскарабкался на Стену, чтобы упасть с нее в твои объятия, – я, пришедший с Востока, к тебе, пришедшей с Запада.

Ты была и останешься в моей памяти самым прекрасным подарком, полученным от жизни.

Сейчас, когда я пишу эти слова, я чувствую, как сильно люблю тебя.

До скорого свидания... Надеюсь, что до скорого. Но в любом случае, где бы ты ни находилась, ты была и всегда будешь со мной. Одна мысль о том, что ты жива, что ты живешь на этой земле, уже счастье для меня.

Я люблю тебя.

Томас".

Из конверта выскользнула тоненькая книжечка в пожелтевшей обложке. Джулия открыла ее. На розовом талоне авиабилета было напечатано: "Фройлейн Джулия Уолш, Нью-Йорк — Париж — Берлин, 29 сентября 1991 г.". Джулия положила билет в ящик стола, приоткрыла окно, снова легла на кровать, подложив руки под голову, и долго лежала так, пристально глядя на занавеси своей комнаты, два длинных полотнища, в чьих складках оживали старые друзья-призраки, вернувшиеся из ее одинокого детства.

245

———

После полудня Джулия вышла из комнаты, спустилась в кладовую и открыла шкаф, где Уоллес всегда хранил джемы. Она нашла на полке пакетик сухарей, выбрала баночку меда и уселась за кухонный стол. Ее внимание привлекла бороздка, оставленная ложкой на блестящей, загустевшей поверхности меда. Странная отметина — скорее всего, это была ложка Энтони Уолша во время его последнего завтрака. Она представила себе, как он сидел перед своей чашкой на этом самом месте, совершенно один в этой необъятной кухне, читая утреннюю газету. Интересно, о чем он думал в тот день? Любопытное свидетельство безвозвратно ушедшего прошлого. И почему эта мелкая, с виду такая незначительная деталь заставила ее в полной мере — и быть может, впервые — осознать, что ее отец мертв? Часто бывает, что какой-нибудь пустяк — найденная вещь или запах — вдруг воскрешает память об ушедших навсегда. И вот так же, сидя в этой просторной кухне, она впервые ощутила острую тоску по своему пусть и не очень-то радостному детству. Со стороны двери раздалось покашливание, и она подняла голову: с порога ей улыбался Энтони Уолш.

— Можно войти? — спросил он, садясь напротив.

— Сделай милость, чувствуй себя как дома!

— Я заказываю этот лавандовый мед во Франции; ты по-прежнему его любишь?

— Как видишь, некоторые вещи не меняются.

— О чем он тебе писал?

— По-моему, это не твое дело.

— Ты приняла какое-нибудь решение?

— О чем ты?

— Ты прекрасно знаешь о чем. Ты намерена ему ответить?

— Спустя двадцать лет? Тебе не кажется, что уже поздновато?

— А кому ты задаешь этот вопрос, себе или мне?

— Нынче Томас наверняка женат и имеет детей. Какое я имею право вторгаться в его жизнь?

— Мальчика, девочку или, может, близнецов?

247

— Что-о-о?

— Я просто интересуюсь, позволяют ли твои провидческие способности узнать, из кого состоит его очаровательная семейка. Так кто же там — мальчик или девочка?

— Что ты несешь?

— Еще утром ты считала его мертвым, а теперь, кажется, сильно перебираешь, рисуя себе картины его жизни.

— Господи боже мой, да ведь с тех пор двадцать лет прошло, а не шесть месяцев!

— Ну, во-первых, не двадцать, а семнадцать. Достаточно много, чтобы успеть развестись, и не один раз, если только он вообще не сме-

нил ориентацию, подобно твоему дружку-
антиквару, как его там, Стенли, что ли? Да,
верно, Стенли!

— И у тебя еще хватает духа шутить в такой
ситуации?!

— О, юмор — замечательный способ сла-
дить с действительностью, когда она обру-
шивается вам на голову; уж и не помню, кто
это сказал, но это чистая правда. Так я все же
настаиваю на своем вопросе: ты что-нибудь
решила?

— Мне нечего решать, слишком поздно,
сколько раз еще мне это повторить, чтоб ты
понял? И вообще, ты-то ведь должен радоваться, не правда ли?

— Слишком поздно бывает только тогда,
когда ситуация уже необратима. Например,
слишком поздно, чтобы сказать твоей матери
все, что я собирался, но не успел сказать;
а ведь я так хотел, чтобы она написала мне,
пока не лишилась рассудка! Что касается
нас с тобой, это "слишком поздно" настанет
только в субботу, когда я погасну, как обыкновенная игрушка, в которой сели батарейки.
Но если Томас жив, то должен сказать тебе,
как ни жаль, что еще не слишком поздно.
И если вспомнишь тот миг, когда ты увидела
портрет, и подумаешь, что привело нас сюда
нынче утром, то не будешь хвататься за этот

предлог — слишком поздно. Лучше подыщи себе другое оправдание.

— Скажи, чего ты на самом деле добиваешься?

— Да ровно ничего. Зато ты, может быть, добиваешься своего Томаса, разве что...

— Разве что?

— Нет, ничего, извини меня, я все говорю, говорю... Боюсь, что ты права.

— Надо же, я впервые слышу от тебя, что хоть в чем-то права, только интересно узнать, в чем именно.

— Не стоит, уверяю тебя. Гораздо легче продолжать хныкать, сетовать на судьбу, гадать о том, что могло бы быть, но не случилось. Да я наизусть знаю все эти избитые бредни, типа "злой рок решил иначе, ничего не поделаешь", не говоря уж о том, что напрашивается в первую очередь: "Это все мой отец виноват, это он исковеркал мою жизнь!" В общем-то, жизнь-драма — такой же способ существования, как любой другой.

— Ну ты меня и напугал! А я уж было поверила, что ты принимаешь меня всерьез!

— О нет, это тебе не грозит — если учесть, как ты себя ведешь.

— И еще одно: даже если бы я умирала от желания написать Томасу, даже если бы мне удалось раскопать где-нибудь его адрес и по-

249

слать ответ семнадцать лет спустя, я никогда бы не обошлась так гнусно с Адамом. Тебе не кажется, что за эту неделю на его долю и без того выпало слишком много лжи?

— Разумеется! — ответил Энтони с едкой иронией.

— Не понимаю твоего тона?

— Ты поступила совершенно правильно. Лгать, умалчивая, гораздо милосерднее и куда более честно. Кроме того, это даст вам возможность кое-что разделить между собой. Он будет не единственным, кому ты солжешь.

— Можно узнать, о ком же ты?

— Да о тебе самой! Каждый вечер, когда ты будешь ложиться с ним в постель, ты хоть на мгновение вспомнишь о своем друге с Востока, и пусть немного, но солжешь; каждый раз, как почувствуешь хотя бы крошечное сожаление о несбывшемся, ты опять-таки солжешь; каждый раз, спросив себя, не стоило ли все-таки вернуться в Берлин, чтобы разобраться во всем, ты снова солжешь. Погоди-ка, дай сосчитать, я ведь всегда отличался математическими способностями: возьмем три маленьких лжи в неделю, два жгучих воспоминания и три сравнения Томаса с Адамом — это нам даст... три плюс два плюс три, да помножить на пятьдесят две недели, да еще на тридцать лет супружеской жизни — да-да, на тридцать, может, я чересчур оптимистичен, но пусть будет тридцать... Итого, двенадцать тысяч четыреста восемьдесят случаев лжи. Недурственно для такой дружной супружеской пары!

— Я вижу, ты очень доволен собой! — заключила Джулия, с саркастической усмешкой аплодируя отцу.

— А как ты думаешь, разве жить с кем-то, не будучи уверенным в собственных чувствах, — это не ложь, не предательство? Ты хоть представляешь себе, во что превращается совместная жизнь, когда один из супругов попросту существует рядом как сосед, как чужой?!

251

— А ты, я вижу, очень хорошо представляешь?

— Твоя мать последние три года своей жизни называла меня "мистер", а когда я входил к ней в спальню, указывала мне дорогу в туалет, воображая, что пришел водопроводчик. Может, одолжишь мне свои карандаши, чтобы я нарисовал картину такой жизни?

— Ты правду говоришь? Мама действительно называла тебя "мистер"?

— Это в так называемые "хорошие" дни, а в плохие она звонила в полицию, объявляя, что к ней в дом проник незнакомец.

— И тебе действительно хотелось, чтобы она тебе написала до того как?..

— Не бойся называть вещи своими именами. До того как она потеряла рассудок? До того как окончательно впала в безумие? Я отвечаю: да, хотелось, но мы сейчас говорим не о твоей матери.

И Энтони устремил на дочь пристальный взгляд.

— Ну как мед — вкусный?

— Да, — ответила Джулия, хрустя сухариком.

— Немного гуще, чем обычно, правда?

— Верно, немного гуще.

— Пчелы, наверное, обленились после того, как ты покинула этот дом.

— Вполне возможно, — с улыбкой ответила она. — Ты желаешь побеседовать о пчелах?

— Почему бы и нет?

— Тебе ее очень не хватало?

— Конечно, что за вопрос!

— А когда ты прыгнул обеими ногами в водосток, ты сделал это ради мамы?

Энтони порылся во внутреннем кармане пиджака, извлек из него конвертик и пустил его по столу в сторону Джулии.

— Что это?

— Два билета до Берлина с пересадкой в Париже — прямых рейсов в Германию до сих пор нет. Вылет в семнадцать часов, ты можешь отправиться туда одна, со мной или не отправляться вовсе — в общем, решай сама. Это тоже что-то новенькое, не так ли?

— Почему ты это делаешь?

— А куда ты подевала тот клочок бумаги?

— Какой клочок?

— Записку Томаса, которую ты всегда носила с собой, — она как по волшебству появлялась на свет божий всякий раз, когда ты опорожняла карманы; эта смятая бумажка всегда напоминала мне о том, какое зло я тебе причинил.

— Я ее потеряла.

— А что в ней было? Хотя нет, не отвечай, любовь всегда выражается до ужаса банально. Ты действительно ее потеряла?

— Да, я ведь сказала!

— Я тебе не верю, такие вещи никогда не исчезают бесследно. В один прекрасный день они появляются снова, из самой глубины сердца. Ладно, иди, собирай сумку.

Энтони встал и вышел из кухни. На пороге он обернулся:

— Поторопись, тебе не нужно заходить домой: если понадобятся какие-то вещи, мы их купим там, на месте. Времени у нас мало, я жду тебя на улице, машина уже заказана. Слушай, я вот говорю это, и у меня какое-то

253

странное ощущение дежавю, или, может, я ошибаюсь?

И Джулия услышала шаги отца, отдающиеся гулким эхом в холле.

Она закрыла лицо руками и тяжело вздохнула. В щелку между пальцами она видела баночку меда на столе. Нет, ей нужно лететь в Берлин не столько для того, чтобы отыскать Томаса, сколько для того, чтобы продлить свое путешествие с отцом. И она дала себе самую что ни есть искреннюю клятву, что это не будет ни предлогом, ни извинением и что когда-нибудь Адам все обязательно поймет.

Джулия вернулась к себе в комнату, и в тот момент, когда она поднимала с пола сумку, ее взгляд упал на этажерку с книгами. Из их ровного ряда высовывался учебник по истории в темно-красной обложке. Поколебавшись, она достала его, вытряхнула спрятанный между страницами голубой конверт и положила в сумку. Потом затворила окно и вышла из комнаты.

Энтони и Джулия успели в аэропорт до окончания регистрации. Стюардесса вручила им посадочные талоны и сказала, что нужно спешить: времени осталось в обрез и она не гарантирует, что посадка не закончится, когда они доберутся до своего терминала.

— О, с моей ногой это безнадежно! — объявил Энтони, жалобно глядя на нее.

— Вам трудно передвигаться, сэр? — забеспокоилась молодая женщина.

— В моем возрасте, мисс, это довольно обычное явление, — гордо ответил он, одновременно предъявляя ей свидетельство о наличии кардиостимулятора.

— Подождите здесь, — сказала стюардесса, включая свой телефон.

Через несколько секунд электрокар уже вез их к посадке на парижский рейс. В сопровождении агента авиакомпании контроль безопасности на сей раз прошел гладко.

— У тебя опять сбой? — спросила Джулия, пока электрокар на полной скорости мчал их по длинным проходам аэропорта.

— Молчи ты, ради бога, — шепнул в ответ Энтони, — а не то нас засекут. Моя нога в полном порядке.

И он продолжал увлеченно беседовать с водителем, как будто его ужасно интересовала жизнь этого парня. Десять минут спустя Энтони и его дочь сели в самолет первыми.

Пока две стюардессы помогали Энтони устроиться в кресле (одна подкладывала ему подушечки под спину, вторая предлагала плед), Джулия вернулась к выходу из самолета и сказала стюарду, что ей надо сделать еще один звонок. Ее отец уже на борту, а сама она вернется через несколько минут. Остановившись на трапе, она включила мобильник.

— Ну, как проходят загадочные канадские странствия? — спросил Стенли, взяв трубку.

— Я сейчас в аэропорту.

— Уже возвращаешься?

— Наоборот, улетаю.

— Постой-ка, дорогая, неужели я прохлопал какой-то этап твоего приключения?

— Нет, сегодня утром я вернулась в Нью-Йорк, но не успела с тобой повидаться, хотя, поверь, мне это было очень нужно.

— А могу я узнать, куда ты теперь направляешь стопы — в Оклахому или, может, в Висконсин?

— Стенли, если бы ты вдруг нашел письмо от Эдварда — письмо, написанное его рукой как раз перед кончиной, но так и не прочитанное, ты бы его распечатал?

— Я уже говорил тебе, Джулия, дорогая, что его последними словами было: "Я тебя люблю". Что же еще мне нужно было знать после этого? Какие-то извинения, сожаления? Нет, те три слова из его уст затмили все, что мы не успели сказать друг другу.

— И значит, ты бы оставил конверт невскрытым?

— Думаю, что да; впрочем, я так и не обнаружил в нашей квартире ни одного слова, написанного Эдвардом. Он терпеть не мог писать, даже списка покупок не составлял, мне приходилось заниматься всем этим самому. Ты даже не представляешь, как меня это злило в те времена, и все-таки до сих пор, двадцать лет спустя, я покупаю в супермаркете его любимые йогурты. Не правда ли, это глупо — помнить о таких вещах, когда все давно кануло в Лету?

— Может, не так уж и глупо.

— Если я правильно понял, ты нашла письмо Томаса? Ты ведь заводишь со мной разговор об Эдварде всякий раз, когда думаешь о нем, так прочти его письмо!..

— Зачем? Ты же говоришь, что не сделал бы этого.

— Глупенькая, за двадцать лет нашей дружбы ты так и не уразумела, что я могу быть для тебя кем угодно, но только не примером для подражания. Распечатай конверт сегодня, а письмо прочти завтра, если тебе так будет легче, но только не уничтожай его. Наверное, я все-таки слегка покривил душой: если бы Эдвард оставил мне письмо, я бы прочел его сто раз подряд, я бы вчитывался в него целыми часами, лишь бы убедиться, что я правильно понял каждое слово, хотя прекрасно знаю, что уж он-то не стал бы тратить столько времени на писанину. Теперь ты можешь наконец сказать мне, куда тебя несет? Мне уже не терпится узнать номер телефона, по которому я мог бы поймать тебя сегодня вечером.

— Скорее, завтра, и вдобавок тебе придется сначала набрать код "сорок девять".

— Значит, это где-то за границей?

— В Германии, в Берлине.

Наступила пауза. Стенли тяжко вздохнул, не решаясь продолжить разговор.

— Ты обнаружила что-то новое в том письме, которое, как я понял, уже распечатала? — спросил он наконец.

— Стенли, он жив!

— Нетрудно было догадаться, — снова вздохнул Стенли. — И ты звонишь мне из зала вылетов, чтобы спросить, правильно ли поступаешь, отправляясь на его поиски, именно так?

— Я звоню с трапа самолета... и думаю, ты мне уже ответил.

— Ну, тогда беги скорей в самолет, дурочка, и смотри не опоздай!

— Стенли...

— Что еще?

— Ты сердишься?

— Да нет конечно; просто грустно, что ты так далеко от меня, вот и все. Есть еще какие-нибудь дурацкие вопросы?

— Как это тебе удается?..

— Отвечать на твои вопросы до того, как ты их задала? Злые языки разъяснили бы тебе, что я — женщина в большей степени, чем ты, но у тебя самой есть основания для другого объяснения: просто я твой самый близкий друг. А теперь оставь меня в покое, прежде чем я осознаю, как жутко мне будет не хватать тебя.

— Обещаю, что позвоню тебе оттуда.

— Да-да, конечно!

Стюардесса знаком велела Джулии немедленно подняться в самолет: экипаж ждал только ее. И, когда Стенли решил спросить у Джулии, что сказать Адаму, если тот ему позвонит, она уже отключила свой мобильник.

14

Собрав подносы после обеда, стюардесса убавила свет, и салон погрузился в полумрак. С самого начала полета Джулия не видела, чтобы ее отец притронулся хоть к какой-то еде, заснул или хотя бы задремал. Наверное, для электронного механизма это нормально, зато для нее более чем странно, и как же трудно с этим смириться!.. Тем более что только эти признаки и напоминали ей, что путешествие вдвоем позволит им отвоевать всего несколько лишних дней у вечности. Большинство пассажиров спали, другие смотрели фильм на экранчиках, вмонтированных в спинки кресел, человек в последнем ряду листал какие-то документы. Энтони просматривал газету, а Джулия разглядывала в иллюминатор серебристые лунные блики на крыле самолета и океан, волновавшийся далеко внизу, в синей ночной мгле.

———————

К весне я решила оставить учебу в Школе изобразительных искусств и не возвращаться в Париж. Ты сделал все, чтобы разубедить меня, но я уже твердо знала, что займусь, как и ты, журналистикой, а пока – так же как ты – каждое утро отправлялась на поиски работы, хотя мне, американке, даже надеяться было не на что. Вот уже несколько дней трамвайные линии снова связывали обе половины города. Вокруг нас все бурлило, у всех на устах было только одно – объединение твоей страны, чтобы она вновь стала неделимой, как прежде, когда мир еще не жил по законам "холодной войны". Те, кто служил в тайной полиции, словно испарились вместе со своими архивами. За несколько месяцев до этих событий они постарались уничтожить все компрометирующие их документы, все досье, составленные ими на миллионы твоих сограждан, в том числе и на тебя, и ты был одним из первых, кто участвовал в демонстрации, чтобы помешать им сделать это.

Было ли и на тебя заведено персональное дело под номером таким-то? Покоится ли до сих пор в неких секретных архивах папка с твоими фотографиями, сделанными по-воровски, скрытой камерой на улицах, со сведениями о месте работы,

261

со списком соратников, с именами друзей, с именем твоей бабушки? Вызывала ли твоя молодость подозрение у тогдашних властей? Как смогли мы допустить все это, забыв об уроках прошедшей войны? Неужели для режима это был единственный способ взять реванш за разгром и унижение нации? Мы с тобой родились слишком поздно, чтобы ненавидеть друг друга, нам предстояло еще многое осваивать заново. Когда по вечерам мы гуляли в твоем квартале, я часто замечала, что тебя до сих пор мучит страх. Он охватывал тебя при одном лишь виде мундира или автомобиля, ехавшего, на твой взгляд, подозрительно медленно. "Пошли отсюда скорей", – говорил ты, торопливо уводя меня в ближайший проулок, в ближайший подъезд, чтобы скрыться от невидимого врага. И когда я смеялась над тобой, ты приходил в ярость и говорил, что я ничего не понимаю, потому что даже не представляю, на что "они" способны. Сколько раз я видела, как ты с порога тревожно оглядываешь зал ресторанчика, куда я водила тебя ужинать. И сколько раз слышала от тебя "Уйдем отсюда!", потому что ты увидел мрачное лицо какого-нибудь клиента, напомнившее тебе пугающее прошлое. Прости меня, Томас, ты был прав, я не понимала, что значит бояться. Прости за то, что я засмеялась, когда ты потащил меня прятаться под мост, увидев, что по нему проходит военный патруль. Я же ни-

чего не знала, ничего не могла понять, да и никто из моих близких не понял бы этого.

И когда ты указывал мне на кого-то в трамвае, я по твоему лицу понимала, что ты узнал одного из тех, кто служил в тайной полиции.

Избавившись от своих мундиров, от признаков власти и наглой уверенности, бывшие работники Штази растворялись в твоем городе, приспосабливались к обыденной жизни бок о бок с теми, кого еще вчера травили, преследовали, судили, а иногда и пытали, на протяжении стольких лет. После падения Стены многие из них сочинили для себя другое прошлое, боясь, что их обнаружат и уличат; другие же спокойно продолжали делать карьеру; со временем большинство этих людей избавились от угрызений совести и воспоминаний о содеянных преступлениях.

Мне помнится тот вечер, когда мы навестили Кнаппа и пошли бродить втроем по парку. Кнапп непрестанно расспрашивал тебя о том, как ты жил, даже не догадываясь, как больно тебе отвечать. Он утверждал, что тень Берлинской стены дотянулась до Запада, где он жил, но ты с жаром отвечал ему, что провел свою жизнь на Востоке, который отгородился бетонной стеной от Запада. Как же вы мирились с таким существованием? – допытывался Кнапп. И ты с улыбкой спрашивал его: неужели он действительно все забыл? Но Кнапп снова атаковал тебя вопросами, и тогда ты сдавался. Ты терпеливо

263

*рассказывал ему о жизни, в которой все было заре-
гулировано, где отдельный человек не нес никакой
ответственности, а риск совершить ошибку был
минимальным. "У нас была полная занятость,
государство участвовало буквально во всем", – говорил ты, пожимая плечами. "Вот именно на этом
и стоят все диктатуры", – заключал Кнапп. Это
многих устраивало, ведь свобода – это важнейший
залог существования, и большинство людей жаж-
дут свободы, только не умеют ею распорядиться.
Я хорошо помню, как ты сказал нам в одном кафе
Западного Берлина, что на Востоке каждый немец переиначивал свою жизнь как хотел – в воображении, сидя в теплой квартире. Ваш разговор
принял острый характер, когда твой друг спросил, сколько людей, по твоему мнению, сотрудничали с властью в те мрачные годы; но вы так и не
пришли к согласию. Кнапп считал, что максимум
тридцать процентов населения. Ты признавался
в своем неведении – да и как ты мог знать, ведь
ты-то никогда не работал на Штази.*

*Прости меня, Томас, ты был прав, мне понадо-
билось ждать много лет, прежде чем я ощутила
этот страх, встав на дорогу, ведущую к тебе.*

— А почему ты не пригласила меня на свою
свадьбу? — спросил Энтони, опустив газету
на колени.

Джулия вздрогнула.

— Ох, извини, я не хотел тебя пугать. Ты думала о чем-то своем?

— Нет, просто смотрела наружу, вот и все.

— Но там же кромешная тьма, — заметил Энтони, взглянув в иллюминатор.

— Зато сегодня полнолуние.

— Высоковато для прыжка вниз, правда?

— Я послала тебе извещение о свадьбе.

— Да, послала — как и остальным двум сотням знакомых. Это не называется пригласить родного отца. Я надеялся быть тем, кто поведет тебя к алтарю; такое событие, наверное, стоит того, чтобы поговорить о нем лично.

— А разве мы с тобой о чем-нибудь говорили за эти двадцать лет? Я ждала твоего звонка, надеялась, что ты попросишь познакомить тебя с моим будущим мужем.

— По-моему, я с ним однажды где-то встречался.

— Да, чисто случайно, на эскалаторе в универсаме "Блумингдейлз", я бы не сказала, что это подходящее место для такого знакомства. В общем, как-то было не похоже, что ты интересовался Адамом или моей жизнью.

— Если память мне не изменяет, мы пошли втроем выпить чаю?

— Верно — потому что это он тебе предложил, потому что это он хотел с тобой позна-

265

комиться. И мы провели вместе двадцать минут, в течение которых говорил ты один, не давая нам и рта раскрыть.

— Твой жених был не очень-то разговорчив, прямо аутист какой-то; я даже подумал, уж не немой ли он.

— А ты ему задал хоть один вопрос?

— А ты сама, Джулия, хоть когда-нибудь задавала мне вопросы, просила хоть какого-то совета?

— Нет, а зачем? Чтобы ты мне стал рассказывать, как поступал в моем возрасте, или диктовать, что именно мне следует делать? Да я готова была молчать до второго пришествия, чтобы ты наконец понял, что мне никогда и ни в чем не хотелось быть похожей на тебя.

— Тебе надо бы поспать, — сказал Энтони Уолш, — завтра у нас будет долгий день. Как только мы прилетим в Париж, нам придется пересесть в другой самолет, до Берлина.

Он натянул плед, лежавший на коленях у Джулии, до самых ее плеч и снова погрузился в чтение газеты.

———

Самолет совершил посадку в аэропорту Шарля де Голля. Энтони перевел свои часы на парижское время.

— У нас есть целых два часа до пересадки, так что с этим проблем не будет.

В тот момент Энтони еще не знал, что самолет, который должен был ждать их в терминале Е, будет направлен в терминал F и что переходная галерея этого терминала не совмещается с их самолетом, — все это им объявила стюардесса, добавив, что прибывший за ними автобус отвезет их в терминал В.

Энтони знаком подозвал к себе старшего стюарда.

— Нам нужно попасть в терминал Е! — сказал он.

— Простите, не понял? — переспросил тот.

— Вы только что объявили, что нас повезут в терминал В, а нам нужно в Е.

— Вполне возможно, — ответил стюард. — Знаете, мы сами тут всегда путаемся.

— Избавьте меня хотя бы от одного сомнения: мы действительно находимся в аэропорту Шарля де Голля?

— Если тут три разных выхода, нет подходящей переходной галереи и никаких автобусов — можете не сомневаться, это именно он!

Через сорок пять минут после приземления они наконец вышли из самолета. Осталось пройти пограничный контроль и найти терминал с рейсом на Берлин.

Двум офицерам полиции аэропорта предстояло проверить паспорта у сотен пассажиров с трех разных рейсов. Энтони взглянул на табло вылетов:

— Перед нами человек двести, не меньше; боюсь, мы опоздаем.

— Ничего, сядем в следующий самолет, — ответила Джулия.

Пройдя контроль, они долго шли по нескончаемым коридорам и бегущим дорожкам.

— За это время можно было бы дойти пешком до Нью-Йорка! — бушевал Энтони.

И, едва договорив, внезапно рухнул наземь.

Джулия попыталась удержать отца, но падение было таким стремительным, что она не успела его подхватить. Бегущая дорожка продолжала ползти вперед, неся на себе распростертого на ней Энтони.

— Папа, папа, очнись! — в ужасе кричала Джулия, тряся его за плечо.

Дорожка с легким поскрипыванием везла неподвижное тело к металлическому порогу. Один из пассажиров бросился помогать Джулии. Вдвоем они приподняли Энтони и уложили в сторонке на пол. Пассажир снял пиджак и подложил его под голову Энтони, который все еще был без сознания. Он предложил вызвать "скорую".

— Нет-нет, ни в коем случае! — воскликнула Джулия. — Это пустяки, простое недомогание, я уже привыкла...

— Вы уверены? Ваш муж выглядит очень плохо.

— Это мой отец. Он диабетик, — солгала Джулия.

— Папа, очнись! — окликнула она отца, снова тряся его за плечи.

— Дайте-ка, я проверю его пульс.

— Не прикасайтесь к нему! — в панике завопила Джулия.

Энтони приоткрыл глаза.

— Где мы? — простонал он, пытаясь подняться.

269

Человек, стоявший рядом с Джулией, помог ему встать на ноги. Энтони оперся о стену, с трудом сохраняя равновесие:

— Который час?

— Вы уверены, что это простое недомогание? По-моему, он плохо соображает...

— Ну вы полегче, не очень-то!.. — сердито сказал Энтони, уже полностью пришедший в себя.

Человек подобрал свой пиджак и, не оборачиваясь, удалился.

— Мог бы его поблагодарить по крайней мере, — укоризненно сказала Джулия.

— За что?! За то, что он клеился к тебе под предлогом помощи больному? Не дождется!

— Нет, ты действительно невозможен, до чего же ты меня напугал!

— А чего бояться? Что мне такого грозит, когда я и так уже мертв! — парировал Энтони.

— Можно узнать, что именно с тобой произошло?

— Наверно, где-нибудь контакты разъединились или еще какая-нибудь мелкая неполадка. Придется им на это указать. А может, я вырубился оттого, что кто-то рядом отключил свой мобильник, — это очень неприятно.

— Подумать только, я никогда и никому не смогу рассказать о том, что сейчас переживаю, — сказала Джулия, пожимая плечами.

— Мне почудилось или ты действительно только что называла меня папой? — спросил Энтони, таща ее к выходу на посадку.

— Тебе почудилось! — ответила она.

У них оставалось максимум пятнадцать минут, чтобы пройти контроль службы безопасности.

— Ох, черт возьми! — воскликнул Энтони, открыв свой паспорт.

— Что еще стряслось?

— Мое свидетельство о кардиостимуляторе... оно пропало.

— Поищи как следует в карманах.

— Нет, я уже все их обшарил — ничего!

И он мрачно взглянул на стоявшую впереди рамку металлоискателя.

— Стоит мне пройти под ней, как сюда сбежится вся полиция аэропорта.

— Ну, тогда просмотри еще раз все свои вещи! — нетерпеливо сказала Джулия.

— Не настаивай, я же говорю, что потерял его, — наверное, выпало в самолете, когда я отдал свой пиджак стюардессе. Крайне сожалею, но не вижу никакого выхода из этой ситуации.

— Слушай, мы ведь прибыли сюда не для того, чтобы возвращаться теперь в Нью-Йорк ни с чем. Да и как мы вернемся, если ты потерял эту бумажку?!

— Давай возьмем машину напрокат и поедем в город. За это время я постараюсь что-нибудь придумать.

И Энтони предложил дочери снять на одну ночь комнаты в гостинице.

— Через два часа в Нью-Йорке наступит утро, ты просто позвонишь моему лечащему врачу, и он пришлет тебе факсом дубликат свидетельства.

— Разве твой врач не знает, что ты умер?

— Представь себе, нет — такая глупость, я забыл его известить!

— А почему бы не взять такси? — спросила Джулия.

271

— Такси — в Париже? Ты не знаешь, что это за город!

— Я смотрю, у тебя на все заранее готов ответ.

— Сейчас не время спорить; вон как раз аренда машин, нам сгодится какой-нибудь маленький автомобильчик. Хотя нет, возьмем лучше лимузин, так-то оно-то престижнее!

И Джулия сдалась. Уже за полдень она вырулила на развязку, которая вела к въезду на главную автотрассу А1. Энтони подался вперед, пристально всматриваясь в дорожные указатели.

— Поворачивай направо! — скомандовал он.

— В Париж налево, вон там написано крупными буквами.

— Спасибо, я еще не разучился читать, но ты делай, как я сказал! — рявкнул Энтони, заставив ее вывернуть руль вправо.

— Ты с ума сошел! Что ты затеял? — крикнула она, еле удержав машину на опасном вираже.

Теперь было уже слишком поздно менять ряд. Под возмущенный хор автомобильных гудков Джулии поневоле пришлось взять курс на север.

— Очень остроумно! Мы едем в сторону Брюсселя, а Париж остался позади!

— Я знаю. Но если тебя не слишком утомит долгое сидение за рулем, то через шестьсот километров после Брюсселя мы окажемся в Берлине; по моим расчетам, это займет примерно девять часов. В худшем случае остановимся где-нибудь на полпути, чтобы ты смогла немного поспать. На больших автотрассах нет контрольно-пропускных пунктов, как в аэропортах, и это на время снимает нашу проблему, а вот времени у нас не так-то много. Чуть больше четырех дней — конечно, при условии, что у меня опять не случится какой-нибудь сбой.

— Значит, ты придумал все это заранее, еще до того, как мы взяли напрокат машину? Вот почему ты велел мне брать лимузин!

— Ты хочешь увидеть Томаса или нет? Тогда езжай побыстрей; мне не нужно указывать тебе дорогу, ты ведь ее отлично помнишь, не так ли?

Джулия включила радио на полную громкость и до предела выжала педаль газа.

273

За прошедшие двадцать лет автотрасса существенно изменилась к лучшему. Через два часа они уже миновали Брюссель. Энтони большей частью хранил молчание и только изредка что-то бурчал себе под нос, глядя на окружающий пейзаж. Джулия улучила момент, когда отец не смотрел в ее сторону, и незаметно повернула зеркальце заднего вида так, чтобы наблюдать за ним. Энтони убавил звук радио.

— Скажи, ты была счастлива, когда училась в Школе изобразительных искусств? — спросил он, нарушив наконец молчание.

— Я не очень-то долго там пробыла, но зато обожала то место, где жила. Вид из моей комнаты был бесподобный. Сидя за рабочим столом, я могла видеть крыши Обсерватории.

— Я тоже обожал Париж. У меня связано с ним много воспоминаний. Мне даже кажется, что именно в этом городе я хотел бы умереть.

Джулия поперхнулась.

— В чем дело? — спросил Энтони. — Что у тебя с лицом? Я опять сказал что-нибудь неподобающее?

— Нет-нет, все в порядке.

— Какое там "в порядке", ты выглядишь так, будто увидела привидение.

— Дело в том, что... мне трудно это выговорить, потому что звучит настолько невероятно...

— Ну не тяни, говори же!

— Ты ведь и умер в Париже, папа.

— Неужели? — удивленно воскликнул Энтони. — Надо же, а я и не знал.

— Разве ты ничего не помнишь?

— Видишь ли, программа переноса моей памяти в электронный мозг заканчивается моим отъездом в Европу. После этой даты — сплошная черная дыра. Я думаю, что так оно и лучше, вряд ли мне было бы приятно вспоминать обстоятельства собственной смерти. В конечном счете нужно признать, что временные рамки данного устройства — неизбежное, но необходимое зло. И не только для родных покойного.

— Я понимаю, — подавленно ответила Джулия.

— Сомневаюсь. Поверь мне, эта ситуация выглядит странной не только в твоих глазах, она сбивает с толку и меня самого, притом чем дальше, тем больше. Какой у нас сегодня день?

— Среда.

— Значит, осталось три дня; ты только представь себе, каково это — слышать у себя внутри тиканье секундной стрелки, которая отсчитывает последние мгновения. А тебе сообщили, как я?..

— Остановка сердца, когда ты затормозил у светофора на красный свет.

— Слава богу, что был не зеленый, а то я вдобавок еще и разбился бы всмятку.

— Светофор переключился на зеленый...

— Черт возьми!

— ...но никакого ДТП не случилось, если это может тебя утешить.

— Честно говоря, меня это совершенно не утешает. Я сильно страдал?

— Нет, меня заверили, что все произошло мгновенно.

— Да-да, они всегда это говорят, чтобы облегчить горе родственников. Впрочем, все ушло в прошлое и уже не имеет никакого значения. Кто вспоминает, отчего и как умерли близкие люди?! Спасибо, если не забудут, как они жили!

— Может, сменим тему? — умоляюще попросила Джулия.

— Как хочешь, просто мне показалось довольно забавным побеседовать с кем-нибудь о собственной кончине.

— Этот "кто-нибудь" — твоя дочь, и ей кажется, что все это тебя не слишком-то веселит.

— О, пожалуйста, не надо, сейчас неподходящее время для выяснения истины.

Часом позже машина уже ехала по голландской территории, и Германия была совсем рядом, в семидесяти километрах.

— Н-да, все-таки здорово они придумали, — заметил Энтони, — никаких границ, чувствуешь себя почти свободным. Если ты была так счастлива в Париже, то зачем уехала?

— Как-то так, экспромтом, посреди ночи; я думала, это займет всего несколько дней. Сначала речь шла о простой прогулке с приятелями.

— Ты давно их знала?

— Минут десять.

— Ну ясно! И чем же занимались эти твои "давние" приятели?

— Студенты, как и я, только они учились в Сорбонне.

— Понимаю, но при чем здесь Германия? Разве не веселей было бы съездить в Испанию или в Италию?

— Предчувствие революции. Антуан и Матиас предчувствовали падение Стены. Может быть, это было не вполне осознанно, но мы знали, что там происходит что-то важное, и хотели увидеть все своими глазами.

277

— Что же это я упустил в твоем воспитании, если тебя вдруг потянуло на революцию? — воскликнул Энтони, хлопнув себя по коленям.

— Не вини себя — это, наверное, единственное благое дело, которое тебе реально удалось.

— Ну, с какой стороны посмотреть! — пробурчал Энтони и снова отвернулся к окну.

— А почему ты задаешь мне все эти вопросы именно сейчас?

— Вероятно, потому, что ты меня ни о чем не спрашиваешь. Я любил Париж за то, что именно там впервые поцеловал твою мать. И признаюсь, добиться этого было не очень-то легко.

— Не уверена, что мне хочется знать все подробности.

— Ах, как же она была хороша! Нам было по двадцать пять лет.

— Но каким образом ты попал в Париж — ты же говорил, что в молодости был довольно беден?

— Я проходил военную службу в Европе, в тысяча девятьсот пятьдесят девятом году, на одной из военных баз.

— Где именно?

— В Берлине! И от этого времени у меня остались не очень-то приятные воспоминания.

Энтони снова взглянул на мелькающий за окном пейзаж.

— Не трудись смотреть на мое отражение в стекле, вспомни, что я сижу рядом с тобой, — сказала Джулия.

— Тогда советую тебе поставить правильно зеркальце заднего вида, чтобы видеть, кто едет за тобой, если вздумаешь обогнать грузовик впереди.

— Значит, там ты и встретился с мамой?

— Нет, мы познакомились во Франции. Когда меня демобилизовали, я сел в поезд и поехал в Париж. Я мечтал увидеть Эйфелеву башню, перед тем как вернуться на родину.

— И ты сразу же в нее влюбился?

— Она совсем недурна, хотя не идет ни в какое сравнение с нашими небоскребами.

— Я говорю о маме.

— Она танцевала в одном известном кабаре. Мы с ней составляли классическую пару — американский солдатик, отягощенный ирландской наследственностью, и танцовщица родом из той же страны.

— Неужели мама была танцовщицей?

— "Bluebell Girl"! Эта труппа давала потрясающие представления в "Лидо" на Елисейских Полях. Один приятель раздобыл нам билеты. Твоя мать была солисткой этого ревю. Видела бы ты, как она била чечетку! Можешь мне поверить, она вполне могла бы соперничать с Джинджер Роджерс.

— Почему она никогда об этом не рассказывала?

— В нашей семье никто не отличается болтливостью — по крайней мере, хоть эту черту характера ты от нас унаследовала.

— И как же ты ее соблазнил?

— По-моему, ты заявила, что не хочешь знать подробности? Но если ты немного сбавишь скорость, я, так и быть, расскажу.

279

— Я веду не так уж быстро! — ответила Джулия, покосившись на спидометр, стрелка которого то и дело подбегала к цифре сто сорок.

— Это как посмотреть! Я привык к нашим автострадам, где можно ехать не спеша и любоваться пейзажем. Но если ты будешь так гнать, тебе понадобится разводной ключ, чтобы отцепить мои пальцы от дверной ручки.

Джулия сняла ногу с акселератора, и Энтони вздохнул с явным облегчением.

— Я сидел за столиком у сцены. Они давали представления десять вечеров подряд; я не пропустил ни одного, включая воскресное, когда девушки выступали еще и в дневное время. Я совал билетерше щедрые чаевые, чтобы она всегда сажала меня на одно и то же место.

Джулия выключила радио.

— Я в последний раз прошу тебя повернуть зеркальце и смотреть на дорогу! — приказал Энтони.

Джулия беспрекословно подчинилась.

— На шестой день твоя мать наконец меня заметила. Потом она клялась, что засекла меня уже на четвертом представлении, но я абсолютно уверен, что это было шестое. Во всяком случае, я констатировал, что она то и дело поглядывает в мою сторону во время спектакля. Не хочу хвастаться, но один раз она даже чуть не оступилась, заглядевшись на меня. Правда, сама она твердила, что эта неприятность никак не была связана с моим присутствием. Твоя мать упрямо отрицала очевидное, это у нее был особый род кокетства. Тогда я стал каждый вечер посылать ей цветы в грим-уборную, чтобы их вручали после представления; это были одинаковые букеты из небольших роз старинного сорта, притом без указания отправителя.

— Почему?

— Не прерывай меня, сейчас сама поймешь. На последнем представлении я дождался ее за кулисами. И у меня в петлице была белая роза.

— Никогда в жизни не поверю, что ты оказался способен на такое! — воскликнула Джулия, захлебнувшись от смеха.

Энтони отвернулся к окну и замолчал.

— А что потом? — настаивала Джулия.

— Конец истории!

— Почему конец?

— Ты надо мной насмехаешься, и я отказываюсь продолжать!

— Но я вовсе не думала над тобой насмехаться!

— А что же означало твое дурацкое хихиканье?

— Совсем обратное — я смеялась потому, что при всем желании не могу представить тебя в образе юного романтического влюбленного.

— Останови машину на ближайшей заправке, дальше я пойду пешком! — обиженно заявил Энтони, скрестив руки на груди.

— Нет, рассказывай, а не то я опять прибавлю скорость!

— Твоя мать уже привыкла к тому, что в конце коридора ее ждут поклонники; к тому же охранник всегда сопровождал танцовщиц до автобуса, отвозившего их в отель. Я стоял у них на дороге, и он велел мне посторониться, на мой взгляд, слишком уж хамским тоном. Тогда я пустил в ход кулаки.

Джулия вдруг разразилась неудержимым хохотом.

— Прекрасно! — разъяренно сказал Энтони. — Раз так, больше ты не услышишь от меня ни слова.

— Умоляю, папа, не обижайся, — сказала Джулия, все еще содрогаясь от смеха. — Прости, я не смогла сдержаться.

Энтони повернулся и пристально посмотрел на дочь:

— На сей раз мне не чудится, ты действительно назвала меня папой?

— Может быть, — ответила Джулия, вытирая глаза. — Ну, рассказывай дальше.

— Только имей в виду, Джулия, если я замечу хотя бы намек на улыбку, все будет кончено. Обещаешь?

— Клянусь! — торжественно пообещала Джулия, подняв правую руку.

— Твоя мать вмешалась в драку, оттащила меня подальше и попросила шофера автобуса подождать ее. Потом стала у меня допытываться, почему я сажусь за один и тот же столик на каждом представлении. Похоже, в ту минуту она еще не заметила белую розу у меня в петлице, и я ей ее преподнес. Когда до нее дошло, что это я присылал ей букеты каждый вечер, она просто онемела от удивления, и я воспользовался этим, чтобы ответить на ее вопрос.

283

— И что же ты ей сказал?

— Что приходил затем, чтобы сделать ей предложение.

Джулия изумленно обернулась к отцу, но он тут же велел ей смотреть на дорогу.

— Твоя мама начала смеяться, а смех у нее был звонкий, точно такой, как у тебя, когда ты насмехаешься надо мной. Но вдруг она поняла, что я жду от нее ответа, махнула шоферу, чтобы тот уезжал, а мне предложила для начала пригласить ее поужинать. Мы дошли пешком до какого-то большого кафе на Елисейских Полях. Честно тебе скажу, шествуя рядом с ней по самой красивой улице в мире, я был преисполнен гордости. Мы проговорили целый вечер, но к концу ужина мне вдруг стало ясно, что я попал в жуткую ситуацию и что все мои надежды сейчас лопнут, как мыльный пузырь.

— После того как ты ей сделал предложение вот так, с бухты-барахты, не представляю себе, что можно было отмочить хуже этого.

— Я просто сгорал от стыда — мне нечем было заплатить по счету. Тщетно я украдкой обшаривал карманы, там не нашлось ни гроша. Ведь я ухнул все свои сбережения, собранные во время службы, на билеты в "Лидо" и на букеты цветов.

— И как же ты из этого выпутался?

— Я уже в седьмой раз заказал кофе, и тут твоя мать вышла, чтобы "попудрить нос". Я подозвал официанта, решив признаться ему, что у меня нет денег, и уже приготовился умолять его не устраивать скандала, предложить в залог свои часы и документы, обещать, что я оплачу счет, как только смогу, не позже конца недели. Но вместо счета он протянул мне подносик, на котором лежала записка от твоей матери.

— И что же там было написано?

Энтони раскрыл свой бумажник, вынул оттуда пожелтевший клочок бумаги, развернул его и прочел ровным голосом:

— "Я никогда не умела прощаться и уверена, что вы тоже. Спасибо за чудесный вечер, я больше всего на свете люблю старинные розы. С конца февраля мы выступаем в Манчестере, и я буду рада увидеть вас в зале. Если придете, я позволю вам пригласить меня на ужин". Вот, смотри, — заключил Энтони, показывая листочек Джулии, — это подписано ее именем.

— Потрясающе! — восхищенно вздохнула Джулия. — Почему она так поступила?

— Потому что твоя мать сразу догадалась, в какую передрягу я попал.

— Как это?

— Сама подумай: если парень пьет седьмую чашку кофе в два часа ночи, когда в кафе уже гасят свет, и при этом упорно молчит...

— Так ты поехал в Манчестер?

— Ну, для начала мне пришлось повкалывать, чтобы привести в порядок свои финансы. Я брался за любую работу, какая подворачивалась. В пять утра приезжал на Центральный рынок разгружать ящики с овощами и фруктами, сразу после этого мчался в кафе и обслуживал столики. В полдень менял фартук официанта на халат приказчика в бакалее. Я сбросил пять кило, но заработал вполне достаточно, чтобы поехать в Англию, купить билет в театр, где танцевала твоя мать, а главное, оплатить ужин, достойный этого названия. Мне удалось выиграть этот безнадежный раунд и сесть в первый ряд. Едва занавес раздвинулся, как она мне улыбнулась.

После представления мы вошли в какой-то старый паб. Я был вконец измочален. Стыдно даже вспомнить: я уснул прямо в зале, и знаю, что твоя мама это заметила. В тот вечер, сидя за столом, мы почти не говорили. Мы обменивались не словами, а умолчаниями, но в тот миг, когда я сделал знак официанту, чтобы он принес счет, твоя мать пристально взглянула на меня и произнесла только одно слово: "Да". Я тоже взглянул на нее, не понимая, в чем дело, и она повторила это "да" таким ясным, таким звонким голосом, что он до сих пор звучит у меня в ушах. "Да, я выйду за вас замуж". Ревю шло в Манчестере целых два месяца. Потом твоя мать попрощалась с труппой, и мы сели на пароход, чтобы ехать ко мне домой. Прибыв в Америку, мы поженились. На свадьбе кроме священника присутствовали только двое свидетелей, найденных прямо тут же, в церкви. Никто из наших родственников не соблаговолил явиться. Мой отец так никогда и не простил мне женитьбу на танцовщице.

И Энтони бережно уложил на место ветхую записочку.

— Смотри-ка, вот оно где нашлось, мое свидетельство на кардиостимулятор! Какой же я бол-
ван! Вместо того чтобы положить его в паспорт,
взял и по-дурацки сунул в бумажник!

Джулия кивнула, но на ее лице читалось
сомнение.

— Эта поездка в Берлин... ты ее придумал,
чтобы продлить наше с тобой путешествие?

— Неужели ты так плохо меня знаешь, если
задаешь такой вопрос?

— А как же эта арендованная машина и твое
якобы затерянное свидетельство — ты ведь
все это подстроил, чтобы мы вместе проде-
лали этот путь?

— Ну... даже если и подстроил, разве это
была такая уж плохая мысль?

Надпись на дорожном щите возвестила,
что они въехали в Германию. Помрачневшая
Джулия вернула зеркало заднего вида в пре-
жнее положение.

— Что с тобой, почему ты замолчала? —
спросил Энтони.

— Накануне того дня, когда ты ворвался
в нашу комнату и избил Томаса, мы решили
пожениться. Но этого не произошло, потому
что мой отец даже мысли не допускал, что
я могу выйти замуж за человека, не принад-
лежащего к его кругу.

Энтони отвернулся к окну.

287

15

После пересечения немецкой границы Энтони и Джулия не обменялись ни единым словом. Время от времени Джулия включала радио погромче, а Энтони тотчас убавлял звук. Неподалеку начинался сосновый лес. На опушке стоял ряд бетонных блоков, преграждавших путь к давно заброшенному ответвлению дороги. Джулия еще издали узнала мрачные силуэты строений пограничной зоны Мариенборна, оставленные там как памятник ушедшей эпохе.

— Каким же образом вы тогда пересекли границу? — спросил Энтони, разглядывая ветхие смотровые вышки, торчавшие справа.

— Самым что ни на есть нахальным. Один из друзей, с которыми я ехала, был сыном дипломата; он заявил, что его отец работает

в Западном Берлине и что мы, его родственники, едем к нему в гости.

Энтони рассмеялся.

— Что касается тебя, это было особенно
правдоподобно.

Он сжал руками колени и добавил:

— Я очень огорчен, что мне не пришло в голову отдать тебе это письмо раньше.

— Ты правду говоришь?

— Даже не знаю... во всяком случае, когда
я тебе рассказал о нем, у меня сразу полегчало на душе. Ты не могла бы где-нибудь остановиться, когда это будет возможно?

— Зачем?

— Тебе не мешает отдохнуть, а мне хочется
размять ноги.

Судя по указателю на дорожном щите, впереди, в десяти километрах, находилась авто-
станция. Джулия обещала отцу сделать там
остановку.

— А почему вы с мамой уехали в Монреаль?

— У нас осталось совсем мало денег — вернее, у меня их и не было, а скромные сбережения твоей матери быстро растаяли. Жизнь
в Нью-Йорке становилась все труднее. Но
знаешь, мы были там счастливы. Мне даже
кажется, что это были самые прекрасные
годы нашего брака.

— И ты этим гордишься, не так ли? — с мягкой горечью спросила Джулия.

— Чем именно?

— Тем, что начал жизнь без гроша в кармане и так преуспел.

— А ты разве не гордишься? Не гордишься своим бесстрашием? Не испытываешь удовлетворения при виде малыша, который играет плюшевой зверюшкой, родившейся в твоем воображении? Или когда ходишь по торговому центру и вдруг обнаруживаешь на афише кинотеатра придуманный тобой мультфильм?

— Мне хватает того, что я просто счастлива, это уже немало.

Машина свернула к стоянке. Джулия притормозила возле тротуара, окаймлявшего просторный газон. Энтони открыл дверцу и перед тем, как выйти, смерил дочь взглядом.

— Ты беня бесишь, Джулия! — сказал он, удаляясь.

Она выключила зажигание и уронила голову на руль.

— Господи, что я здесь делаю?!

Энтони пересек детскую площадку и вошел на станцию обслуживания. Несколько минут спустя он вышел, неся большой пакет с едой, распахнул дверцу машины и выложил свои покупки на сиденье.

— Это я купил для тебя, ты должна подкрепиться. Только сначала иди умойся и освежись, а я постерегу машину.

Джулия подчинилась. Она обогнула качели, песочницу и вошла в помещение станции. Когда она вернулась, Энтони лежал в желобе детской горки, устремив глаза в небо.

— Ты в порядке? — с беспокойством спросила она.

— Как ты думаешь, я сейчас там, на небесах?

Растерявшись от этого вопроса, Джулия села на траву рядом с отцом. И в свою очередь подняла голову:

— Понятия не имею. Я очень долго искала Томаса в этих облаках. И была абсолютно уверена, что вижу среди них его лицо. А он в это время был жив.

— Твоя мать не верила в Бога, а я верил. Так как ты думаешь, я все же попал в рай или нет?

— Извини, но я не могу ответить на этот вопрос, мне никак не удается...

— Не удается поверить в Бога?

— Не удается поверить, что ты здесь, рядом со мной, и что я с тобой говорю, тогда как....

— Тогда как я мертв! Я уже говорил тебе: научись не бояться слов. Ведь слова, в особенности точные, очень важны. Например, если бы ты сказала мне прямо в лицо: "Папа,

291

ты мерзавец и дурак, ты никогда ни черта не понимал в моей жизни, ты отъявленный эгоист, решивший уподобить мое существование своему собственному, ты такой же отец, как и большинство других, и поступал, как они, убеждая себя, что все делаешь для моего блага, хотя думал только о своем", может быть, я тебя и услышал бы. И мы не потеряли бы столько времени понапрасну, а были бы друзьями. Признайся — ведь было бы здорово, если бы мы с тобой дружили!

Джулия промолчала.

— Вот, к примеру, очень точные слова: если уж мне не удалось стать для тебя хорошим отцом, я бы хотел быть тебе другом.

— Нам пора ехать дальше, — сказала Джулия дрогнувшим голосом.

— Нет, давай подождем еще немного; мне кажется, мои запасы энергии не слишком соответствуют обещаниям изготовителей; боюсь, что, если я и дальше буду так же щедро ее растрачивать, наше путешествие продлится меньше, чем хотелось бы.

— Ладно, у нас еще полно времени. Берлин уже недалеко, и вообще, после двадцати потерянных лет еще несколько часов уже не имеют значения.

— Семнадцать лет, Джулия, а не двадцать.

— Ну и что это меняет?

— Три года жизни — это много. Поверь мне, я знаю, что говорю.

Отец и дочь остались лежать — она на траве, он в желобе горки, — не шевелясь, подложив руки под голову и неотрывно глядя в небо. Прошел час, Джулия задремала. Энтони глядел на спящую дочь. Ее сон казался спокойным, и лишь временами, когда ветер взметал ей волосы и они падали на лицо, она недовольно морщилась. Тогда Энтони осторожно протягивал руку и бережно отводил с ее лба мешавшую прядь. Когда Джулия открыла глаза, небо уже темнело, близился вечер. Энтони рядом не было. Джулия огляделась, ища взглядом отца, и заметила его в машине, на переднем сиденье. Надев туфли — странно, она совершенно не помнила, когда сняла их, — она побежала к стоянке.

— Я долго спала? — спросила она, отъезжая.

— Часа два, а может, и больше. Я не обратил внимания.

— А ты что делал?

— Ждал.

Машина выехала со стоянки и помчалась по шоссе. Потсдам был теперь всего в восьмидесяти километрах.

— Мы приедем уже затемно, — сказала Джулия. — И я понятия не имею, где искать следы Томаса. Больше того, не знаю, по-прежнему ли он живет здесь. В общем-то, ты и правда втравил меня в настоящую авантюру... Ну кто сказал, что он обязательно должен быть в Берлине?

— Да, верно, это лишь одна из гипотез, особенно если учесть возросшие цены на жилье, женитьбу, появление на свет тройняшек и родню жены, которая переселилась вместе с ними в какую-нибудь крепкую деревенскую хоромину.

Джулия бросила на отца яростный взгляд, но он снова ткнул пальцем вперед, веля ей смотреть на дорогу.

— Просто поразительно, до чего страх может замутить разум, — добавил он.

— На что ты намекаешь?

— Да так просто, сказал, и все. Кстати, я не хотел бы вмешиваться не в свои дела, но, по-моему, тебе давно пора сообщить о себе Адаму. Сделай это хотя бы ради меня: я уже не в силах слушать Глорию Гейнор, она скулила у тебя в сумке все то время, что ты спала.

И Энтони запел во весь голос, язвительно пародируя "I Will Survive". Джулия изо всех сил старалась сохранять серьезность, но чем громче распевал Энтони, тем сильнее ее разбирал смех. На въезде в предместье Берлина они оба уже хохотали.

Энтони указал Джулии дорогу к "Branden-burger Hof Hotel". Не успели они подъехать, как им навстречу вышел швейцар, почтительно приветствуя выходившего из машины мистера Уолша. "Добрый вечер, мистер Уолш!" — сказал в свою очередь и портье, пропуская их в вертя-щуюся дверь отеля. Энтони пересек холл и по-дошел к стойке, где регистратор поздоровался с ним, также назвав по имени. И, хотя они не бронировали номера, а гостиница в это время года была забита постояльцами, он заверил, что предоставит им два люкса — вот только, к великому его сожалению, они находятся на разных этажах. Энтони поблагодарил его, до-бавив, что это не имеет значения. Отдав ключи бою, служащий спросил у Энтони, не желает ли он, чтобы им оставили столик в "гастроно-мическом" ресторане отеля.

— Хочешь поужинать здесь? — спросил Энтони, обернувшись к Джулии.

— Ты что, акционер этого отеля? — осведо-милась та.

— Если не хочешь, — продолжал Энтони, — то я знаю чудесный азиатский ресторанчик в двух минутах ходьбы отсюда. Ты по-преж-нему любишь китайскую кухню?

Джулия не ответила, и Энтони попро-сил заказать им столик на двоих на террасе "China Garden".

295

Умывшись и приведя себя в порядок, Джулия разыскала отца, и они отправились в ресторан пешком.

— Тебя что-то угнетает?

— С ума сойти, как здесь все изменилось, — ответила Джулия.

— Ты позвонила Адаму?

— Да, позвонила, когда была в номере.

— И что он тебе сказал?

— Что ему меня не хватает; что он не понимает, почему я так спешно уехала; что он хотел бы знать, за чем это я гоняюсь; что он прилетел за мной в Монреаль, но мы разминулись буквально на какой-то час.

— Представляешь его вид, если бы он застукал нас там вдвоем?

— И еще он четыре раза попросил меня поклясться, что я путешествую одна.

— Ну и?..

— Я солгала четыре раза.

Энтони открыл дверь ресторана и пропустил дочь вперед.

— Смотри, если будешь продолжать в том же духе, войдешь во вкус! — со смехом сказал он.

— Не вижу в этом ничего смешного.

— Как-никак мы приехали в Берлин на поиски твоего первого возлюбленного, а ты чувствуешь себя виноватой в том, что не можешь признаться своему жениху, что побывала в Монреале вместе со своим отцом. Может, я и ошибаюсь, но мне твое поведение кажется весьма комичным — чисто женским, но комичным.

Во время ужина Энтони разработал план поисков. Завтра, как только они встанут, нужно будет пойти в профсоюз журналистов и проверить, не состоит ли у них на учете некий Томас Майер. На обратном пути из ресторана Джулия повела отца к Тиргартен-парку.

— Вон там я спала, — сказала она, указав на раскидистое дерево вдалеке. — Просто фантастика какая-то — мне чудится, будто все это было только вчера.

297

Энтони с хитрым прищуром взглянул на дочь, затем сплел пальцы обеих рук и подставил их ей.

— Что ты делаешь?

— Ступеньку для тебя — давай лезь скорей, пока нас никто не видит.

Джулия не заставила себя просить и вскарабкалась с помощью отца наверх.

— А ты как же? — спросила она, оказавшись по другую сторону ограды.

— А я лучше пройду через турникет, — сказал он, указав на вход поодаль. — Парк закрывается только в полночь, а эти эскапады мне в мои годы уже не под силу.

Встретившись с Джулией внутри парка, он повел ее на лужайку, и они уселись у подножия той самой старой липы.

— Странное совпадение: мне тоже несколько раз случалось устраивать сиесты под этим деревом, когда я жил в Германии. Это был мой любимый уголок. Во время каждого увольнения я приходил сюда с книгой, читал и поглядывал на девушек, которые прогуливались по аллеям. Надо же, мы с тобой в одном и том же возрасте сидели в одном и том же месте, только с разрывом в несколько десятилетий. Если принять в расчет монреальскую башню, у нас теперь есть целых два места, о которых мы можем вспоминать вдвоем; что ж, я очень доволен.

— Я всегда приходила сюда с Томасом, — сказала Джулия.

— Неужели?! Слушай, я начинаю проникаться симпатией к этому парню.

Издали донесся трубный призыв слона. Берлинский зоопарк находился на краю парка, буквально в нескольких метрах от них.

Энтони встал и потащил дочь за собой.

— В детстве ты ненавидела зоопарки, тебе не нравилось, что зверей держат в клетках. В те времена ты хотела стать ветеринаром. Ты уже наверняка забыла, что, когда тебе исполнилось шесть лет, я подарил тебе большого плюшевого зверька, выдру, если мне не изменяет память. Наверное, я сделал неудачный выбор — она непрерывно болела, и ты все время ее лечила.

— Уж не намекаешь ли ты на то, что я создала свою Тилли благодаря тебе?

— Ну что за глупости! Как будто наше детство может оказывать хоть какое-то влияние на взрослую жизнь... И вообще, ты меня непрерывно в чем-нибудь упрекаешь, а ведь мне и без того нелегко.

И Энтони признался, что чувствует, как его силы убывают с пугающей быстротой. Пора было возвращаться, они взяли такси.

299

Вернувшись в отель, Энтони попрощался с Джулией, когда она вышла из лифта, а сам поехал дальше, на верхний этаж, в свои апартаменты.

Лежа ничком на кровати, Джулия долго перебирала номера телефонов в своем мобильнике. Наконец она решила позвонить Адаму, но, услышав автоответчик, сразу же отключилась и набрала номер Стенли.

— Ну, как дела? Нашла то, что искала? — спросил ее друг.

— Нет еще, я здесь совсем недавно.

— Ты что, пешком шла до Берлина?

— Ехала на машине из Парижа... в общем, долго рассказывать.

— Ты по мне хоть чуточку скучаешь? — спросил Стенли.

— А как ты думал, я тебе звоню только для того, чтобы сообщить о прибытии?

Стенли признался, что, возвращаясь из своего магазина, прошел мимо ее дома, хоть было и не по пути, но он даже не заметил, как ноги сами привели его на угол Горацио-стрит и Гринвич-стрит.

— До чего же уныло выглядит твой квартал, когда тебя там нет!

— Ладно-ладно, ты просто хочешь мне польстить.

— Кстати, я повстречал там твоего соседа, торговца обувью.

— Мистера Зимура? Неужели ты с ним заговорил?

— Как можно — после всех пакостей, которые мы с тобой ему устраивали!.. Нет, просто он стоял в дверях и кивнул мне, ну и... я сделал то же самое.

— Господи, стоит мне оставить тебя одного хоть на несколько дней, как ты начинаешь заводить скверные знакомства.

— Не будь стервой! Между прочим, он не такой уж противный, как тебе кажется, ей-богу!

— Стенли, по-моему, ты хочешь мне что-то сказать и не решаешься.

— Не понимаю, что ты имеешь в виду.

— Я тебя знаю как облупленного: когда ты встречаешь кого-то и не находишь его противным с первого взгляда, это уже крайне подозрительно, а если ты проникся симпатией к мистеру Зимуру, значит, мне нужно завтра же лететь домой!

— Найди для этого другой предлог, моя дорогая, мы с ним всего-навсего поздоровались. Да, тут еще Адам ко мне заглянул.

— Я смотрю, вы стали прямо неразлучны!

— А что делать, ведь ты, судя по всему, намерена его бросить! И потом, чем я виноват, если он живет через две улицы от моего магазина! На тот случай, если тебя это еще интересует, знай: мне показалось, что он не в очень хорошей форме. По крайней мере, тот факт, что он повадился ко мне, свидетельствует именно об этом. Он тоскует по тебе, Джулия, он тревожится, и я думаю, что у него есть для этого все основания.

— Стенли, я тебе клянусь, что ничего такого нет, здесь все совсем наоборот.

— Ой, только не клянись! Ты сама-то веришь тому, что сказала?

— Да, верю! — ответила Джулия, не колеблясь ни минуты.

301

— Я прихожу в дикое отчаяние, когда ты глупеешь до такой степени. Ты хоть отдаешь себе отчет, куда тебя может завести это таинственное путешествие?

— Нет, — прошептала она в трубку.

— Тогда почему ты ждешь от Адама, чтобы он спокойно воспринимал все это? Ладно, мне больше некогда разговаривать; у нас тут уже семь с минутами, и я должен подготовиться к ужину.

— С кем?

— А ты с кем сегодня ужинала?

— Совершенно одна.

— Имею страшное подозрение, что ты мне врешь, и потому вешаю трубку; если хочешь, позвони мне завтра. Пока, целую!

Джулии не удалось продолжить разговор, она услышала щелчок отключенного телефона; Стенли, вероятно, уже поспешил в свою гардеробную.

———

Звонок вырвал Джулию из сна. Она потянулась всем телом, сняла телефонную трубку, но услышала только ровный гудок. Встав с постели, она шагнула к выходу, но тут же спохватилась, что не одета, подняла с пола халат, сброшенный накануне у кровати, и торопливо накинула его.

За дверью стоял коридорный. Когда Джулия открыла, он вкатил в комнату тележку с "континентальным" завтраком и парой яиц всмятку и принялся расставлять еду на низком столике.

— Но я ничего не заказывала, — сказала она.

— Три с половиной минуты, как вы привыкли, — я имею в виду яйца, все правильно?

— Да, верно, — недоуменно ответила Джулия, ероша волосы.

— Мы все сделали согласно указаниям мистера Уолша.

— Но я не голодна... — промямлила Джулия, глядя, как молодой человек снимает скорлупу с верхушки яйца.

303

— Мистер Уолш меня предупредил, что вы и это скажете. Да, и последнее, что я должен сообщить вам перед тем, как уйду: он ждет вас в холле в восемь часов, то есть через тридцать семь минут, — сказал он, взглянув на часы. — Приятного дня, мисс Уолш, сегодня отличная погода, желаю вам хорошо провести время в Берлине.

И коридорный скрылся, провожаемый изумленным взглядом Джулии.

Она осмотрела накрытый стол: апельсиновый сок, хлопья, свежий хлеб — все как в лучших домах! Решив проигнорировать этот завтрак, она пошла было в ванную, но с полпути вернулась и села на диванчик. Обмакнула палец в яичный желток, облизала его и в конце концов с аппетитом съела почти все, что перед ней стояло.

Быстро приняв душ и кое-как высушив волосы, она оделась, натянула туфли чуть ли не на ходу, прыгая на одной ножке, и вышла из комнаты. Было ровно восемь, минута в минуту!

Энтони ждал ее возле стойки портье.

— Опаздываешь! — заметил он, едва Джулия вышла из лифта.

— Значит, три с половиной минуты? — сказала она, задумчиво глядя на отца.

— Кажется, ты любила, чтобы яйца варились именно столько, не правда ли? Но давай поторопимся, через полчаса нам предстоит встреча, а при этих пробках дай бог успеть вовремя.

— Встреча? Где и с кем?

— В центральном офисе профсоюза немецкой печати. Нужно же с чего-то начать поиски, верно?

Энтони прошел через вертящуюся дверь и попросил швейцара вызвать такси.

— Как же тебе это удалось? — спросила Джулия, садясь в желтый "мерседес".

— Я позвонил туда с самого утра, пока ты еще мирно почивала.

— Разве ты говоришь по-немецки?

— Я мог бы сообщить тебе, что в числе технологических чудес, которыми я напичкан, есть и программа, позволяющая мне бегло объясняться на пятнадцати языках, — не знаю, произведет ли это на тебя впечатление, но если нет, то, надеюсь, ты не забыла, что я несколько лет прослужил в Германии. С того времени у меня остались кое-какие навыки разговорного немецкого, и я вполне сносно могу выразить все, что надо. А вот ты хотела навсегда остаться здесь жить и, стало быть, владеешь хоть немного языком Гёте?

— Все напрочь забыла!

305

Такси направилось в сторону Штюлерштрассе, затем, на следующем перекрестке, свернуло налево и проехало через парк. Огромная липа раскинула свою тень на изумрудно-зеленой лужайке.

Машина мчалась вдоль недавно отремонтированной набережной Шпрее. Новые здания по обе стороны реки, одно современнее другого, соперничали друг с другом в прозрачности фасадов и оригинальности архитектурных стилей — свидетельствах смены эпох. Квартал, по которому они ехали, соседствовал со старой границей, где некогда тянулась мрачная Стена. Но от тех времен здесь уже не осталось никаких следов. Впереди высилось огромное здание Конгресс-центра со стеклянными стенами. Чуть дальше на обоих берегах реки раскинулся еще более внушительный комплекс. Попасть в него можно было по легкому пешеходному мостику. Они вошли и отыскали помещение профсоюза печати. В приемной сидел служащий, и Энтони на вполне приличном немецком объяснил ему, что они разыскивают некоего Томаса Майера.

— По какому поводу? — спросил тот, не отрываясь от чтения бумаг.

— У меня есть для господина Майера важная информация, которую я могу сообщить только ему лично, — вежливо ответил Энтони.

И поскольку эти последние слова привлекли наконец внимание собеседника, он тотчас добавил, что будет бесконечно признателен профсоюзу, если ему сообщат, где можно найти означенного господина Майера. Разумеется, речь идет не о его домашнем адресе или телефоне, но лишь о координатах того органа печати, для которого он работает.

Служащий попросил Энтони подождать и отправился к начальству.

Затем Энтони и Джулию пригласили в кабинет заместителя директора. Сев на диван, над которым висела большая фотография —

явно хозяина кабинета, который гордо демонстрировал свой богатый рыбный улов, Энтони слово в слово повторил ему свою просьбу.

— Значит, вы разыскиваете этого Томаса Майера, чтобы сообщить ему некую информацию? Можно узнать, какую именно? — спросил чиновник, поглаживая усы.

— К сожалению, я не могу открыть ее вам, но заверяю вас, что для него она имеет первостепенное значение, — ответил Энтони самым что ни на есть проникновенным тоном.

— Что-то я не припомню никаких значительных статей, подписанных этим вашим Томасом Майером, — раздумчиво протянул замдиректора.

— Так вот, эта ситуация может в корне перемениться, если вы поможете нам войти с ним в контакт.

— А какое отношение к этой истории имеет фрейлейн? — спросил чиновник, разворачивая свое кресло к окну.

Энтони обернулся к Джулии, которая с самого начала разговора не произнесла ни слова.

— Абсолютно никакого, — ответил он. — Фрейлейн Джулия — моя ассистентка.

— Я не уполномочен сообщать какую бы то ни было информацию о членах нашего профсоюза, — объявил замдиректора, поднимаясь с кресла.

Энтони тоже встал и, подойдя к чиновнику, положил ему руку на плечо.

— То, что я намерен сообщить Томасу Майеру, ему одному, — сказал он властно, с нажимом, — может изменить его жизнь к лучшему, изменить коренным образом. Не заставляйте меня думать, что профсоюзный деятель вашего ранга способен ставить препоны успешному развитию карьеры одного из членов своей организации. Ибо в этом случае мне будет очень легко обнародовать факт такого отношения.

Чиновник подергал себя за усы, сел и забарабанил по клавиатуре своего компьютера. Потом развернул экран в сторону Энтони.

— Смотрите сами: в наших списках никакой Томас Майер не значится. Крайне сожалею. Даже если допустить, что он не состоит у нас на учете — что, в принципе, невозможно, — его имени нет даже в справочнике журналистов, как вы можете убедиться. А теперь простите, меня ждет работа, и, если вы не желаете доверить вашу драгоценную информацию никому, кроме этого самого Майера, я попрошу вас меня оставить.

Энтони встал, горячо поблагодарил чиновника за то, что тот уделил им время, и жес-

308

том велел Джулии следовать за ним. Они покинули здание профсоюза.

— Н-да, видимо, ты была права, — пробормотал Энтони, шагая по тротуару.

— Значит, я твоя ассистентка? — хмуро осведомилась Джулия.

— Ой, только не надо смотреть на меня так мрачно, нужно же было хоть как-то объяснить твое присутствие!

— Фрейлейн Джулия! Ничего себе...

Энтони подозвал такси, ехавшее по другой стороне улицы.

— А что, если твой Томас сменил профессию?

— Наверняка нет, журналистика была для него не профессией, а призванием. Мне трудно даже вообразить, кем еще он мог бы стать.

— Тебе трудно, а ему, возможно, легко! Напомни-ка мне, как называлась та убогая улочка, на которой вы с ним жили?

— Komeниусплац. Это за проспектом Карла Маркса.

— Так-так!

— В чем дело?

— Да ни в чем. Сколько прекрасных воспоминаний, не правда ли?!

И Энтони назвал шоферу адрес.

Машина ехала через весь город. Теперь здесь уже не было ни пограничных постов, ни следов Стены — ничего, что указывало бы, где кончался Западный Берлин и начинался Восточный. Они миновали телебашню — гигантскую стрелу, ее верхушка, увенчанная антенной, казалось, пронзала небо. Чем дальше они ехали, тем сильнее менялся окружающий городской пейзаж. Когда они очутились в квартале, где некогда жила Джулия, она ничего не узнала — так разительно все переменилось.

— Значит, вот в этом чудном местечке и разворачивались самые прекрасные события твоей молодости? — саркастически вопросил Энтони. — Да, здесь и правда есть определенный шарм.

— Замолчи! — крикнула Джулия.

Энтони удивила внезапная резкость дочери:
— Я что-то опять сказал не так?

— Умоляю тебя, замолчи!

Старые корпуса и облупленные домишки, тянувшиеся когда-то вдоль улицы, уступили место многоэтажным жилым домам с современной отделкой. Все, что жило в памяти Джулии, бесследно исчезло, если не считать общественного сада.

Она подошла к дому 2. Прежде здесь стояло ветхое зданьице с зеленой дверью, крутая деревянная лестница за ней вела на верхний этаж; Джулия, бывало, помогала бабушке

Томаса добраться до последних ступенек. Она закрыла глаза, и на нее нахлынули воспоминания. Запах воска, особенно явственный возле комода; тюлевые, всегда задернутые занавески — они скупо пропускали свет с улицы и защищали от чужих взглядов; неизменная гобеленовая скатерть, покрывавшая стол в столовой, три стула и потертый диванчик в углу, напротив черно-белого телевизора. Бабушка Томаса не включала его с тех пор, как он начал извергать потоки хороших новостей, которые правительство считало нужным сообщать населению. А дальше — хлипкая перегородка, разделявшая гостиную и их комнату. Сколько раз Томас чуть ли не душил Джулию подушкой, когда она смеялась над его неловкими ласками!

311

— В то время волосы у тебя были длинней, — сказал Энтони, стараясь отвлечь ее от воспоминаний.

— Что? — переспросила Джулия, обернувшись к отцу.

— Когда тебе было восемнадцать лет, волосы у тебя были длинней, чем сейчас.

И Энтони обвел взглядом улицу.

— Здесь мало что осталось от тех времен, правда?

— Скажи лучше, ничего уже не осталось, — прошептала она.

— Ну-ка пойдем сядем вон на ту скамейку напротив, ты что-то совсем бледная, тебе нужно прийти в себя.

И они уселись на краю лужайки с жухлой травой, вытоптанной детскими ножками.

Джулия молчала. Энтони поднял было руку, словно собираясь обнять дочь, но миг спустя она легла на спинку скамьи.

— Знаешь, тут стояли и другие дома. У них были обшарпанные фасады и вид неприглядный, но внутри было очень уютно и вообще...

— Да, наверное, уютно — в твоих воспоминаниях, так часто бывает, — успокаивающе сказал Энтони. — Память — странная художница: она подновляет краски жизни и стирает серые оттенки, сохраняя лишь самые яркие цвета и самые выразительные силуэты.

— В конце улицы, на месте вон того кошмарного здания библиотеки, было маленькое кафе. Я никогда не видела ничего более убогого: серый зальчик, неоновые трубки, криво свисавшие с потолка, колченогие столы с пластмассовыми столешницами, но если бы ты знал, как весело мы смеялись в этом мрачном бистро и как были здесь счастливы. Из выпивки подавали только водку да скверное пиво. Я часто помогала хозяину, когда случался наплыв посетителей, — надевала фартук и разносила заказы. Смотри, это было вон там, — добавила Джулия, указывая на библиотеку, сменившую кафе.

Энтони кашлянул:

— А ты уверена, что оно находилось не на другой стороне улицы? Я вижу там маленькое бистро, которое вполне соответствует твоему описанию.

Джулия повернула голову. На углу бульвара, как раз напротив библиотеки, на облупленном фасаде подслеповато мигала световая вывеска старенького кафе.

Джулия вскочила на ноги, Энтони также встал со скамьи. Она быстро прошла по улице, а последние никак не кончавшиеся метры одолела бегом. Задыхаясь, она толкнула дверь и вошла в кафе.

Стены зала были перекрашены, вместо неоновых трубок висели две люстры, но пластмассовые столики остались на своих местах, придавая заведению благородный оттенок "ретро". За стойкой, которая тоже ничуть не изменилась, стоял седоволосый человек, и он узнал ее.

В глубине зала сидел спиной к ним единственный посетитель. Похоже, он читал газету. Затаив дыхание, Джулия подошла к нему:

— Томас?

16

В Риме только что подал в отставку глава правительства. Завершив пресс-конференцию, он в последний раз согласился позировать фоторепортерам. Яркие вспышки залили светом возвышение, где он стоял. Тем временем человек в глубине зала, возле радиатора, укладывал в специальную сумку свое репортерское хозяйство.

— Не желаешь увековечить эту сцену? — спросила молодая женщина, стоявшая рядом с ним.

— Нет, Марина, не желаю: делать такие же банальные снимки, как делают полсотни других типов, совсем неинтересно. Это я не считаю настоящим репортажем.

— До чего же у тебя противный характер; твое счастье, что его компенсирует твоя чарующая внешность, — все же хоть какое-то разнообразие!

— Иными словами, ты признаёшь мою правоту! Давай-ка я приглашу тебя обедать вместо того, чтобы слушать твои нравоучения.

— А ты знаешь какое-нибудь подходящее место?

— Я-то нет, но уверен, что ты знаешь!

Какой-то журналист из РАИ[1], проходивший мимо них, поцеловал Марине руку и скрылся.

— Это еще кто?

— Так, один дурень, — ответила Марина.

— Во всяком случае, дурень, который к тебе, кажется, весьма неравнодушен.

— Вот это я и имела в виду. Ну что, вперед?

— Погоди, нужно еще забрать наши документы на входе, и прочь отсюда.

Они вышли под руку из зала, где проходила пресс-конференция, и зашагали по коридору к выходу.

— Какие у тебя планы? — спросила Марина, предъявляя свою карточку аккредитации охраннику.

— Жду вестей из редакции. Вот уже три недели болтаюсь по всяким дурацким тусовкам вроде сегодняшней и каждое утро наде-

315

1 RAI, Radiotelevisione Italiana — итальянское радио и телевидение.

юсь получить "зеленый свет", чтобы рвануть в Сомали.

— Очень мило с твоей стороны!

Дождавшись своей очереди, репортер предъявил охраннику карточку журналиста, чтобы забрать паспорт; каждый посетитель, чтобы попасть во внутренние помещения Палаццо Монтечиторио[1], обязан был оставлять паспорт на контроле.

— Господин Ульман? — спросил охранник.

— Да-да, я знаю, что в моей карточке и в паспорте стоят разные фамилии, но вы посмотрите внимательно — фотографии и имя одинаковые и там и тут.

Охранник сравнил изображения и без лишних вопросов вернул паспорт его владельцу.

— Скажи, с какой стати ты решил подписывать свои статьи псевдонимом? Это что — кокетство звезды прессы?

— Да нет, тут дело посложней, — ответил репортер, обнимая Марину за талию.

Они пересекли под жгучим солнцем площадь Колонна, где толпы туристов освежались, поедая мороженое.

— Хорошо хоть, ты имя свое сохранил.

— А что бы это изменило?

---

1 В Палаццо Монтечиторио заседает палата депутатов итальянского парламента.

— Мне нравится имя Томас, оно тебе очень идет, у тебя лицо типичного Томаса.

— Ага, значит, у каждого имени имеется свое лицо? Оригинальная мысль!

— Да, только так! — продолжала Марина. — У тебя не могло быть другого имени — я совершенно не представляю себе, как ты мог бы зваться Массимо, или Альфредо, или Карлом. Томас — вот единственное, что тебе подходит.

— Что за чепуха! Так куда мы идем?

— В такую жару, да еще среди всех этих людей, поглощающих мороженое, сразу возникает желание попробовать granita. Так что давай-ка я отведу тебя в "Tazza d'oro", это недалеко, на площади Пантеона.

Томас остановился у подножия колонны Антонина[1]. Он расстегнул сумку, достал один из фотоаппаратов, прикрутил объектив, опустился на колено и сфотографировал Марину, которая разглядывала барельефы, выбитые на колонне во славу Марка Аврелия.

— А это разве не снимок, похожий на снимки пятидесяти других типов? — со смехом спросила она.

317

_____

1 Колонна, посвященная подвигам Марка Аврелия. Скульптор Доменико Фонтана при восстановлении постамента колонны ошибочно выбил на нем посвящение Антонину Пию.

— О, я не знал, что у тебя столько воздыхателей, — улыбнулся Томас и снял Марину крупным планом.

— Но я имела в виду колонну! Неужели ты снимал меня?

— Она похожа на колонну Победы в Берлине, зато ты — уникальна!

— Ну вот, я же говорила, что все дело в твоей чарующей внешности; ты патетический ухажер, Томас, и в Италии у тебя нет никаких шансов на успех! Пошли отсюда, жара невыносимая.

Марина взяла Томаса за руку, и они ушли, оставив позади колонну Антонина.

318

———————

Взгляд Джулии обежал сверху донизу колонну Победы, взметнувшуюся в небо Берлина. Энтони, присевший на цоколь, пожал плечами.

— Трудно было рассчитывать на успех в первый же день, — со вздохом сказал он. — Признай, что, если бы тот тип в кафе оказался Томасом, такое совпадение выглядело бы более чем подозрительно.

— Я знаю... мне просто почудилось, что это он, вот и все.

— Может, потому, что тебе очень уж хотелось, чтобы это оказался он?

— Со спины у него была та же фигура, та же стрижка, та же манера просматривать газету с конца.

— А почему хозяин состроил такую мину, когда ты спросила, помнит ли он его? Ведь когда ты напомнила ему, как вам здесь было хорошо, он держался вполне любезно.

— Не знаю, но все равно с его стороны было очень мило сказать, что я совсем не изменилась; я ведь и представить себе не могла, что он меня узнает.

— Ну кто бы мог тебя забыть, дочь моя?!

Вместо благодарности Джулия шутливо подтолкнула отца локтем в бок.

— Я уверен, что он нам солгал и прекрасно помнит твоего Томаса: едва ты произнесла его имя, как этот тип сразу весь напрягся.

— Не смей называть Томаса моим. Я уже перестала понимать, что мы здесь делаем, и вообще, к чему это все...

— Как это "к чему"? К тому, чтобы лишний раз напомнить мне о том, как удачно я выбрал дату, умерев на прошлой неделе.

— Ну хватит! Если ты думаешь, что я брошу Адама, чтобы бегать в поисках призрака, то ты глубоко заблуждаешься!

— Девочка моя, не хотелось бы тебя раздражать, но позволь заметить, что единственный призрак в твоей жизни — это я. Ты слишком часто напоминала мне об этом, так не отнимай же у меня эту привилегию в нынешних обстоятельствах!

— Сейчас не время для шуток...

319

— Какие уж тут шутки — едва я открываю рот, как ты мне его затыкаешь... Ладно, согласен, сейчас не время шутить и ты не в настроении меня слушать, однако, судя по твоей реакции в том кафе — когда тебе показалось, что ты нашла Томаса, — я бы не хотел оказаться на месте Адама. И попробуй только сказать, что я заблуждаюсь!

— Ты заблуждаешься!

— Ну что ж, вот еще одна привычка, которой я останусь верен! — возразил Энтони, скрестив руки на груди.

Джулия усмехнулась.

— Что я опять сделал не так?

— Ничего, ничего, — ответила Джулия.

— Ну прошу тебя, скажи!

— В тебе все-таки осталось что-то старомодное, я до сих пор этого не замечала.

— Пожалуйста, не старайся меня уязвить! — воскликнул Энтони, вставая с цоколя. — И пойдем-ка пообедаем, уже три часа, а у тебя с утра маковой росинки во рту не было.

По дороге в офис Адам зашел в винный магазин. Хозяин предложил ему калифорнийский ликер с превосходным содержанием танина и чудесной "одеждой" — сочетанием цвета и прозрачности, разве только чуточку крепковатый. Адам было соблазнился им, но он искал нечто более изысканное, более соответствующее имиджу особы, для которой сей подарок предназначался. Поняв, чего желает клиент, торговец скрылся в заднем помещении и вскоре вынес оттуда бутылку старого бордо. Вино *такого* года изготовления, разумеется, стоило во много раз дороже обычных вин, но разве совершенство имеет цену?! И разве Джулия не говорила ему, Адаму, что ее лучший друг не устоит перед искушением, и если вино и впрямь прекрасно, Стенли тут же "отпускает тормоза"? Пары бутылок будет вполне достаточно, чтобы он захмелел и, вольно или невольно, раскололся, открыв ему, куда подевалась Джулия.

321

— Итак, вернемся на исходную позицию, — сказал Энтони, сидя на террасе бутербродной. — Мы сунулись в профсоюз и выяснили, что он в их списках не значится. Но ты твердо убеждена, что он все-таки стал журналистом; хорошо, доверимся твоей интуиции, даже если все говорит об обратном. Мы наведались туда, где он жил, и выяснили, что этот дом снесен. Можно без всякого преувеличения сказать, что Томас порвал с прошлым. До того решительно, что даже возникает вопрос: не сделано ли это намеренно?

— Я поняла твою мысль. И какой же вывод ты делаешь? Хочешь сказать, что Томас сжег все мосты между собой и тем временем, когда мы были вместе? И тогда что мы здесь ищем и не лучше ли нам вернуться домой — ты ведь это хочешь сказать? — гневно воскликнула Джулия, отмахнувшись от капучино, принесенного официантом.

Однако Энтони дал ему знак поставить чашку на стол.

— Я знаю, что ты равнодушна к кофе, но здешнее капучино великолепно.

— А я вот предпочитаю чай, и что ты на это скажешь?

— Ничего, просто мне хотелось бы, чтобы ты сделала над собой усилие, я ведь прошу не так уж много.

Джулия отпила глоток, сопроводив его презрительной гримасой.

— Не трудись изображать отвращение; я понял, что оно тебе не нравится, но, как я уже говорил, однажды ты вдруг перестанешь ощущать горечь, которая мешает наслаждаться подлинным вкусом вещей. Кстати, если ты полагаешь, что твой друг намеренно обрубил все концы, связанные с вашим романом, то явно переоцениваешь себя. Вполне вероятно, что он порвал со *своим* прошлым, а не с вашим общим. Мне кажется, ты плохо понимала, насколько трудно ему было адаптироваться к миру, чьи устои в корне противоречили тому, что он знал до встречи с тобой. Ибо это была система, в которой каждый глоток свободы достигался ценой отречения от ценностей его детства...

— Я гляжу, ты теперь взялся его защищать?

— Только глупцы никогда не меняют своего мнения. Аэропорт находится в получасе езды отсюда; мы можем вернуться в отель, взять вещи и успеть на последний рейс. И уже этой ночью ты будешь спать в своей очаровательной нью-йоркской квартирке. Не хотелось бы повторяться, но знай, что одни только дураки никогда не меняют своего мнения, — тебе стоило бы поразмыслить над этим, пока не поздно. Так ты хочешь лететь домой или предпочтешь продолжить поиски?

Джулия встала, выпила залпом, не поморщившись, свое капучино, обтерла ладонью рот и грохнула чашку на стол.

— Ну-с, мистер Шерлок, можете ли вы предложить нам какой-нибудь новый след?

Энтони бросил несколько монет на блюдечко и тоже встал.

— По-моему, ты как-то рассказывала мне об одном близком приятеле Томаса, который постоянно проводил время вместе с вами?

— Кнапп? Это был его лучший друг, вот только не припомню, чтобы я говорила о нем при тебе.

— Значит, моя память надежней твоей. А чем он тогда занимался, этот Кнапп? Конечно, тоже журналистикой?

— Конечно.

— И тебе даже в голову не пришло назвать его имя сегодня утром, в тот момент, когда нам показали списки профессиональных журналистов?

— Ох, я как-то упустила из виду...

— Ну вот, именно это я и говорил: ты глупеешь на глазах! Ладно, пошли!

— Мы что, вернемся в профсоюз?

— Нет, ты совсем выжила из ума! — воскликнул Энтони, подняв глаза к небу. — Мне почему-то кажется, что нас там совсем не ждут.

— Так куда же?

— Неужели человек моего возраста должен посвящать в чудеса Интернета молодую женщину, которая проводит свою жизнь, уткнувшись в экран компьютера?! Просто беда с тобой!.. Давай-ка поищем в окрестностях интернет-кафе, только, очень прошу, заколи ты наконец свои волосы — при таком ветре твоего лица вообще не видно!

———————

Марина настояла на том, чтобы Томас был ее гостем. В конце концов, они находились на ее территории — ведь когда она приезжала в Берлин, именно он всегда платил по счету. Томас уступил: два кофе с мороженым стоили не так уж дорого.

— У тебя есть на сегодня какая-нибудь работа? — спросил он.

— Да ты посмотри на часы — день уже почти прошел, и потом, моя работа — это ты. Без снимков нет статьи.

— Тогда что ты намерена делать?

— До вечера я бы охотно прогулялась; погода приятная, мы в старом городе, так давай воспользуемся этим.

— Я должен позвонить Кнаппу, прежде чем он уйдет из редакции.

Марина легонько погладила Томаса по щеке.

325

— Я знаю, ты готов на все, чтобы поскорей избавиться от меня, но не тревожься, ты обязательно поедешь в Сомали. Кнаппу там без тебя не обойтись, он мне это много раз говорил. Он спит и видит, как бы сесть в кресло главного редактора, ты его лучший репортер, и твоя работа жизненно важна для его продвижения. Дай ему время подготовить плацдарм для решительного шага.

— Господи, да он уже три недели готовит этот плацдарм!

— Ты хочешь сказать, что он действует особенно осторожно, потому что речь идет о тебе? Ну и что с того? Надеюсь, ты не собираешься ставить ему в вину, что он не только твой коллега, но и ближайший друг! Так что расслабься и будь моим спутником в этой прогулке по городу!

— А ты, случайно, не перепутала роли?

— Конечно, но с тобой я обожаю это делать.

— Смеешься надо мной, да?

— Еще как! — воскликнула Марина, разразившись хохотом.

И она потащила Томаса к лестницам на площади Испании, указывая ему на симметричные купола церкви Тринита-деи-Монте.

— Есть ли на свете более прекрасное место, чем это? — спросила она.

— Берлин! — ответил Томас, ни минуты не колеблясь.

— Чепуха! Перестань болтать глупости, и тогда я поведу тебя в кафе "Греко" и угощу капучино, а ты мне потом скажешь, подают ли в вашем Берлине такой вкусный кофе!

─────────

Впившись глазами в экран, Энтони пытался расшифровать появившиеся на нем указания.

— Я полагала, что ты бегло говоришь по-немецки, — заметила Джулия.

— Говорить-то я говорю, а вот читать и писать — это совсем другое дело, и потом язык тут не главное, я ни черта не понимаю в этих машинах.

— А ну-ка подвинься! — скомандовала Джулия, потеснив отца и заняв место перед клавиатурой.

Она бойко забарабанила по клавишам, и вскоре в меню появилось окошко "поиск". Джулия набрала в нем слово "Кнапп" и вдруг остановилась.

— Что такое?

— Не могу вспомнить его имя... Откровенно говоря, я даже не знаю, что такое "Кнапп", — имя или фамилия. Мы всегда его называли только так.

— А ну-ка подвинься! — скомандовал в свою очередь Энтони и набрал рядом со словом "Кнапп" другое — "журналист".

На экране тотчас же появился список из одиннадцати имен. Фамилию Кнапп носили семеро мужчин и четыре женщины, и все они принадлежали именно к этой профессии.

— Это он! — воскликнул Энтони, указав на третью строчку. — Юрген Кнапп.

— Почему именно он?

— Потому что слово "Chefredacteur" однозначно переводится как "главный редактор".

— Да неужели?!

— Если я правильно понял все, что ты рассказывала об этом молодом человеке, то вполне логично предположить, что ему хватило ума к сорока годам сделать карьеру, иначе он наверняка сменил бы профессию, как твой Томас. Скажи спасибо за мою проницательность, вместо того чтобы фыркать и иронизировать.

— Хоть убей, не помню, когда это я рассказывала тебе про Кнаппа, и уж точно я не могла сообщить ничего такого, что позволило бы тебе составить его психологический портрет, — изумленно сказала Джулия.

— Я гляжу, ты хочешь доказать мне, что у тебя острая память? А на какой стороне улицы находилось то самое кафе, где ты пережила в юности столько прекрасных минут? Твой Кнапп работает в редакции "Тагешпигель", в отделе международной информации. Решай сама, нанесем ли ему визит или так и будем сидеть здесь и сотрясать воздух?

————————

Наступил конец рабочего дня, и им понадобилось немало времени, чтобы проехать по Берлину, задыхавшемуся в безнадежных пробках. Наконец такси доставило их к Бранденбургским воротам. Теперь, когда автомобильные заторы остались позади, им пришлось прокладывать себе путь сквозь плотный поток жителей, расходившихся по домам, и полчища туристов, желавших увидеть эту достопримечательность. Ведь именно здесь в один знаменательный день американский президент обратился через Стену к своему советскому коллеге с призывом восстановить мир и снести эту бетонную преграду, возведенную позади монументальной арки. И именно здесь, один-единственный раз в истории, главы двух государств услышали друг друга и договорились объединить Восток и Запад.

Джулия ускорила шаг, и Энтони с трудом поспевал за ней. Несколько раз он громко окликал дочь, убежденный, что потерял ее из виду, но в конце концов все-таки находил ее силуэт в людской массе, заполнившей Паризерплац.

329

Она дождалась его у здания редакции, и они вместе подошли к стойке службы приема. Энтони спросил, можно ли им увидеть Юргена Кнаппа. Служащая в это время разговаривала по телефону. Она отложила трубку и спросила, назначена ли им встреча.

— Нет, но я уверен, что он будет очень рад нас увидеть, — твердо заявил Энтони.

— Как вас представить? — спросила служащая, восхищенно глядя на шарфик, стягивающий волосы женщины, которая стояла рядом с ним, облокотившись на стойку.

— Джулия Уолш, — ответила та.

Юрген Кнапп сидел в своем кабинете на третьем этаже; он попросил портье еще раз повторить имя, которое она произнесла, затем сказал "Подождите у телефона!", плотно обхватил трубку ладонью и подошел к застекленной перегородке, сквозь которую ему был виден сверху весь холл первого этажа, а главное, стойка приема посетителей.

Там, внизу, нервно прохаживалась взад-вперед женщина, и как раз в тот миг, когда он взглянул на нее, она сдернула с головы шарф, чтобы поправить волосы, гораздо более короткие, чем в его воспоминаниях; эта женщина, отличавшаяся какой-то врожденной элегантностью, несомненно была той самой Джулией, с которой Томас познакомил его восемнадцать лет назад.

Он поднес трубку к уху:

— Скажите, что меня нет, что я всю неделю буду в отъезде... или нет, лучше скажите, что я не вернусь до конца месяца. Только прошу вас, пусть это прозвучит как можно правдоподобней!

— Хорошо, — ответила служащая, избегая произносить имя своего собеседника. — Тут вас еще спрашивают по телефону, соединить?

— Кто спрашивает?

— Я не успела выяснить.

— Ладно, соедините.

Портье переключила линию на кабинет Кнаппа, положила трубку и в высшей степени убедительно разыграла порученную роль.

———————

— Юрген?

— Кто говорит?

— Томас говорит! Ты что, не узнал мой голос?

— Нет, узнал, конечно... извини, я просто отвлекся.

— Я звоню тебе из-за границы, и мне пришлось ждать соединения целых пять минут. Не иначе как ты беседовал с министром, если заставил меня так долго томиться у телефона.

— Да нет, ничего важного, прости, пожалуйста. Слушай, у меня для тебя хорошая новость, я как раз собирался объявить ее тебе сегодня вечером: нам дали "зеленый свет", и ты едешь в Сомали.

— Потрясающе! — воскликнул Томас. — Значит, я заскочу в Берлин и потом сразу рвану туда.

— Ну зачем такие сложности, оставайся в Риме; я организую электронный билет, и мы пришлем тебе все необходимые документы экспресс-почтой, завтра утром все и получишь.

— Ты думаешь, мне не обязательно возвращаться в редакцию и встречаться с тобой?

— Нет, поверь мне, что так будет лучше, мы и без того слишком долго ждали разрешения, не стоит терять еще один день понапрасну. Самолет в Африку вылетает из аэропорта Фьюмичино где-то к вечеру, завтра утром я тебе позвоню и уточню детали.

— Слушай, с тобой все в порядке? — спросил Томас. — У тебя какой-то странный голос.

— Нет-нет, все прекрасно, но ты же понимаешь, как мне хотелось бы отпраздновать эту удачу вместе с тобой.

— Прямо не знаю, как тебя благодарить, Юрген! Ладно, так и быть, привезу оттуда Пулитцеровскую премию для себя и пост главного редактора для тебя!

И Томас повесил трубку. Кнапп еще раз взглянул сверху на Джулию и ее спутника, проследил, как они пересекли холл и вышли из здания редакции.

Потом он вернулся к письменному столу и аккуратно поставил трубку радиотелефона на подставку.

17

Томас вернулся к Марине, которая ждала его, сидя на верхней ступеньке одной из парадных лестниц на площади Испании. Площадь была запружена туристами.

— Ну как, дозвонился ему? — спросила Марина.

— Пойдем отсюда, тут слишком много народа, не протолкнуться; давай лучше прогуляемся по магазинам, и, если найдем тот разноцветный шарф, я тебе его подарю.

Марина сдвинула солнечные очки на кончик носа и, не сказав ни слова, встала.

— Эй, ты куда, магазин совсем не в той стороне! — крикнул Томас своей подруге, которая решительным шагом спускалась к фонтану.

— Вот именно, что не в той, а в противоположной, потому что мне вовсе не нужен твой шарфик!

Томас догнал ее у самого подножия лестницы:

— Вчера ты просто мечтала его заполучить.

— Ты сам сказал, что это было вчера, а сегодня мне ничего не нужно. Так уж мы, женщины, устроены — у нас семь пятниц на неделе, а вы, мужчины, просто дураки!

— Да что случилось? — удивился Томас.

— Случилось то, что, если бы ты действительно хотел сделать мне подарок, надо было выбрать его самому, попросить, чтобы его красиво упаковали, и спрятать до поры до времени, чтобы получился настоящий сюрприз. Вот это называется истинным знаком внимания. Вообще, Томас, предупредительность — редкое качество, женщины очень его ценят. Но могу тебя успокоить: одного этого мало, чтобы окольцевать мужчину.

— Я очень огорчен, мне просто хотелось доставить тебе удовольствие.

— Ну а в результате все вышло наоборот. Мне не нужны подарки, которые преподносят, чтобы добиться прощения.

— Но... разве я в чем-то провинился?

— Будто бы ни в чем? Знаешь, ты сейчас похож на Пиноккио, у которого нос вытягивался всякий раз, когда он лгал! Ладно, не стоит препираться, давай-ка лучше отпразднуем твою командировку. Ведь Кнапп именно о ней тебе сообщил? И постарайся найти ресторан пошикарнее, чтобы пригласить меня сегодня на ужин.

С этими словами Марина повернулась и пошла прочь, оставив Томаса в одиночестве.

───────

Джулия открыла дверцу такси, Энтони вышел и направился к вращающейся двери отеля.

335

— И все-таки должен быть какой-то выход. Не мог же твой Томас исчезнуть бесследно. Где-то ведь он находится — значит, мы его найдем, это просто вопрос времени и терпения.

— Какого времени? У нас остались одни сутки. А вернее, один день, ведь в субботу мы должны улететь отсюда, ты не забыл?

— Время истекает для меня, Джулия, а у тебя еще вся жизнь впереди. И если ты решишь искать до конца, ты вернешься сюда — уже одна, но вернешься. По крайней мере, это путешествие хотя бы примирило нас обоих с Берлином. А это уже кое-что!

— Так вот для чего ты притащил меня сюда? Чтобы успокоить свою совесть?

— Называй это как угодно. Я не могу просить прощения за то, что я, вероятно, опять сделал бы в подобных обстоятельствах. Но не будем спорить, давай лучше хоть один раз объединим свои усилия. Даже за один день многое может произойти, поверь мне.

Джулия отвела от него взгляд. Ее рука касалась руки Энтони, но он, чуть поколебавшись, удержался от пожатия и пошел через холл к лифтам.

— Боюсь, что не смогу составить тебе компанию сегодня вечером, — объявил он дочери. — Не сердись, я устал. Разумнее приберечь свою энергию назавтра — никогда не думал, что придется употреблять это слово в буквальном смысле.

— Иди отдыхай. Я тоже вымоталась — пожалуй, закажу ужин в номер. Встретимся за завтраком; если хочешь, я могу зайти за тобой.

— Хорошо, — с улыбкой согласился Энтони.

Лифт вознес их наверх, Джулия вышла первой, помахав отцу на прощанье. Когда дверцы лифта сомкнулись, она осталась стоять на площадке, следя за бегущими красными цифрами этажей.

Войдя к себе в номер, Джулия сразу включила горячую воду, наполнила ванну, вылила туда два флакона стоявших на бортике травяных эссенций и, вернувшись в комнату, заказала по телефону мюсли и фрукты на ужин. Попутно она включила телевизор с плазменным настенным экраном, висевшим как раз напротив кровати, сбросила одежду и пошла в ванную.

———

Кнапп внимательно изучал себя в зеркале. Он подтянул узел галстука и, бросив в зеркало последний взгляд, вышел из туалета редакции. Ровно в восемь вечера министр культуры должен был торжественно открыть во Дворце фотографии выставку, которую он, Кнапп, задумал и организовал. Ему тяжело далась дополнительная работа, которой требовал этот проект, но она должна была стать весомым вкладом в развитие его карьеры. Если этот вечер пройдет удачно, если его собратья по перу расхвалят в завтрашней прессе результаты его усилий, он очень скоро займет просторный кабинет за стеклянной перегородкой у входа в редакцию. Кнапп взглянул на стенные часы в холле: у него в запасе еще минут пятнадцать, вполне достаточно, чтобы пройтись пешком по Паризерплац, встать у подножия лестницы, покрытой красной до-

рожкой, и встретить министра, а также теле-
визионщиков с их камерами.

———————

Адам скомкал целлофановую обертку сэндвича и, нацелившись, бросил ее в корзинку,
подвешенную к фонарному столбу в парке.
Но промахнулся, ему пришлось подняться со
скамейки, чтобы подобрать промасленный
шарик. Едва он ступил на лужайку, как сидевшая там белка насторожилась и встала на зад-
ние лапки.

— Очень сожалею, старина, — сказал Адам, —
но я не ношу в карманах орешки, а Джулии нет
в городе. Нас с тобой бросили, так-то вот!

Рыжий зверек смотрел на человека, пока-
чивая головкой, словно подтверждал каждое
его слово.

— Не думаю, что белки любят мясные из-
делия, — продолжал Адам, отщипнув кусочек
ветчины, торчавший из сэндвича, и бросив
его грызуну.

Но белка не польстилась на угощение
и поскакала вверх по дереву. Женщина, бе-
жавшая трусцой по дорожке, остановилась
рядом с Адамом:

— Вы разговариваете с белками? Я тоже
обожаю смотреть, как они подбегают и вер-
тят головками во все стороны.

— Да, знаю, женщины находят их прелестными, а ведь это всего-навсего близкие родственники крыс, — мрачно ответил Адам.

Он швырнул сэндвич в корзинку, сунул руки в карманы и удалился.

───────────

В дверь постучали. Джулия схватила банную рукавицу, торопливо стерла маску с лица и, выйдя из ванны, накинула халат. Пройдя через комнату, она открыла дверь коридорному и попросила его поставить поднос на кровать. Затем нашла в сумке банкноту, сунула ее в подписанный счет и вручила молодому человеку. Как только он вышел, она уютно устроилась в постели и принялась за хлопья, попутно щелкая кнопками на пульте телевизора в поисках программы, где бы не говорили по-немецки.

Три испанских канала, один швейцарский, за ними два французских. Джулии не хотелось смотреть ни Си-эн-эн, где показывали слишком жестокие кадры войны, ни биржевые новости на канале "Блумберг"[1] (и вовсе неинтересные, в цифрах она была полным профаном), ни какую-то телеигру на РАИ (ве-

───────────

1 Телевизионная и радиопрограмма новостей делового мира, созданная в 1981 г. Майклом Блумбергом, впоследствии ставшим мэром Нью-Йорка.

339

дущая, на вкус Джулии, выглядела чересчур вульгарно), и она пошла по второму кругу.

———

Кортеж в сопровождении двух мотополицейских приближался к зданию. Кнапп встал на цыпочки, чтобы лучше видеть. Его сосед попытался пролезть вперед, но Кнапп призвал коллегу к порядку, оттолкнув его локтем: нечего опаздывать. Черный лимузин остановился прямо перед ним. Телохранитель открыл дверцу, и из машины вышел министр, которого тут же обступили фото- и телерепортеры. Кнапп в сопровождении директора выставки сделал шаг вперед, поклонился, приветствуя важного чиновника, и торжественно повел его по красной дорожке.

———

Джулия рассеянно перебирала кнопки пульта. На тарелке из-под мюсли сиротливо лежала одна изюминка, в чаше от фруктов осталось два яблочных семечка. Теперь она мучилась, не зная, что бы еще такое выбрать из меню — шоколадную помадку, яблочный штрудель, блинчики или двойной сэндвич. Джулия придирчиво оглядела свой живот и бедра и швырнула меню в дальний угол комнаты. Теленовости заканчивались тошнотворно гламурными кадрами какого-то светского вернисажа. Мужчины и женщины в вечерних туалетах, какие-то важные персоны во фраках шествовали по красной дорожке под блицами фотоаппаратов. Внимание Джулии привлекло длинное платье не то актрисы, не то певицы, скорее всего, жительницы Берлина. В этом ареопаге знаменитостей она не увидела никаких знакомых лиц... никаких, кроме одного! Вскочив на ноги и сбросив на пол поднос, она приникла к экрану. Да, она уверена, что узнала человека, который вошел в здание, улыбнувшись в нацеленный на него объектив. Камера отъехала в сторону, показывая Бранденбургские ворота.

— Ах ты мерзавец! — крикнула Джулия и опрометью бросилась в ванную.

———————

Портье заверил ее, что этот вернисаж мог проходить только в Stiftung Brandenburger[1]. Этот дворец входит в число новейших архитектурных шедевров Берлина, сказал он, с его ступеней открывается великолепный вид на Бранденбургские ворота. Вернисаж,

341

1 Центр современного искусства в Берлине.

о котором идет речь, несомненно, организован газетой "Тагесшпигель". Но мисс Уолш не стоит торопиться туда немедленно: эта обширная выставка репортерских снимков будет открыта вплоть до очередной годовщины падения Стены — иными словами, еще целых пять месяцев. Если мисс Уолш пожелает, он, конечно, достанет ей два пригласительных билета завтра же, еще до полудня. Нет, Джулии нужно совсем другое: ей немедленно потребовалось вечернее платье.

— Но, мисс Уолш, сейчас уже девять вечера!

Джулия расстегнула сумку и, высыпав ее содержимое на стойку, начала лихорадочно перебирать то, что там лежало — доллары, евро, мелочь; нашлась даже старая дойчмарка, с которой она никогда не расставалась. Затем она сорвала с руки часы, бросила их в общую кучу и придвинула ее к портье жестом игрока, бросающего на зеленое сукно все свое состояние.

— Умоляю, срочно раздобудьте мне вечернее платье, все равно какое — красное, фиолетовое, зеленое, — только поскорей!

Портье ошарашенно смотрел на нее, подняв бровь. Но профессиональная добросовестность взяла верх: он не мог подвести дочь мистера Уолша. Он был просто обязан решить ее проблему.

— Будьте любезны, мисс, уберите эту кучу добра в свою сумочку и следуйте за мной, — сказал он и повел Джулию в прачечную отеля.

Даже в полумраке этого помещения платье, которое он ей показал, выглядело великолепно. Оно принадлежало постоялице из номера 1206. Его доставили так поздно, что госпожу графиню не осмелились беспокоить, пояснил портье. Само собой разумеется, на платье не должно быть ни единого пятнышка, и Джулия, подобно Золушке, обязуется вернуть его в полночь, еще до последнего удара часов.

Он оставил ее одну в прачечной, дав совет повесить ее собственную одежду тут же на плечики.

Джулия разделась и с бесконечными предосторожностями натянула на себя творение от-кутюр — платье из невесомой ткани. Зеркала в помещении не было, и она попыталась разглядеть себя в блестящей стальной стойке, однако цилиндрическая поверхность выдала ей бочкообразное отражение. Джулия расчесала волосы, подкрасилась вслепую и, оставив в прачечной свою сумку, джинсы и пуловер, вернулась по темному коридору в холл.

Портье поманил ее к себе, и Джулия послушно подошла к стойке. За спиной у портье висело огромное, во всю стену, зеркало, но, едва Джулия собралась взглянуть в него, как он встал перед ней, загородив обзор.

— Нет, нет, нет! — воскликнул он, когда Джулия повторила свою попытку. — С вашего позволения, мисс...

Он вынул из ящика бумажную салфетку, подправил размазавшуюся помаду у нее на губах и, отойдя в сторону, сказал:

— Вот теперь можете полюбоваться собой!

Никогда в жизни Джулия не видела такого великолепного наряда. Он был в тысячу раз красивее, чем все шикарные платья, которые она с вожделением разглядывала в витринах самых блистательных кутюрье.

— Просто не знаю, как вас благодарить! — взволнованно пролепетала она.

— О, вы оказываете честь создателю этого платья; я уверен, что оно вам идет в сто раз больше, чем графине, — шепнул портье. — Я заказал лимузин, шофер подождет вас на площади и доставит обратно в отель.

— Но... я могла бы взять такси...

— Вы шутите — такси, в таком-то наряде! Считайте, что для вас это карета, а для меня залог спокойствия. Надеюсь, вы помните о Золушке? Приятного вечера, мисс Уолш, — сказал портье, сопровождая ее к лимузину.

Выйдя на улицу, Джулия привстала на цыпочки и чмокнула портье в щеку.

— Мисс Уолш, последняя просьба...

— Все, что вам угодно!

— Нам повезло: это платье оказалось длинным, даже чересчур длинным. Так вот, умоляю, не подбирайте подол, как вы это сейчас сделали. Ваши кроссовки, увы, не сочетаются с этим туалетом!

———————————

Официант водрузил на стол блюдо с горячими закусками. Томас положил на тарелку Марины тушеные овощи.

— Можно спросить, почему ты не снимаешь солнечные очки в этом ресторане: здесь такое тусклое освещение, что я еле-еле прочитал меню!

— Потому что! — отрезала Марина.

— Поистине исчерпывающее объяснение! — насмешливо заметил Томас.

— Потому что не хочу, чтобы ты видел взгляд.

— Какой взгляд?

— ТОТ САМЫЙ взгляд!

— Слушай, ты меня извини, но я ровно ничего не понимаю!

— Я имею в виду то выражение, которое вы, мужчины, видите в глазах женщины, если ей с вами хорошо.

— Вот уж не знал, что для этого существует какой-то специальный взгляд!

— Не лги, ты это знаешь, как знает любой мужчина, и отлично умеешь его распознавать, да-да!

— Ладно, пусть будет по-твоему! Но почему же мне не дозволено видеть этот взгляд, говорящий о том, что хотя бы в данную минуту тебе со мной хорошо?

— Потому что, стоит тебе его увидеть, как ты сейчас же начнешь прикидывать, как бы половчей сбежать от меня.

— Ну что ты болтаешь!

— Томас, почти все мужчины, которые украшают свое одиночество ни к чему не обязывающими отношениями, которые щедры на ласковые словечки, но никогда — на слова любви, боятся увидеть однажды у женщины, связанной с ними близостью, ТОТ САМЫЙ взгляд.

— Да какой ТОТ САМЫЙ, объясни же наконец!

— Тот, который говорит мужчине, что женщина безумно влюблена в него. Что ей хочется большего, нежели мимолетный роман. Например — пускай это глупо звучит, — возможности вместе строить планы на отдых, да и вообще, любые планы на будущее. Только не дай ей бог улыбнуться при виде детской коляски на улице — вот тут-то все и рушится.

— Значит, за этими черными очками скрывается именно такой взгляд?

— О, ты слишком возомнил о себе! Не обольщайся, у меня просто болят глаза, только и всего.

— Зачем ты мне все это говоришь, Марина?

— Интересно, когда ты решишься объявить мне, что уезжаешь в Сомали, — до или после тирамису?

— А кто тебе сказал, что я собираюсь заказать тирамису?

— Мы знакомы уже два года, и все это время я работаю с тобой вместе, а следовательно, знаю, как и чем ты живешь.

Марина сдвинула очки на кончик носа и дала им упасть в тарелку.

— Ну хорошо, я действительно уезжаю завтра. Но ведь я только что узнал об этом.

— Уже завтра? И ты едешь через Берлин?

— Нет, Кнапп предпочитает, чтобы я летел в Могадишо прямо отсюда.

— Ты целых три месяца ждал этой поездки, ждал, когда он о ней заговорит, а теперь, стоило твоему дружку щелкнуть пальцами, как ты рванул вперед!

— Он просто не хочет терять ни одного дня, и без того слишком много времени ушло понапрасну.

— Нет, это он заставил тебя терять понапрасну время, а ты оказываешь ему большую услугу. Он нуждается в этой поездке для своего продвижения, тогда как ты совершенно не нуждаешься в нем, чтобы заработать премию. При твоем таланте ты мог бы ее получить, сфотографировав все, что угодно, даже собаку, поднявшую ножку у фонарного столба.

— Чего ты добиваешься?

— Я хочу, чтобы ты утвердился в этой жизни, Томас; хватит уже прятаться от людей, которых ты любишь, вместо того чтобы сказать им в глаза все, что ты думаешь. Начни с меня! Скажи мне, например, что мои разговоры нагоняют на тебя тоску, что мы всего лишь любовники, что я не имею права читать тебе мораль; или скажи Кнаппу, что в Сомали не отправляются вот так, с бухты-барахты, не заехав домой, не собрав чемодан, не попрощавшись с друзьями! Особенно, если неизвестно, когда вернешься.

— Может, ты и права.

И Томас достал из кармана мобильник.

— Что ты делаешь?

— Что делаю? А вот что: посылаю Кнаппу SMS с просьбой выписать мне билет на субботний рейс в Берлин.

— Я тебе поверю только после того, как ты ее отправишь.

— И тогда ты позволишь мне увидеть ТОТ САМЫЙ взгляд?

— Возможно...

———————

Лимузин остановился перед красной ковровой дорожкой. Джулии пришлось проделать серию акробатических трюков, чтобы выйти из машины, не показав своих кроссовок. Она взошла по лестнице, и на самом верху ее ослепили десятки вспышек.

— Я никакая не знаменитость! — сказала она репортеру, но тот не понял ее английского.

Охранник, стоявший на фейс-контроле, оторопел при виде роскошного платья Джулии. Ослепленный режущим светом камеры, снимавшей ее проход, он счел излишним проверить, есть ли у нее приглашение.

Джулия вошла в необъятный зал и обвела взглядом толпу гостей. Они фланировали с бокалами в руках, разглядывая увеличенные до огромных размеров фотографии. Джулия отвечала натянутой улыбкой на приветствия людей, которых знать не знала, — у светской тусовки свои законы. Поодаль, на эстраде, арфистка исполняла Моцарта.

Пробившись через скопление людей, напоминавшее какой-то нелепый балет, Джулия начала выискивать свою добычу.

Внезапно ее внимание привлек снимок, висевший на трехметровой высоте. Он был сделан в горах не то Кандагара, не то Таджикистана, а может, и на границе Пакистана. Гимнастерка лежавшего в окопе солдата не позволяла определить его национальность, а босоногий мальчишка, который сидел рядом с раненым, казалось, утешая его, выглядел как все в мире дети.

Неожиданно на плечо Джулии легла чья-то рука, заставив ее вздрогнуть.

— А ты совсем не изменилась. Что ты здесь делаешь? Я не видел твоей фамилии в списке гостей. Какой приятный сюрприз! Ты здесь проездом? — спросил Кнапп.

— А ты что здесь делаешь? Я-то полагала, что ты будешь в отъезде до конца месяца, — по крайней мере, так мне сказали сегодня днем, когда я пришла в твой офис. Разве тебе не оставили мое сообщение?

— Я вернулся раньше, чем предполагал. И приехал сюда прямо из аэропорта.

— Советую тебе подучиться, Кнапп, очень уж неумело ты лжешь. Я знаю, что говорю, за последние дни я набралась опыта в таких делах.

— Ладно, предположим, я соврал. Но я никак не мог предположить, что меня спрашивала именно ты. Ведь от тебя не было известий целых двадцать лет.

— Восемнадцать! Неужели у тебя так много знакомых по имени Джулия Уолш?

— Я забыл твою фамилию, Джулия, — не имя, конечно, только фамилию, — и не понял, что речь шла о тебе. У меня теперь масса ответственной работы, а вокруг столько людей, которые пытаются продать мне совершенно неинтересные истории, что я вынужден фильтровать своих посетителей.

— Спасибо за комплимент!

351

— Так зачем ты приехала в Берлин, Джулия?

Она подняла голову и снова взглянула на снимок, висевший на стене. Под ним стояла подпись — Т.Ульман.

— Эту фотографию мог бы сделать Томас, она в его духе, — грустно сказала Джулия.

— Но Томас уже много лет как забросил журналистику. Он и в Германии-то больше не живет. Подвел черту под своим прошлым.

Джулия храбро выдержала удар, стараясь не выдать, как она потрясена. Кнапп продолжал:

— Он теперь обосновался за границей.

— Где именно?

— В Италии, со своей женой. Мы не очень часто общаемся — раз в год, не больше, да и то не каждый год.

— Вы поссорились?

— Нет, ничего такого, просто... жизнь развела. Я сделал все возможное, чтобы помочь ему осуществить свою мечту, но после возвращения из Афганистана он стал совершенно другим человеком. Да что я говорю — ты ведь, наверно, все знаешь лучше моего. В общем, он выбрал другую дорогу.

— Нет, я ничего не знала, — возразила Джулия, стиснув зубы.

352

— По моим последним сведениям, он и его супруга держат ресторан в Риме. А теперь, я надеюсь, ты меня извинишь, я должен заняться другими гостями. Очень рад был тебя повидать — жаль, что так недолго. Ты скоро уезжаешь?

— Завтра же утром, — ответила Джулия.

— Но ты мне так и не сказала, что тебя привело в Берлин. Вероятно, дела службы?

— До свидания, Кнапп.

И Джулия ушла не оборачиваясь. Она шла к выходу, ускоряя шаг, и, едва миновав большие застекленные двери, кинулась бежать по красной дорожке к ожидавшему ее лимузину.

———————

Вернувшись в отель, Джулия торопливо пересекла холл и юркнула в боковую дверь, ведущую в коридор, где находилась прачечная. Сняв платье, она повесила его на место и натянула джинсы и пуловер. Вдруг кто-то кашлянул у нее за спиной.

— Вы одеты? Можно смотреть? — спросил портье, одной рукой прикрывая глаза, а другой протягивая ей пачку бумажных носовых платков.

— Нет! — прорыдала Джулия.

Портье вытащил платок из пачки и протянул ей через плечо.

— Спасибо, — сказала она.

— Я видел, как вы вошли, и мне сразу показалось, что ваш макияж слегка... расплылся. Если я правильно понял, сегодняшний прием обманул ваши ожидания?

— Это самое мягкое, что можно сказать, — всхлипывая, ответила Джулия.

— Увы, такое бывает довольно часто... Спонтанные поступки всегда рискованны.

— Господи боже мой, да если бы я могла предвидеть... это путешествие, этот отель, этот город, всю эту бесполезную беготню!.. Ведь жила же я как хотела, тихо-спокойно, так зачем!..

Портье шагнул к Джулии поближе, ровно настолько, чтобы она могла уткнуться в его плечо, и стал деликатно поглаживать ее по спине, стараясь утешить.

— Уж не знаю, что вас так опечалило, но позвольте мне дать вам один совет: вам лучше бы разделить свое горе с отцом, он наверняка будет вам надежной опорой. Радуйтесь, что он еще жив, что он с вами, что вас связывают такие доверительные отношения. Вот человек, который умеет слушать и понимать других, я в этом уверен.

— Да вы что!.. Если бы вы знали... как же вы ошибаетесь, все совсем наоборот! Доверительные отношения — это у меня с ним? Это он умеет слушать и понимать других? Мы, наверное, говорим о разных людях!

— Мисс Джулия, я имел удовольствие много раз обслуживать мистера Уолша и могу вас заверить, что он неизменно вел себя как истинный джентльмен.

— Да такого эгоиста, как он, еще свет не видел!

— Тогда мы действительно говорим о разных людях. Тот мистер Уолш, которого я знаю, всегда был в высшей степени доброжелательным. И всегда говорил о вас как о своей единственной удаче в жизни.

Джулия остолбенела.

— Идите к отцу, мисс, я уверен, что он вас поймет.

— Все у меня в жизни не так, как у людей. Но сейчас к нему идти нельзя, он спит, он сегодня очень устал.

— Мне кажется, он успел взбодриться, потому что я совсем недавно отнес ему ужин в номер.

— Мой отец заказал еду?

— Именно это я и сказал, мисс.

Джулия натянула кроссовки и в знак благодарности снова поцеловала портье в щеку.

— Разумеется, мы с вами ни о чем не говорили, я ведь могу положиться на вашу скромность? — спросил портье.

— Ну конечно не говорили и даже не виделись! — заверила его Джулия.

— И мы можем спокойно спрятать это платье в чехол, не боясь, что на нем есть пятнышки?

Джулия подняла правую руку, как для присяги, и ответила улыбкой портье, который знаком предложил ей бежать наверх.

Она снова прошла через холл и села в лифт. Кабина остановилась на седьмом этаже; Джулия поколебалась и нажала на кнопку "пентхаус".

Еще в коридоре она услышала звуки телевизора. Джулия постучала, и отец тотчас открыл ей.

355

— Ты была ослепительна в этом платье, — сказал он, снова ложась на кровать.

Джулия взглянула на экран: передавали вечернюю программу новостей, и в том числе еще раз кадры вернисажа.

— Трудно удержаться от искушения покрасоваться в таком наряде. Я никогда еще не видел тебя столь элегантной, и это лишь подтверждает мое убеждение, что тебе давно пора расстаться со своими дырявыми джинсами, они уже неуместны в твоем возрасте. Будь я в курсе твоих планов, я бы составил тебе компанию. И очень гордился бы, появившись на публике под руку с такой дамой.

— Да не было у меня никаких планов, я просто смотрела эту же программу и увидела на красной дорожке Кнаппа, вот и помчалась туда.

— Это интересно! — воскликнул Энтони, привстав с постели. — Для человека, который собирался отсутствовать до конца месяца!.. Одно из двух: либо он нам солгал, либо умеет раздваиваться. Я не спрашиваю, как прошла ваша встреча. Но вид у тебя подавленный.

— Я оказалась права: Томас женат. И ты тоже был прав: он уже не журналист... — сообщила Джулия, плюхнувшись в кресло. И тут увидела перед собой, на низком столике, поднос с ужином.

— Ты заказал себе еду?

— Я заказал ее для тебя.

— Откуда ты знал, что я к тебе зайду?

— Я знаю куда больше, чем тебе кажется. Когда я увидел тебя на вернисаже — и это при твоем отвращении к светским сборищам, — мне сразу подумалось, что тут дело нечисто. Я предположил, что ты увидела на экране Томаса, иначе с чего бы тебе бежать туда среди ночи? А когда портье позвонил мне и спросил разрешения заказать для тебя лимузин, я решил, что моя гипотеза верна. И велел подать что-нибудь сладкое на тот случай, если вечер пройдет хуже, чем хотелось бы. Подними крышку: под ней только блинчики; это, конечно, слабая замена любви, но с кленовым сиропом в горшочке — видишь, он стоит рядом — тебе будет чем подсластить свою тоску.

———————

Госпожа графиня в соседнем люксе тоже смотрела по телевизору ночной выпуск новостей. Затем она попросила мужа напомнить ей завтра же позвонить ее другу Карлу, чтобы поздравить его с успехом. И вместе с тем предупредить, что в следующий раз, когда он будет создавать для нее эксклюзивную модель, пусть позаботится о том, чтобы она действительно была единственной в своем роде и чтобы в ней не щеголяла другая женщина, моложе и вдобавок стройнее ее самой. Карл, разумеется, должен понять, почему она отсылает ему назад это действительно роскошное платье, — для нее оно уже утратило всякий интерес!

———————

Джулия во всех подробностях описала отцу прошедший вечер — внезапное решение пойти на этот чертов бал, разговор с Кнаппом и свой драматический уход; она рассказывала, не понимая и даже самой себе не признаваясь, отчего все это до такой степени потрясло ее. Ведь не из-за того, что она узнала о женитьбе Томаса, — она с самого начала это предполагала, да и как могло быть иначе?! Нет, самым тяжким для нее — она не могла бы сказать почему — оказалось известие о том, что он бросил журналистику. Энтони слушал ее, не прерывая, никак не комментируя. Проглотив последний блинчик, она поблагодарила отца за этот сюрприз: ужин не помог ей привести в порядок мысли, зато наверняка добавил к ее весу добрый килограмм. Больше ей незачем здесь оставаться. Какие бы *знаки* ни подавала жизнь, искать ей уже нечего, давно пора как-то упорядочить свое дальнейшее существование.

Перед сном она уложит вещи, и завтра же утром они сядут в самолет. На этот раз, добавила Джулия, выходя из комнаты, у нее самой возникло то самое ощущение дежавю, и этим дежавю она сыта по горло, если прибегнуть к точным выражениям.

В коридоре она сняла кроссовки и спустилась в свой номер пешком, по служебной лестнице.

Едва Джулия вышла, Энтони снял телефонную трубку. В Сан-Франциско было шестнадцать часов, и ему ответили после первого же звонка.

— Пилгез слушает!

— Я тебе не помешал? Это Энтони.

— Старые друзья никогда не мешают; я очень рад слышать твой голос, давненько мы с тобой не болтали.

— Хочу попросить тебя об одной услуге — о небольшом расследовании, если это все еще в твоих силах.

— Знал бы ты, до чего мне скучно с тех пор, как я вышел на пенсию! Даже если бы ты позвонил с просьбой найти пропавшие ключи, я бы и этим занялся с удовольствием!

— Сохранились ли у тебя контакты с пограничной полицией? Мне нужен человек в визовом отделе, который мог бы кое-что разузнать для меня.

— Не сомневайся, у меня до сих пор длинные руки!

— Ну и прекрасно; я хочу, чтобы ты сейчас дотянулся этими руками вот до кого...

Разговор между старыми приятелями затянулся на целых полчаса. Инспектор Пилгез обещал Энтони раздобыть нужную информацию в самый короткий срок.

———————

В Нью-Йорке было восемь вечера. Табличка на двери антикварного магазина гласила, что он закрыт до понедельника. Внутри Стенли устанавливал полки книжного шкафа конца XIX века, полученного днем. В витрину постучал Адам.

— Господи, опять эта пиявка! — вздохнул Стенли и притаился за буфетом.

— Стенли, это я, Адам! Я знаю, что вы там!

Стенли присел пониже и затаил дыхание.

— Я принес две бутылки "шато-лафита"!

Стенли медленно распрямился.

— 1989 года! — крикнул Адам с улицы.

Дверь магазина отворилась.

— Извините, я тут прибирал и не сразу вас услышал, — сказал Стенли, впуская гостя. — Вы уже поужинали?

18

Томас потянулся и вынырнул из постели, стараясь не разбудить спавшую рядом Марину. Он спустился по винтовой лестнице и прошел через гостиную на нижнем уровне дуплекса[1]. Обогнув стойку бара, он подсунул чашку под краник кофеварки, прикрыл машину полотенцем, чтобы заглушить ее гудение, и нажал на кнопку. Потом раздвинул застекленные двери и вышел на террасу — подставить лицо первым солнечным лучам, уже ласково согревавшим крыши Рима. Подойдя к балюстраде, он наклонился и взглянул сверху на улицу. Внизу, перед высоткой, где жила Марина, стоял фургон; поставщик выгружал из него ящики с овощами

1 Двухуровневая квартира.

и вносил в бакалею, находившуюся на первом этаже, рядом с кафе.

Явственный запах поджаренного хлеба послужил вступлением к симфонии звонких итальянских ругательств. На террасе появилась Марина в халате, вид у нее был довольно мрачный.

— Хочу сказать две вещи! — сказала она. — Первое: ты тут стоишь в чем мать родила, и я сильно подозреваю, что твой вид испортит моим соседям напротив аппетит за завтраком.

— А второе? — спросил Томас, не оборачиваясь.

362

— Мы позавтракаем внизу, дома нет ни крошки.

— Разве мы вчера вечером не купили ciabatta?[1] — посмеиваясь, напомнил Томас.

— Оденься! — скомандовала Марина, возвращаясь в комнату.

— Хоть бы доброго утра пожелала! — проворчал Томас.

Старушка, поливавшая цветы на балконе дома напротив, приветливо помахала ему. Томас ответил ей улыбкой и ушел с террасы.

Еще не было и восьми утра, а воздух уже накалялся. Хозяин кафе хлопотал перед

---

1 Разновидность белого хлеба (*ит.*).

своей витриной; Томас помог ему выставить зонтики на тротуаре. Марина села за столик и достала круассан из корзинки с выпечкой.

— Ты собираешься дуться весь день? — спросил Томас, в свою очередь выуживая рогалик из корзинки. — Неужели это из-за того, что я уезжаю?

— Вот теперь я знаю, что меня в тебе пленило, Томас, — ты всегда умеешь сказать что-нибудь к месту.

Хозяин заведения поставил перед ними две чашки дымящегося капучино. Он посмотрел на небо, воззвал к богу с просьбой послать грозу еще до вечера и выразил Марине восхищение ее "утренней красой". Затем украдкой подмигнул Томасу и скрылся за дверью.

— А может, не будем портить себе утро? — попросил Томас.

— Ну конечно не будем, прекрасная мысль! Давай дожевывай поскорей свой рогалик, вернемся домой, ты быстренько меня трахнешь, потом долго будешь блаженствовать у меня в душевой, а я, как последняя дура, займусь укладкой твоих вещей. Потом ты меня чмокнешь на пороге и исчезнешь месяца на три, а то и навсегда. Вот только не надо мне отвечать — что бы ты сейчас ни сказал, все прозвучит глупо.

— Поехали со мной!

— Я работаю корреспондентом, а не репортером.

— Нет, поехали со мной в Берлин, проведем там вечер; завтра я улечу в Могадишо, а ты обратно в Рим.

Марина обернулась и знаком попросила хозяина принести еще кофе.

— Ты прав — сцена расставания в аэропорту куда выигрышней, немного драматизма никогда не помешает, верно?

— А тебе действительно не помешало бы показаться у нас в редакции, — заметил Томас.

— Пей кофе, пока он не остыл!

— Сказала бы "да", вместо того чтобы ворчать, и я взял бы тебе билет.

———————

Под дверь кто-то подсунул конверт. Энтони, кряхтя, нагнулся и подобрал его. Распечатав конверт, он нашел там факс на свое имя:

"Сожалею, пока ничего не нашел, но не отчаялся. Надеюсь добиться результатов позже".

Послание было подписано инициалами Джорджа Пилгеза.

Энтони Уолш присел к письменному столу и набросал записку для Джулии. Затем позвонил в бюро обслуживания и попросил вызвать ему машину с шофером. Выйдя из комнаты, он спустился на седьмой этаж, подобрался на цыпочках к номеру дочери, сунул записку под дверь и быстро ушел.

— Улица Карла Либкнехта, 31, пожалуйста, — сказал он шоферу.

И черный лимузин тотчас вырулил на шоссе.

———————

Торопливо выпив чашку чая, Джулия принесла свой чемодан из передней и положила его на кровать. Сначала она аккуратно укладывала в него свои вещи, потом стала сваливать их как попало. Прервав на минуту сборы, она подошла к окну. Над городом висел мелкий дождик. Внизу от гостиницы отъезжал черный лимузин.

365

———————

— Неси сюда свои вещи, если хочешь, чтобы я уложила их в сумку! — крикнула Марина из комнаты.

Томас высунул голову из двери ванной:

— Знаешь, я вполне могу собраться сам.

— Конечно, можешь, но плохо — напихаешь как попало, а в Сомали меня уже не будет, чтобы отглаживать заново.

— Значит, ты уже их погладила? — спросил Томас с легкой тревогой.

— Нет, но я могла бы это сделать.

— Так ты решила что-нибудь?

— Иными словами, ты хочешь знать, брошу я тебя сегодня или завтра? Тебе повезло — я решила, что для моей карьеры будет невредно поприветствовать нашего будущего главного редактора. Для тебя это хорошая новость, но она не имеет никакого отношения к твоему отъезду в Берлин; таким образом, у тебя будет возможность провести еще один вечер в моем обществе.

— Я просто в восторге! — объявил Томас.

— Неужели?! — иронически откликнулась Марина, застегивая молнию на сумке Томаса. — Мы должны уехать из Рима до полудня, так что не надейся отсиживаться в ванной все утро!

— А мне-то казалось, что из нас двоих главный ворчун — я.

— Ну, если ты хандришь, старина, то я тут совершенно ни при чем.

Марина легонько оттолкнула Томаса, чтобы войти в ванную, развязала пояс своего халата и затащила друга под душ.

———

Черный "мерседес" свернул на стоянку перед высокими серыми корпусами и остановился. Энтони попросил шофера подождать его —

он надеялся вернуться не позже чем через час.

Затем он направился к подъезду с нависающим козырьком и поднялся по ступеням в здание, где теперь хранились архивы Штази.

У стойки приема посетителей он назвал свое имя и спросил дорогу.

Коридор, по которому ему предстояло пройти, мог нагнать страху на любого непосвященного. По обеим его сторонам тянулись витрины с разнообразными моделями микрофонов, камер слежения, фотоаппаратов, устройств для вскрытия конвертов с помощью пара и для их же заклеивания после перлюстрации, копировальных машин, систем архивирования. Словом, здесь было выставлено все необходимое для непрерывной слежки за населением целой страны — рабами полицейского государства. Листовки, руководства по пропаганде, системы подслушивания с каждым годом становились все более изощренными. Таким образом, миллионы людей жили под пристальным надзором, каждый их шаг подвергался анализу и фиксировался в досье этого архива, дабы укрепить безопасность тиранического режима. Углубленный в свои мысли, Энтони остановился перед фотографией, на которой была запечатлена камера для допросов.

367

*Я знаю, что был неправ. Да, Стена пала,
и процесс освобождения казался необратимым, но
кто мог гарантировать это на сто процентов,
Джулия? Те, кто пережил Пражскую весну? Или
наши демократы, оставившие с тех пор безнака-
занными столько преступлений и несправедливос-
тей? Возможно ли сказать с полной уверенностью,
даже сегодня, что Россия навсегда избавилась от
своих вчерашних деспотов? Так вот, я испугался,
я действительно безумно испугался, как бы диктатура не захлопнула едва раскрывшиеся двери
и не погребла тебя в своей тоталитарной могиле.
Испугался того, что меня, отца, навсегда разлу-
чат с родной дочерью, но не потому, что она сама
этого захотела, а потому, что так решила за нее
диктатура. Я знаю, ты никогда мне этого не простишь, но если бы дело тогда обернулось скверно,
я вовеки не простил бы себе того, что не подоспел
к тебе на выручку. А теперь могу признаться,
что в каком-то смысле я счастлив, что оказался
тогда неправ.*

— Я могу вам чем-нибудь помочь? — спросил
голос в конце коридора.

— Я ищу архив, — растерянно проговорил
Энтони.

— Это здесь. Что вам угодно найти?

Через несколько дней после падения Стены
служащие политической полиции ГДР в

предвидении неизбежного крушения режима начали уничтожать все, что могло пролить свет на их деятельность. Но как ликвидировать в столь короткие сроки миллионы досье с информацией о личной жизни граждан, скопившейся за сорок лет существования тоталитарного режима?! Уже в декабре 1989 года население страны, узнав об этих происках, начало осаждать филиалы архивов Госбезопасности. В каждом городе Восточной Германии люди врывались в помещения Штази, чтобы помешать уничтожению картотеки, занимавшей сто восемьдесят километров в длину и содержавшей донесения всех видов, которые наконец-то стали доступны народу.

369

Энтони спросил, можно ли ему ознакомиться с досье некоего Томаса Майера, жившего в доме № 2 по Комениусплац в Восточном Берлине.

— К сожалению, я не могу удовлетворить вашу просьбу, — извинился перед ним чиновник.

— Как?! Я полагал, что закон предписывает облегчать гражданам доступ к архивам.

— Это верно, но тот же закон одновременно предписывает ограждать наших людей от любого проникновения в их частную жизнь, каковое может привести к плачевным последствиям в результате предоставления их персональных данных посторонним лицам, — объявил служащий, выпалив единым духом этот параграф, видимо давно заученный наизусть.

— Именно в этом пункте правильное истолкование закона особенно важно. Если не ошибаюсь, первоочередной целью данного закона, который интересует нас обоих, является обеспечение каждому желающему свободного доступа к досье Штази, чтобы можно было выяснить, какое влияние служба госбезопасности оказала на его собственную судьбу, не правда ли? — напомнил Энтони, в свой черед повторив текст, написанный на табличке у входа в помещение архива.

— Да, разумеется, — подтвердил служащий, не понимая, к чему клонит посетитель.

— Томас Майер — мой зять, — беззастенчиво солгал Энтони. — Ныне он живет в Соединенных Штатах, и я счастлив сообщить вам, что скоро стану дедом. Вы должны понять, что для него крайне важно когда-нибудь рассказать детям о своем прошлом. Да и кто бы отказался от такой возможности?! У вас есть дети, господин?..

— Ганс Дитрих! — ответил чиновник. — Да, у меня две очаровательные дочки, Эмма и Анна, семи и пяти лет.

— Ах, как чудесно! — воскликнул Энтони, восторженно аплодируя. — Как вы, должно быть, довольны!

— О, я просто счастлив!

— Бедный Томас! Воспоминания о трагических событиях, отметивших его юность, еще слишком свежи, чтобы он мог лично предпринять эти розыски. Я приехал из далекой страны, приехал по его просьбе, чтобы дать ему возможность примириться со своим прошлым, и, кто знает, может быть, когда-нибудь он найдет в себе силы привезти сюда свою дочь, ибо — пусть это останется между нами — мне стало известно, что родится девочка. Итак, он мог бы привезти ее сюда, на землю своих предков, чтобы помочь ей ощутить связь со своими корнями. Дорогой Ганс, — торжественно продолжал Энтони, — я как будущий дед обращаюсь к вам, отцу двух прелестных дочурок, с просьбой: помогите мне, помогите дочери вашего соотечественника Томаса Майера, станьте тем щедрым другом, который подарит ей это счастье, чего все мы горячо желаем!

Ганс Дитрих, потрясенный до глубины души, не знал, что и думать. Затуманенный слезами взгляд посетителя окончательно добил его. Он протянул Энтони бумажный платок.

371

— Вы сказали — Томас Майер?

— Именно так! — ответил Энтони.

— Присядьте за столик там, в зале, а я схожу посмотрю, что у нас есть на него.

Четверть часа спустя Ганс Дитрих водрузил на стол перед Энтони Уолшем железный ящичек из картотеки.

— Кажется, я нашел досье на вашего зятя, — сияя, объявил он. — Нам повезло: оно не вошло в число тех, что подверглись уничтожению; видите ли, восстановление разорванных досье будет закончено не скоро, мы никак не дождемся нужных кредитов.

372

Энтони горячо поблагодарил его, одновременно дав понять смущенным взглядом, что теперь нуждается в уединении, чтобы изучить прошлое своего зятя. Ганс тотчас исчез, и Энтони погрузился в чтение пухлого "дела", заведенного в 1980 году на молодого человека, за которым следили в течение девяти лет. На десятках страниц тщательно фиксировались все события его жизни, знакомства, пристрастия и литературные вкусы; были здесь и донесения о его высказываниях в частных разговорах и на публике, о его мнениях, о степени его преданности общественным ценностям. Все, чему предстояло сформировать личность Томаса, — его юные замыслы и надежды, первые любовные томления, первые опыты и разочарования, — было известно и учтено. Поскольку Энтони далеко не блестяще владел немецким, он решил прибегнуть к помощи Ганса Дитриха, чтобы тот помог ему разобраться в обобщающем заключении, которое было приложено к досье; последняя запись в нем датировалась 9 октября 1989 года.

Томас Майер, сирота, выросший без отца и матери, еще в студенческие годы вызывал подозрение у властей. Его лучшему другу и соседу, с которым он был тесно связан с самого детства, удалось бежать на Запад. Этот молодой человек по имени Юрген Кнапп пересек границу, скорее всего спрятавшись под задним сиденьем машины, и больше никогда не возвращался в ГДР. Никто так и не смог доказать, что Томас Майер был его сообщником: он говорил о планах своего друга с осведомителем службы госбезопасности чрезвычайно искренне, что доказывало полную его непричастность к этому делу. Агент, поставлявший сведения для его досье, узнал от него о подготовке Кнаппа к бегству, но, увы, слишком поздно, чтобы можно было арестовать последнего. Тем не менее близкая дружба Томаса с человеком, предавшим свою страну, и тот факт, что он своевременно не донес о его намерении бежать на Запад, не позволяли считать его стопроцентно лояльным гражданином Демократической Республики. Судя по материалам досье, его не собирались преследовать, но было совершенно ясно, что никакой ответственной государственной должности ему никогда не доверят. В конце "рапорта" рекомендовалось оставить его под активным наблюдением, дабы убедиться, что он не намерен в дальнейшем возобновлять отношения со своим бывшим другом или с любым другим лицом, проживающим на Западе. Для пересмотра или закрытия досье Томасу Майеру назначался испытательный срок, вплоть до наступления тридцатилетнего возраста.

Ганс Дитрих уже заканчивал чтение документа. Он дважды изумленно прочел имя осведомителя, поставлявшего информацию для досье Томаса, чтобы убедиться, что он не ошибся. Он был не в силах скрыть свое смятение.

— Кто бы мог вообразить такой поворот! — сказал Энтони, не отрывая взгляда от фамилии, указанной в конце досье. — Грустно, очень грустно!

Ганс Дитрих, подавленный не меньше Энтони, был полностью с ним согласен.

Энтони горячо поблагодарил его за неоценимую помощь. Внимание чиновника привлекла одна деталь, но на какой-то миг он заколебался, не решаясь открыть посетителю то, что обнаружил.

— Я считаю необходимым, — наконец сказал он, — сообщить вам для полной ясности в ваших розысках, что ваш зять, несомненно, сделал то же печальное открытие, что и вы. На обороте имеется отметка, свидетельствующая о том, что он лично ознакомился со своим досье.

Энтони заверил Дитриха в своей горячей признательности и пообещал принять посильное участие в финансировании проекта восстановления архивов. Ибо теперь ему стало гораздо яснее, чем прежде, насколько важно осмысливать свое прошлое, чтобы предвидеть будущее.

Покинув архив, Энтони ощутил сильное желание глотнуть свежего воздуха, чтобы прийти в себя. Он зашел в скверик, расположенный рядом со стоянкой, и присел на скамью.

В его памяти снова всплыло последнее признание Дитриха, и он воскликнул, подняв глаза к небу:

— Ну как же я раньше не догадался!

Он встал и подошел к машине. Сел в нее, вынул мобильник и набрал номер в Сан-Франциско.

— Я тебя не разбудил?

— Ну конечно нет — сейчас ведь всего три часа ночи!

— Извини, ради бога, просто я только что получил важную информацию.

Джордж Пилгез включил ночник, выдвинул ящик тумбочки и пошарил там в поисках ручки.

— Слушаю тебя, — пробурчал он.

— У меня появились основания думать, что наш подопечный решил избавиться от своей фамилии, никогда больше не пользоваться ею или по крайней мере сделать так, чтобы ему напоминали о ней как можно реже.

— Почему?

— Это длинная история.

— У тебя есть хоть какие-то предположения о том, как его сейчас зовут?

— Ни малейших.

— Превосходно! Ты правильно сделал, что позвонил мне среди ночи, это значительно облегчит мои поиски! — саркастически бросил Пилгез перед тем, как повесить трубку.

Он потушил свет, сунул руки под голову и попытался заснуть, но тщетно. По прошествии получаса жена сурово велела ему вставать и приниматься за работу. Даром что до рассвета еще далеко, сказала она, но ей уже невмоготу слушать, как он вертится в постели и кряхтит, пускай уйдет и даст ей спокойно поспать.

Джордж Пилгез набросил халат и, проклиная все на свете, поплелся в кухню. Для начала он сделал себе сэндвич, обильно намазав маслом два куска хлеба: Наталья этого не увидит, а значит, некому будет пугать его высоким холестерином. Свою добычу он отнес в кабинет и расположился за письменным столом. Он знал, что некоторые организации функционируют круглые сутки, поэтому снял трубку и позвонил другу, работавшему в службе пограничного контроля.

— Скажи, если человек, который официально сменил фамилию, въедет на нашу территорию, его прежняя будет фигурировать в нашей картотеке?

— А откуда он родом? — спросил его собеседник.

— Немец, родился в ГДР.

— В таком случае это более чем вероятно; если он обратится за визой в одно из наших консульств, эти сведения где-нибудь обязательно осядут.

— Тебе есть чем записать? — спросил Джордж.

— Я сижу перед компьютером, старина, — ответил его друг Рик Брем, офицер службы иммиграции в аэропорту Кеннеди.

377

"Мерседес" возвращался в отель. Энтони Уолш разглядывал в окошко городской пейзаж. Машина проехала мимо аптеки, по ее фасаду бежали светящиеся цифры, указывая поочередно дату, час и температуру воздуха. В Берлине время шло к полудню и был двадцать один градус по Цельсию...

— И еще только два дня... — прошептал Энтони Уолш.

Джулия нервно бродила по вестибюлю взадвперед мимо стоящего тут же чемодана.

— Уверяю вас, мисс Уолш, я не имею ни малейшего понятия о том, куда мог отправиться ваш отец. Он попросил нас вызвать для него машину рано утром, но не сообщил, куда едет, и с тех пор мы его здесь не видели. Я пытался связаться с шофером, но его мобильник выключен.

Портье бросил взгляд на багаж Джулии:

— Мистер Уолш не просил ничего бронировать дополнительно и, кроме того, не информировал меня о вашем сегодняшнем отъезде. Вы уверены в том, что он передумал?

— Это я передумала! Я назначила ему встречу сегодня утром, самолет взлетает в пятнадцать часов, и это последний рейс, которым можно прибыть к вечеру в Нью-Йорк, если мы успеем сделать пересадку в Париже.

— Но вы сможете улететь через Амстердам, еще и во времени выиграете; я с удовольствием улажу для вас это дело.

— Что ж, будьте любезны, сделайте это немедленно, — приказала Джулия, роясь в карманах.

Но через миг она в отчаянии уронила голову на стойку под изумленным взглядом портье:

— В чем проблема, мисс?

— Билеты остались у моего отца!

— О, я уверен, что он не замедлит вернуться. Не стоит так переживать; если вам обязательно нужно быть в Нью-Йорке сегодня вечером, у вас в запасе еще немного времени.

В этот момент у входа в отель затормозил черный лимузин, из которого вышел Энтони Уолш. Он толкнул вращающуюся дверь.

— Господи, где ты был? — воскликнула Джулия, бросаясь ему навстречу. — Я чуть с ума не сошла!

— Я впервые вижу, что тебя волнует, как я провожу время и не случилось ли со мной что-нибудь, это поистине знаменательный день!

— Меня волнует не это, а то, что мы рискуем опоздать на самолет!

— На какой самолет?

— Ну мы же вчера вечером договорились лететь домой, неужели ты забыл?

Их разговор прервал портье, вручивший Энтони конверт с только что полученным факсом. Энтони Уолш раскрыл его, прочел факс и обернулся к Джулии.

— Да, разумеется, — весело сказал он, — но это было вчера вечером.

Он бросил взгляд на вещи Джулии и попросил служащего отнести их обратно в номер дочери.

— Пойдем-ка обедать, мне нужно с тобой поговорить.

— О чем? — с тревогой спросила Джулия.

— Обо мне! Ладно, ладно, не смотри на меня так, уверяю тебя, я пошутил...

Они сели обедать на террасе.

———————————

Пронзительный звон будильника вырвал Стенли из сонного кошмара. Едва он открыл глаза, как жестокая мигрень — результат вчерашнего вечера, когда вино лилось рекой, — огненными тисками сжала ему голову. Он встал и, шатаясь, побрел в ванную.

Изучив в зеркале свое опухшее лицо, он поклялся себе не притрагиваться к алкоголю до конца месяца, что выглядело вполне разумно, особенно если учесть, что нынче было двадцать девятое. И хотя Стенли казалось, что в висках у него стучит отбойный молоток, предстоящий день обещал много хорошего. Например, к началу обеденного перерыва он позвонит Джулии, предложит зайти за ней в офис, и они прогуляются вдоль реки. Однако Стенли тут же нахмурился: он вспомнил, что его лучшей подруги нет в городе и со вчерашнего дня она не подавала о себе вестей. При этом он, хоть убей, никак не мог вспомнить, что он наболтал Адаму за обильными возлияниями во время вчерашнего ужина. И только позже, влив в себя большую чашку чая, он призадумался: а не выскочило ли у него вчера, чисто случайно, слово "Берлин"? Приняв душ, он стал размышлять, имеет ли смысл посвятить Джулию в свои сомнения, которые крепли и превращались в уверенность. Может, позвонить ей и признаться во всем... или лучше не надо?

— Единожды солгавший будет лгать всегда! — объявил Энтони, протягивая Джулии меню.

— Ты на меня намекаешь?

— Не воображай, что ты пуп земли, моя дорогая! Я имел в виду твоего дружка Кнаппа!

Джулия положила меню на стол и знаком отослала приближавшегося официанта.

— О чем ты?

— А ты как думаешь, о чем я могу говорить в Берлине, в ресторане, за обедом в твоем обществе?

— Ты что-то раскопал?

— Я раскопал, что Томас Майер, он же Томас Ульман, является репортером газеты "Тагесшпигель", и могу дать голову на отсечение, что он каждый день общается с этим поганцем, который наговорил нам невесть что.

— С чего ты взял, что Кнапп нас обманул?

— Ну это ты сама у него спросишь. Я подозреваю, что на то есть свои причины.

— И как же ты узнал все это?

— А я наделен сверхъестественными способностями! Вот тебе одно из преимуществ человека, низведенного до состояния машины.

Джулия растерянно взирала на отца.

— Что тебя удивляет? — продолжал Энтони. — Ты ведь придумываешь мудрых зверюшек, которые беседуют с людьми, так почему же я не имею права блеснуть кое-какими неординарными качествами перед своей дочерью?

Энтони протянул было Джулии руку, но, спохватившись, отдернул ее, взял стакан и поднес его к губам.

— Осторожно, это же вода! — крикнула Джулия.

Энтони испуганно дернулся.

— Я... я не уверена, что это полезно для твоего электронного устройства, — шепнула она, сконфуженная тем, что привлекла внимание других посетителей.

Энтони устремил на дочь испуганный взгляд.

— Ты, кажется, спасла мне жизнь, — сказал он, отставив стакан. — Вернее... то, что можно назвать жизнью.

— Так каким же образом ты это узнал? — повторила Джулия.

Энтони пристально посмотрел на нее и решил умолчать о своем утреннем посещении архивов Штази. В конце концов, важны были не поиски, а их результат.

— Можно сменить фамилию, подписывая статьи, но когда ты пересекаешь границу, это совсем другое дело. Если мы увидели тот знаменитый рисунок в Монреале, значит, он там побывал; отсюда я сделал вывод, что он, вполне возможно, мог заодно посетить и Соединенные Штаты.

— Значит, ты действительно имеешь сверхъестественные способности?

383

— Ну... главное, что я имею старого друга, который прежде работал в полиции.

— Спасибо! — прошептала Джулия.

— Что ты намерена делать?

— Сама не знаю. Прежде всего я просто счастлива, что Томас стал тем, кем мечтал стать.

— А именно?

— Он мечтал работать репортером.

— И ты полагаешь, что это было единственной его мечтой? Неужели ты действительно думаешь, что в тот день, когда ему захочется пересмотреть свою прошлую жизнь, он откроет альбом с газетными вырезками и фотографиями из своих репортажей? Карьера — подумаешь, невидаль! Да знаешь ли ты, сколько людей в минуту одиночества ясно осознали, что эта пресловутая удача, которую, по их убеждению, им удалось поймать, навсегда разлучила их с близкими, а то и с самими собой?

Джулия взглянула на отца и инстинктивно почувствовала, сколько грусти таилось в его улыбке.

— Ладно, можешь не отвечать на мой вопрос; скажи только, что ты собираешься делать?

— Вернуться в Берлин — это, конечно, было бы самое разумное.

— Знаменательная оговорка! Ты сказала — Берлин? Но, по-моему, ты живешь в Нью-Йорке.

— О, это просто моя глупая рассеянность.

— Странно, еще вчера ты назвала бы это *знаком*.

— Но ты же сам недавно сказал: вчера — это вчера.

— Не заблуждайся, Джулия, — негоже строить свою жизнь на воспоминаниях, которые легко оборачиваются сожалениями. Счастье должно быть подкреплено хоть чем-нибудь определенным, даже в минимальной степени. И еще помни, что теперь тебе придется делать выбор самостоятельно. Меня уже не будет рядом, чтобы принимать за тебя решения, да, впрочем, ты уже давно принимаешь их сама. Но только берегись одиночества, это опасная компания для человека.

— А ты-то с ним знаком — с одиночеством?

— Мы частенько встречались на протяжении долгих лет — если ты это хотела узнать, — но чтобы прогнать его, мне достаточно было вспомнить о тебе. Скажем так: я осознал некоторые вещи, хоть и слишком поздно; а впрочем, не мне жаловаться, ведь большинству таких же, как я, глупцов никогда не достанется та исключительная привилегия, что выпала на мою долю, пускай всего лишь на несколько дней. Послушай, Джулия, я произнесу еще кое-какие верные слова: мне очень не хватало тебя, но теперь я уже ничего не могу сделать, чтобы наверстать потерянные годы. Я упустил их как последний дурак, потому что нужно было работать, потому что я считал своим долгом выполнять какие-то обязанности, играть какую-то роль, а ведь единственным стоящим театром моей жизни была ты... Ну ладно, хватит болтать, эти причитания не нужны ни тебе, ни мне. Я охотно проводил бы тебя к Кнаппу, чтобы надавать ему пинков в задницу и выбить из него правду, но я слишком устал, а кроме того, как я уже говорил, это твоя и только твоя жизнь.

И Энтони потянулся за лежавшей на столе газетой. Развернул ее и начал просматривать страницу за страницей.

— А я думала, ты не читаешь по-немецки, — сказала Джулия, проглотив комок в горле.

— Ты еще здесь? — удивился Энтони, переворачивая страницу.

Джулия сложила свою салфетку, отодвинула стул и встала.

— Я тебе позвоню после того, как встречусь с ним, — сказала она, отходя от стола.

— Смотри-ка, они обещают к вечеру ясную погоду! — отозвался Энтони, глядя в небо.

Но Джулия уже вышла на улицу и остановила такси. Энтони сложил газету и вздохнул.

———————

Такси подъехало к терминалу аэропорта Рим-Фьюмичино. Томас расплатился с водителем и обошел машину, чтобы открыть дверцу для Марины. Пройдя регистрацию и контроль безопасности, он повесил сумку на плечо и взглянул на часы. Самолет отправлялся через час. Марина бродила вдоль витрин бутиков; он взял ее за руку и повел в бар.

— Что будешь делать сегодня вечером? — спросил он, заказав два кофе у стойки.

— Собираюсь побывать в твоей квартире, мне давно хотелось увидеть, как там у тебя.

— Большая комната, рабочий стол у окна и кровать напротив, у стены.

— Это меня вполне устраивает; ничего другого и не требуется, — ответила Марина.

———————

Джулия распахнула дверь редакции "Тагесшпигель", подошла к стойке приема и попросила встречи с Юргеном Кнаппом. Женщина-портье сняла трубку.

— И скажите ему, что я буду ждать здесь, в холле, пока он не придет, хоть целый день.

387

Прислонившись к стенке прозрачной кабины лифта, Кнапп не сводил глаз с посетительницы. Джулия расхаживала взад-вперед возле стенда со свежими номерами газеты.

Двери лифта разомкнулись. Кнапп пересек холл:

— Чем могу помочь, Джулия?

— Для начала скажи, зачем ты мне солгал.

— Давай-ка пойдем туда, где поспокойнее.

И Кнапп повел ее к лестнице. Он предложил ей сесть в маленьком салоне возле кафетерия, а сам начал рыться в карманах в поисках мелочи.

— Кофе, чай? — спросил он, подходя к автомату с горячими напитками.

— Ни то ни другое!

— Зачем ты приехала в Берлин, Джулия?

— Неужели ты так недогадлив?

— Мы не виделись почти двадцать лет, как же я могу угадать, что тебя привело сюда?

— Томас!

— Согласись, что после стольких лет это по меньшей мере странно.

— Где он?

— Я тебе уже сказал — в Италии.

— Ну да, с женой и детками, и вдобавок забросил журналистику, это я уже слышала. Но в этой прекрасной басне все или почти все —

вранье. Он сменил фамилию, но работает репортером.

— Если тебе это известно, зачем ты тратишь время на разговоры со мной?

— Я вижу, ты решил поиграть со мной в вопросы-ответы? Тогда сначала ответь на мой вопрос: почему ты скрыл от меня правду?

— Значит, тебе хочется, чтобы мы задавали друг другу серьезные вопросы? Ладно, у меня ведь найдется несколько вопросов и для тебя. К примеру, задумывалась ли ты о том, приятно ли будет Томасу увидеться с тобой? И по какому праву ты хочешь взять да и свалиться ему на голову? Просто потому, что, по-твоему, настал подходящий момент? Или потому, что тебе это просто взбрело в голову? И вот ты являешься из далекого прошлого, но только здесь уже нет никаких стен, которые нужно разрушить, никаких революций, которые нужно совершить, никакого экстаза и опьянения свободой, никаких безумств! Осталась лишь малая толика рассудительности, свойственной взрослым людям, которые стараются как могут продвинуться в жизни, построить карьеру. Тебе нет здесь места, Джулия, так что уезжай из Берлина, возвращайся домой. Ты и так успела наломать тут дров...

— Не смей так со мной говорить! — прервала его Джулия, губы у нее дрожали.

389

— А почему? Разве я не имею на это права? Тогда давай продолжим игру в вопросы. Где ты была, когда Томас подорвался на мине? Стояла ли ты у трапа самолета, когда он вернулся из Кабула изувеченным? Провожала его каждое утро на сеанс реабилитации? Утешала его, когда он приходил в отчаяние? Не ищи ответа, я сам его знаю, ведь именно твое отсутствие угнетало его сильнее всего! Ты хоть представляешь себе, какое зло причинила ему, на какое одиночество обрекла, сколько длилась эта пытка? Знаешь ли ты, что этот дурень, с его разбитым сердцем, все-таки находил в себе силы оправдывать тебя, тогда как я делал все возможное, чтобы он тебя возненавидел?

По щекам Джулии струились слезы, но ничто уже не могло остановить Кнаппа:

— Можешь ли ты сосчитать, сколько долгих лет ему понадобилось, чтобы наконец решиться перевернуть эту страницу своей жизни и покончить с любовью к тебе? По какому бы уголку Берлина мы ни проходили с ним по вечерам, он вспоминал о ваших прогулках, и все, буквально все — витрина кафе, скамейка в парке, столик в таверне, берег канала — пробуждало в нем воспоминания. Знаешь ли ты, сколько свиданий кончилось ничем, сколько женщин, пытавшихся его любить, натыкались то на аромат твоих духов, то на твои дурацкие словечки, которые так смешили его?

Мне пришлось выслушать о тебе все, что только можно знать о человеке: нежность твоей кожи, утренние капризы, которые он находил такими очаровательными — я так и не понял почему, — и что ты ела на завтрак, и как ты закалывала волосы, и чем подкрашивала глаза, и какую одежду предпочитала носить, и с какой стороны кровати любила спать. Мне пришлось тысячи раз выслушивать пьески, которые ты разучивала по средам на уроках музыки, потому что он, терзая себе душу, продолжал играть их неделя за неделей, год за годом. Мне пришлось рассматривать все те рисунки, которые ты делала акварелью или карандашом, всех этих дурацких зверей, которых он знал по именам. От скольких витрин мне пришлось его оттаскивать, потому что какое-то платье могло бы понравиться тебе, потому что тебе приглянулась бы та или иная картинка, тот или иной букет. И сколько раз я спрашивал себя: чем ты околдовала его, чтобы он так безумно тосковал по тебе?

А когда ему наконец-то хоть немного полегчало, я все равно чувствовал, как он вздрагивает, встретив женщину, похожую на тебя, —

каждый такой фантом мог снова вернуть его страдания. Какой невероятно долгой была эта дорога к новой свободе! Ты спросила, почему я тебе солгал. Ну вот, теперь, я надеюсь, ты знаешь ответ.

— Но я никогда не хотела причинять ему зло, Кнапп, никогда! — захлебываясь слезами, пролепетала Джулия.

Кнапп взял бумажную салфетку и протянул ей:

— А почему ты плачешь, Джулия? Как сложилась твоя жизнь? Ты замужем или, может, разведена? Дети есть? Тебя перевели работать в Берлин?

— Не старайся быть жестоким, Кнапп!

— Ну, не тебе упрекать меня в жестокости.

— Ты же ничего не знаешь...

— Зато многое угадываю! Прошло двадцать лет, и ты передумала — так, что ли? Но уже слишком поздно. Он написал тебе письмо, приехав из Кабула, — только не вздумай отрицать это, я сам помогал ему находить нужные слова. И видел его убитое лицо, когда он возвращался из аэропорта в последний день каждого месяца, когда он ждал твоего приезда. Но ты сделала свой выбор, и он смирился с ним, не осудив тебя, — может, ты это хотела узнать? Теперь ты знаешь и можешь спокойно возвращаться обратно.

— Да не делала я никакого выбора, Кнапп! Это письмо от Томаса... я получила его только позавчера.

———————

Самолет пролетал над Альпами. Марина задремала, прижавшись щекой к плечу Томаса. Он опустил шторку иллюминатора и закрыл глаза, ему тоже хотелось поспать. Через час они должны были сесть в Берлине.

———————

Джулия рассказала всю свою историю, и Кнапп ни разу ее не прервал. Она тоже долго оплакивала человека, которого считала умершим. Закончив свой рассказ, она встала, в последний раз попросила прощения за причиненное ею зло — невольно, она ведь ни о чем не знала, — попрощалась с Кнаппом, взяв с него обещание никогда не рассказывать Томасу о ее приезде в Берлин. Кнапп смотрел, как она уходит по длинному коридору, ведущему к лестнице. Когда Джулия поставила ногу на первую ступеньку, он вдруг выкрикнул ее имя. Джулия обернулась.

— Я не могу сдержать это обещание, не хочу терять своего лучшего друга. Томас сейчас в самолете, который летит сюда из Рима и совершит посадку через сорок пять минут.

19

Тридцать пять минут — ровно столько было в ее распоряжении, чтобы вовремя добраться до аэропорта. Ворвавшись в такси, Джулия посулила шоферу двойную плату, если они успеют. На втором перекрестке, когда машина остановилась у светофора, она вдруг распахнула дверцу, вознамерившись сесть рядом с водителем в тот самый миг, как загорелся зеленый свет.

— Пассажиры должны сидеть сзади! — возопил шофер.

— Вы правы, но смотреться в ваше зеркальце можно только на переднем сиденье, — возразила она, опуская противосолнечный щиток. — Езжайте же, schnell, schnell![1]

---

1 Быстрей, быстрей! (*нем.*)

То, что она увидела в зеркале, ей очень не понравилось. Веки распухли, глаза и кончик носа покраснели от слез — стоило ждать двадцать лет, чтобы упасть в объятия такого вот кролика-альбиноса... Нет, уж лучше бы Томасу и вовсе не приезжать! Крутой вираж, едва не заваливший машину набок, свел на нет первую попытку Джулии навести красоту. Она выругалась; в ответ шофер поставил ее перед выбором: либо он доставит ее в аэропорт через пятнадцать минут, либо сейчас же остановится на обочине и даст ей возможность размалевать себе физиономию.

— В аэропорт! — крикнула она и начала подкрашивать ресницы.

Шоссе было забито машинами. Джулия молила шофера: пусть обгоняет других по встречной полосе! За такое нарушение водителю грозила потеря лицензии, но Джулия поклялась, что, если их застукают, она притворится, будто у нее начались роды. Шофер возразил, что для этого надо иметь подходящие габариты и вряд ли кто-то поверит такому наглому вранью. Но его пассажирка выпятила живот и громко заохала, держась за поясницу. "Ладно, бог с вами!" — вздохнул шофер, нажав на акселератор.

— Я ведь в самом деле немного раздалась, разве нет? — забеспокоилась Джулия, оглядывая свою фигуру.

В восемнадцать часов двадцать две минуты она выскочила из машины еще до того, как та окончательно затормозила. Перед ней простирался длиннющий терминал.

Джулия спросила у проходившего мимо стюарда, куда прибывают международные рейсы. Тот указал ей на западный конец терминала. Задыхаясь, она как безумная помчалась туда, добежала, впилась глазами в табло. Никакого рейса из Рима на нем не было. Джулия сбросила туфли и совершила такой же сумасшедший марш-бросок в противоположную сторону. Там стояла плотная толпа встречающих, и Джулия с трудом проложила себе дорогу к самому барьеру. Появились первые пассажиры; автоматические двери то и дело разъезжались, пропуская тех, кто успел получить багаж. Туристы, отпускники, торговцы, бизнесмены, мужчины и женщины, одетые кто во что, в зависимости от рода занятий, повалили в зал. Приветственные взмахи рук, объятия и поцелуи, деловые рукопожатия; здесь говорили по-французски, там по-испански, чуть дальше по-английски; наконец стали выходить прибывшие четвертым рейсом, и зазвучала итальянская речь.

Двое согбенных студентов с рюкзаками шествовали под руку, напоминая парочку черепах; за ними, уткнувшись в свой требник и подпрыгивая, как сорока, семенил священник; второй пилот и стюардесса обменивались адресами — они наверняка в прошлой жизни были жирафами; конгрессмен вытягивал шею и озирался, точно филин, в поисках своей группы; девочка, воздушная, как стрекоза, летела в распростертые объятия своей мамы; муж-медведь облапил приехавшую супругу-медведицу, и вдруг неожиданно среди сотен незнакомцев возник Томас, ничуть не изменившийся, точно такой же, каким он был двадцать лет назад.

Под глазами пролегли тонкие морщинки, ямочка на подбородке стала чуть глубже, лицо обрамляла короткая бородка, но этот мягкий, струящийся взгляд, который некогда возносил ее над крышами Берлина, кружил в воздухе в сиянии полной луны над парком Тиргартена, остался прежним. Затаив дыхание, Джулия встала на цыпочки, придвинулась вплотную к барьеру и подняла руку. В этот момент Томас отвернулся и что-то сказал молодой женщине, которая обнимала его за талию; они прошли прямо перед Джулией, и ее пятки опустились на пол. Пара вышла из терминала и исчезла.

— Хочешь, поедем сперва ко мне? — спросил Томас, захлопывая дверцу такси.

— Нет, раз уж мне теперь не к спеху осматривать твое жилище, лучше начать с визита в редакцию. Уже поздно, Кнапп может уйти, а для моей карьеры очень важно, чтобы он меня увидел, — ведь именно под таким предлогом я сопровождаю тебя в Берлин, не правда ли?

— Потсдамерштрассе, — сказал Томас шоферу.

Женщина, которая села только в десятое по счету такси после них, назвала шоферу адрес своего отеля.

Портье сообщил Джулии, что отец ждет ее в баре. Она нашла его за столиком возле окна.

— Судя по всему, дела у тебя незавидные, — сказал он, вставая ей навстречу.

Джулия бессильно упала в кресло:

— Скажи лучше, что совсем скверные. Кнапп соврал только наполовину.

— Ты видела Томаса?

— В аэропорту, он прилетел из Рима... вместе со своей женой.

— Вы с ним говорили?

— Он меня не заметил.

Энтони подозвал официанта.

— Хочешь выпить чего-нибудь?

— Я хочу вернуться домой.

— У них были обручальные кольца?

— Она обнимала его за талию; не могла же я потребовать у них свидетельство о браке!

— Хочу напомнить, что всего несколько дней назад тебя, кажется, тоже кто-то обнимал за талию. Правда, я не мог видеть, кто именно, поскольку это происходило на моих похоронах... хотя, с другой стороны, частично я там присутствовал... Уж извини, но меня смех разбирает, когда я так говорю.

— Не нахожу ничего смешного. В тот день мы с Адамом должны были пожениться. Ну да ладно! Завтра это бессмысленное путешествие закончится, так что все к лучшему. Кнапп был прав — у меня нет никакого права вторгаться в его жизнь.

— Но может быть, ты имеешь право на второй шанс?

— Для кого — для него, для тебя или для меня? Нет, это было эгоистическое решение, изначально обреченное на неудачу.

— Что же ты намерена делать?

— Собрать чемодан и лечь спать.

399

— Я имею в виду — после нашего возвращения.

— Подвести черту, попытаться склеить разбитые горшки, все забыть и жить так, как жила до этого; на сей раз у меня нет другого выбора.

— Неправда, есть: ты можешь выбрать другой путь — пойти до конца, чтобы полностью прояснить ситуацию.

— Это ты будешь давать мне уроки любви?

Энтони пристально взглянул на дочь и подвинул ближе свое кресло:

— Ты помнишь, что делала почти каждую ночь, когда была маленькой, — я хочу сказать, до того, как тебя одолевал сон?

— Читала под одеялом при свете фонарика.

— А почему ты не зажигала верхний свет в комнате?

— Чтобы ты думал, что я сплю, в то время как я тайком глотала книжки...

— И ты никогда не задавалась вопросом: что за волшебный у тебя фонарик?

— Н-нет... а почему я должна была?..

— Погас ли твой фонарик хоть один раз за все те годы?

— Нет, — озадаченно произнесла Джулия.

— А ведь тебе никогда не приходилось менять в нем батарейки... Джулия, милая моя

Джулия, да что ты знаешь о любви — ведь ты всегда любила лишь тех, кто служил лестным зеркалом для тебя самой. Посмотри мне в глаза и расскажи всю правду о своей свадьбе, о своих планах на будущее; поклянись, что, кроме этого неожиданного путешествия, ничто не способно омрачить твою любовь к Адаму. Что ты знаешь о чувствах Томаса, о том, чем он сейчас живет? Можешь ли сказать, как повернется твоя собственная жизнь? Нет, не можешь, но ты устроила трагедию из того, что какая-то женщина обнимала его за талию. Хочешь, поговорим с тобой совсем уж откровенно, и я задам тебе один вопрос, а ты обещай ответить на него предельно искренне. Сколько времени длился самый долгий из твоих романов? Я имею в виду не Томаса и не платонические привязанности, а реальный опыт. Два, три, четыре года или, может быть, целых пять? Впрочем, не будем мелочиться — принято считать, что любовь длится семь лет. Ну, будь же честной и скажи мне правду: смогла бы ты в течение семи лет отдавать себя кому-нибудь безраздельно, беззаветно, бесстрашно, не питая сомнений и ясно сознавая при этом, что человек, которого ты любишь больше всего на свете, забудет почти все, что вы пережили вместе с ним? Смиришься ли с тем, что твоя

401

преданность, твоя любовь и заботы сотрутся в его памяти и что природа, которая не терпит пустоты, однажды заменит эту амнезию на упреки и сожаления? И зная, что это неизбежно, найдешь ли ты в себе силы вставать среди ночи, если твой любимый захочет пить, если ему попросту приснится страшный сон? Захочется ли тебе каждое утро готовить ему завтрак, стараться заполнить его дни, развлекать его, читать какие-нибудь истории или петь песни, когда он заскучает, выходить с ним на прогулки, когда ему захочется подышать воздухом, пусть даже в лютую стужу, а потом, к вечеру, преодолев собственную усталость, приходить к нему и садиться в ногах постели, чтобы разгонять его страхи и беседовать с ним о будущем, в котором тебе наверняка уже не найдется места? Если на каждый из этих вопросов ты ответишь "да", тогда прости меня за то, что я неверно судил о тебе; тогда ты действительно знаешь, что такое настоящая любовь.

— Ты говорил это, думая о маме?

— Нет, моя дорогая, я думал о тебе. Любовь, которую я только что описал, это любовь отца или матери к своим детям. Сколько дней и ночей мы неотрывно следим за каждым вашим шагом, ограждая от малейшей грозящей вам опасности, любуясь вами, помогая расти, осушая ваши слезы и развлекая вас; сколько километров в парках зимой и на пляжах летом пробегаем мы вместе с вами, сколько слов повторяем несчетное число раз, сколько времени посвящаем вам! И однако, несмотря на все это... с какого возраста вы начинаете впервые осознавать себя?

Понимаешь ли ты, как сильно нужно любить, чтобы научиться жить только для вас, зная, что вы все равно забудете свои первые детские годы, что во взрослом возрасте будете страдать оттого, что мы где-то допустили промах, что неизбежно настанет день, когда вы покинете нас, гордясь отвоеванной свободой?!

403

Ты упрекала меня в частых отлучках. А знаешь ли ты, как горько у нас на душе в тот день, когда дети уходят из дома? Измеряла ли когда-нибудь всю глубину этой потери? Я расскажу тебе, что с нами тогда происходит: стоишь как последний дурак на пороге, глядя вам вслед и убеждая себя, что нужно радоваться этому неизбежному порыву к свободе, этой беззаботной жажде независимости, которая гонит вас прочь из дома, а у нас отнимает нашу кровь и плоть. И когда за вами захлопывается дверь, для нас наступает совсем другая жизнь: нужно суметь заполнить чем-нибудь опустевшие комнаты, отучиться ловить звуки ваших шагов, забыть про утешающее поскрипывание ступенек, по которым вы прежде крались наверх, вернувшись за полночь, после чего можно было наконец спокойно уснуть, а не терзаться бессонницей, как терзаемся мы после вашего ухода, зная, что вы больше не вернетесь. Но главное заключается в том, Джулия, дорогая, что ни один отец, ни одна мать еще не снискали себе ни славы, ни выгоды от привязанности к детям, ибо настоящая любовь бескорыстна и безоглядна — мы любим просто потому, что любим. Ты никогда не простишь мне того, что я разлучил тебя с Томасом, и теперь я в последний раз прошу прощения за то, что не отдал тебе его письмо.

Энтони поднял руку, подзывая официанта, чтобы тот принес ему воды. На лбу у него выступили капли пота, он вынул платок из кармана.

— Я прошу у тебя прощения, — твердил он, не опуская руки, — я прошу у тебя прощения... прошу у тебя прощения... прошу прощения...

— Что я тобой? — с тревогой спросила Джулия.

— Я прошу у тебя прощения, — повторил Энтони еще три раза подряд.

— Папа!

— Я прошу у тебя прощения... я прошу...

Он встал, пошатнулся и упал обратно в кресло.

Джулия позвала на помощь официанта, но Энтони жестом дал ей понять, что это излишне.

— Где мы? — спросил он, бессмысленно озираясь.

— В Берлине, в баре отеля!

— А что у нас сейчас? Какой сегодня день? И почему я здесь?

— Ради бога, замолчи! — испуганно взмолилась Джулия. — Сегодня пятница, мы вместе совершили это путешествие. Четыре дня назад мы покинули Нью-Йорк, чтобы найти Томаса, ты помнишь? И все из-за того дурацкого рисунка, который я увидела на набережной Монреаля. Ты мне его подарил, а потом решил поехать сюда, неужели ты забыл? Ты просто утомился, тебе нужно экономить свои батарейки; я знаю, что это глупо, но ты ведь сам мне так объяснял. Ты хотел говорить со мной обо всем, а вышло так, что мы говорили только обо мне. Ты должен все вспомнить, ведь у нас остается два дня, всего два дня, только для нас с тобой, чтобы мы могли сказать друг другу все, чего не досказали. Я хочу снова научиться всему, что забыла, хочу снова услышать истории, которые ты мне рассказывал. Например, ту историю про

летчика, которому пришлось посадить самолет в джунглях на берегах Амазонки, потому
что у него кончилось горючее, а потом он за-
блудился, но ему встретилась выдра, и она
показала ему дорогу. Я даже помню цвет ее
шкурки — она была голубая, того особого го-
лубого цвета, который только ты один мог
описать так ярко, во всем богатстве красок.

И Джулия, поддерживая отца под локоть,
довела его до номера.

— Ты плохо выглядишь; ну-ка, ложись
и поспи, завтра будешь чувствовать себя бод-
рее.

Но Энтони отказался ложиться в постель,
объявив, что в кресле у окна ему будет гораздо удобней.

— Вот видишь, — сказал он, садясь, — странная штука эта любовь: ясно понимаешь, что
лучше отказаться от нее из боязни страда-
ний, из боязни быть брошенным в один прекрасный день. Однако же мы любим жизнь,
хотя знаем, что и она однажды нас покинет.

— Перестань, не говори так...

— А ты перестань строить планы на будущее, Джулия. Не стоит "склеивать разбитые
горшки" — нужно просто жить, жить настоящим, хотя оно никогда не бывает таким,
каким мы его задумывали. Одно могу тебе
сказать: жизнь пролетает с ужасающей быст-

ротой. И потому нечего сидеть тут, со мной, в этом номере, — уходи, спеши туда, по дороге своих воспоминаний! Ты хотела прояснить ситуацию, так не медли. Ты уехала отсюда двадцать лет назад — постарайся же наверстать эти годы, пока еще не поздно. Сегодня вечером Томас находится в том же городе, что и ты, — не важно, видел он тебя или нет. Вы дышите одним воздухом. Ты знаешь, что он здесь, так близко к тебе, как никогда уже не будет. Так иди же на улицу, заглядывай в каждое освещенное окно и слушай, что говорит твое сердце, когда тебе чудится силуэт Томаса за какой-нибудь занавеской; если ты поймешь, что это и вправду он, выкрикни его имя, и он услышит тебя, и выйдет к тебе — или не выйдет, признается в любви — или прогонит с глаз долой, но, по крайней мере, ты будешь точно знать, на каком ты свете.

И Энтони попросил Джулию оставить его одного. Она подошла к отцу, и он сокрушенно произнес, пытаясь улыбнуться:

— Я очень сожалею, что напугал тебя там, в баре, мне не следовало бы...

— Но ты же не притворялся, тебе действительно было плохо.

— Думаешь, я не горевал, когда твоя мать начала терять рассудок? Тебе было плохо без нее, но разве мне было легче? Я прожил рядом с ней целых четыре года, и все это время она даже не помнила, кто я такой. А теперь беги, это твоя последняя ночь в Берлине!

Джулия спустилась в свой номер и прилегла. Телевизионные программы не представляли никакого интереса, глянцевые журналы, разложенные на низком столике, все были на немецком. Наконец она встала с постели и решила выйти на улицу. К чему сидеть в четырех стенах, если эти последние часы в Берлине можно побродить по городу, подышать мягким вечерним воздухом. Она открыла чемодан в поисках свитера, и ее рука нащупала в глубине, среди вещей, голубой конверт, спрятанный когда-то давно между страницами учебника истории, стоявшего на полке в ее детской комнате. Взглянув на исписанный листок, она сунула письмо в карман.

Перед тем как выйти из отеля, она поднялась на верхний этаж и постучала в дверь номера-люкс, где отдыхал отец.

— Ты что-то забыла? — спросил Энтони, открыв ей.

Джулия не ответила.

— Не знаю, куда ты собралась, лучше не говори мне, только не забудь, что завтра я буду ждать тебя в холле в восемь утра. Я уже заказал машину. Мы непременно должны успеть на этот самолет — тебе нужно доставить меня в Нью-Йорк.

— Как ты думаешь, люди когда-нибудь перестанут страдать от любви? — спросила Джулия, стоя на пороге.

— Если тебе повезет, никогда!

— Ну, значит, настал мой черед просить у тебя прощения — я должна была поделиться этим с тобой раньше. Оно адресовано мне, и я хотела его сохранить для себя одной, но там кое-что касается и тебя тоже.

— О чем ты говоришь?

— О последнем мамином письме.

Она протянула отцу конверт и ушла.

Энтони проводил Джулию взглядом. Затем посмотрел на конверт, который она ему вручила, и тотчас узнал почерк своей жены; поникнув, он с глубоким вздохом сел в кресло и начал читать.

"Джулия,

Ты входишь в эту комнату, и твой силуэт четко вырисовывается в полоске света, который впускает приоткрытая тобой дверь. Я слышу твои шаги, они приближаются. Я хорошо знаю черты твоего лица; иногда мне приходится долго вспоминать твое имя, но зато

409

я помню твой запах, такой знакомый; я помню его, потому что мне он приятен. Только это благоухание и заглушает гнетущую тревогу, что держит меня в тисках день за днем, день за днем... Наверное, ты и есть та молодая девушка, которая часто приходит с наступлением вечера; значит, когда ты приближаешься к моей кровати, вечер уже близко. Твои слова звучат нежно и более мягко, чем слова мужчины, который приходит в полдень. Он говорит, что любит меня, и я ему тоже верю, потому что чувствую, что он желает мне добра. Зато у него такие мягкие движения; иногда он встает и отходит к другому свету, который падает на деревья за окном; иногда он припадает к стеклу головой и плачет от горя, которого я не понимаю. Он называет меня именем, которое мне тоже неизвестно, но я каждый раз откликаюсь, чтобы его порадовать. Хочу тебе признаться: когда он зовет меня этим именем, я улыбаюсь в ответ, и мне кажется, что ему как будто становится легче. А еще я улыбаюсь ему в благодарность за то, что он меня кормил.

Ты присела рядом со мной, на краешек кровати, твои тоненькие пальчики гладят мой лоб. И я больше не боюсь. Ты все время зовешь меня, и я читаю в твоем взгляде, что тебе тоже хочется, чтобы я назвала тебя по имени. В твоих глазах больше нет печали, поэтому мне и приятно, когда ты приходишь. Потом твои пальцы спускаются чуть ниже, и я закрываю глаза. Твоя кожа пахнет моим детством – или, может, твоим? Ты моя дочка, ты моя любовь, сейчас я это знаю и буду помнить еще несколько секунд. Как много мне нужно сказать тебе за эти короткие мгновения! Сердечко мое, я хочу, чтобы ты смеялась, чтобы ты побежала к своему отцу и велела ему больше не плакать, прячась у окна; скажи ему, что я иногда его узнаю, что я знаю, кто он, что я помню, как мы друг друга любили; скажи, что я люблю его снова каждый раз, как он меня навещает.

Доброй ночи, любимая моя девочка, я здесь, и я жду.

411

Твоя мама".

20

Кнапп ждал их в холле. Томас позвонил ему прямо из аэропорта, чтобы сообщить о приезде. Поздоровавшись с Мариной и обняв друга, он повел обоих в свой кабинет.

— Очень хорошо, что надумала приехать, — сказал он Марине, — ты можешь меня здорово выручить. Сегодня вечером ваш премьер-министр пожалует с визитом в Берлин, а журналистка, которая должна была освещать это событие и торжественный прием в его честь после официальной встречи, заболела. В завтрашнем выпуске газеты мы оставили для этого три колонки; давай-ка быстренько переоденься и беги туда. Текст мне нужен к двум часам ночи, чтобы я успел отдать его на корректуру, а потом в типографию до трех часов. Очень сожалею, что нарушаю ваши планы на этот вечер, если они у вас были, но дело срочное, а газета — превыше всего!

Марина встала, попрощалась с Кнаппом, чмокнула Томаса в лоб и шепнула ему на ухо, перед тем как исчезнуть:

— Arrivederci, дурачок!

Томас извинился перед Кнаппом и догнал ее в коридоре:

— Слушай, ты вовсе не обязана стоять перед ним на задних лапках! Мы же собирались поужинать вдвоем!

— А ты разве не стоишь перед ним на задних лапках? Вспомни, в котором часу вылетает твой самолет на Могадишо? Томас, ты же сам тысячу раз говорил мне: работа прежде всего, разве не так? Завтра тебя уже здесь не будет, и кто знает, когда ты вернешься. Так что заботься о себе. Если судьба окажется к нам благосклонна, наши жизни в конце концов где-то пересекутся.

— Возьми хотя бы ключи от моей квартиры и напиши статью дома.

— Мне будет удобней в гостинице. Думаю, что у тебя я не смогу сосредоточиться, слишком уж соблазнительно посещение твоего "палаццо".

— Ну, это у тебя много времени не займет, там всего одна комната.

— Ты действительно мой любимый дурачок — я ведь имела в виду соблазнить тебя, глупый! В следующий раз, Томас, — это если я передумаю — я позволю себе удовольствие разбудить тебя, позвонив в твою дверь. До скорого!

И Марина удалилась, помахав ему на прощание.

———————

— Как у тебя, все в порядке? — спросил Кнапп, когда Томас вернулся в кабинет, сердито захлопнув за собой дверь.

— Ну ты даешь! Я прилетаю в Берлин с Мариной всего на одну ночь, последнюю перед отъездом, а у тебя тут же находится предлог, чтобы отнять ее у меня. Думаешь, я поверил, что у тебя не было никого другого под рукой? Что с тобой случилось, скажи ради бога! Может, она тебе нравится и ты ревнуешь ее ко мне? Может, тебя так душит честолюбие, что, кроме своей газеты, ты уже ничего не видишь? Может, хочешь сам провести со мной вечер?

— Все сказал? — спросил Кнапп, возвращаясь на свое место за письменным столом.

— Ну признайся, что ты редкостный пакостник! — яростно продолжал Томас.

— Я сильно сомневаюсь, что мы с тобой проведем этот вечер вместе. Сядь-ка в это кресло, мне нужно с тобой поговорить, а с учетом того, что я хочу сообщить, тебе лучше выслушать это сидя.

———————

Парк Тиргартена был погружен в вечерний полумрак. На его мощеные дорожки лился тусклый желтоватый свет старинных фонарей. Джулия подошла к каналу. На берегу озера лодочники сцепляли вместе свои судёнышки. Она свернула к той опушке, где находился зоосад. Чуть дальше через реку перешагивал мост. Джулия побрела прямо по лесу, не боясь заблудиться, словно каждая тропинка, каждое дерево в этом парке были ей хорошо знакомы. Теперь перед ней высилась колонна Победы. Она обошла круглую площадку, и ноги сами понесли ее к Бранденбургским воротам. Внезапно Джулия остановилась: она узнала место, где очутилась. Почти двадцать лет назад за поворотом этой аллеи находилась часть Стены. Именно тут она впервые увидела Томаса. А сегодня под липой стояла самая обыкновенная скамья для посетителей парка.

— Я так и знал, что найду тебя здесь, — произнес голос у нее за спиной. — Походка у тебя совсем не изменилась.

Джулия вздрогнула, у нее замерло сердце.

— Томас!

415

— Даже не знаю, что положено делать в таких случаях — пожимать друг другу руки, обниматься? — нерешительно сказал он.

— Вот и я не знаю, — ответила она.

— Кнапп сообщил мне, что ты в Берлине, но он не знал, где именно, и я сначала подумал, не обзвонить ли мне все молодежные хостелы, но их теперь в нашем городе такая уйма... И тогда я сообразил, что, скорее всего, ты придешь сюда.

— Голос у тебя прежний, только чуточку ниже, — сказала Джулия, улыбаясь дрожащими губами.

Он шагнул к ней.

— Если хочешь, я могу вскарабкаться на это дерево и спрыгнуть вниз вон с той ветки — это примерно та же высота, с которой я тогда упал в твои объятия.

Он сделал еще один шаг и обнял ее.

— Время прошло так быстро, а шло так медленно, — сказал он, и его руки сжали ее еще крепче.

— Ты плачешь? — спросила Джулия, гладя его по щеке.

— Нет, просто пылинка в глаз попала... а у тебя?

— А у меня ее сестра-близняшка; глупо, правда? Ведь никакого ветра и в помине нет.

— Тогда закрой глаза, — попросил Томас.

И он знакомым, давним движением легко обвел кончиком пальца губы Джулии, а потом коснулся поцелуем ее век.

— Это был самый чудесный способ пожелать мне доброго утра.

И Джулия приникла щекой к шее Томаса.

— И запах у тебя все тот же, я так и не смогла его забыть.

— Пойдем, — сказал он, — уже холодно, ты вся дрожишь.

Томас взял Джулию за руку и повел в сторону Бранденбургских ворот.

— Ты ведь была сегодня в аэропорту?

— Да, а откуда ты знаешь?

— Почему не окликнула меня?

417

— Наверное, потому, что не очень-то хотела знакомиться с твоей женой.

— Ее зовут Марина.

— Красивое имя.

— Это моя подруга, мы связаны эпистоли-ческими отношениями.

— Хочешь сказать — эпизодическими?

— Что-то вроде этого; знаешь, я ведь по-прежнему слабо владею твоим языком.

— Да нет, ты справляешься совсем неплохо.

Выйдя из парка, они пересекли площадь. Томас подвел ее к террасе кафе. Они сели за столик и долго молча глядели друг на друга, не в силах найти нужные слова.

— С ума сойти, ты совсем не изменилась, — сказал наконец Томас.

— О нет, за эти годы я здорово изменилась, уверяю тебя. Посмотрел бы ты на меня утром, сразу бы понял, сколько лет прошло.

— Мне это не нужно, я считал каждый из них.

Официант откупорил бутылку белого вина, заказанного Томасом.

— Томас, я хочу, чтобы ты знал... насчет твоего письма...

— Кнапп мне все рассказал о вашей встрече. Н-да, твой отец вел себя достаточно последовательно!

418

Он поднял бокал и легонько чокнулся с Джулией. Какая-то пара остановилась возле них, любуясь красотой колоннады.

— Ты счастлива?

Джулия молчала.

— Что у тебя хорошего в жизни? — спросил Томас.

— Вот сижу в Берлине, с тобой, и так же ничего не понимаю, как двадцать лет назад.

— Почему ты приехала?

— У меня же не было твоего обратного адреса. Твое письмо шло ко мне целых двадцать лет, я перестала доверять почте.

— Ты замужем, есть дети?

— Нет еще, — ответила Джулия.

— Нет еще детей или не замужем?

— И детей еще нет, и не замужем.

— А какие планы на будущее?

— У тебя шрам на подбородке, раньше его не было.

— Раньше я падал только со стены, а не от взрывной волны мины.

— Ты стал солидней, — с улыбкой сказала Джулия.

— Спасибо на добром слове!

— Это комплимент, поверь мне, так ты выглядишь лучше.

— Не умеешь ты врать, но я постарел, это факт. Есть хочешь?

— Нет, — ответила Джулия, пряча глаза.

— Я тоже нет. Может, пойдем побродим?

— Знаешь, у меня такое впечатление, что каждое мое слово звучит по-дурацки.

— Вовсе нет, но ты мне пока ничего не рассказала о своей жизни, — грустно сказал Томас.

— Я нашла наше кафе, помнишь его?

— Я больше никогда в него не ходил.

— И хозяин узнал меня.

— Вот видишь, я же сказал, что ты не изменилась.

— Они снесли старый дом, где мы с тобой жили, и построили на его месте новый. От всей нашей улицы остался только маленький скверик напротив.

— Может, оно и к лучшему. От тех мест у меня сохранилось мало добрых воспоминаний, если не считать тех нескольких месяцев, которые мы с тобой там провели. Теперь я живу в западной части города. Для большинства людей это уже не имеет никакого значения, а я до сих пор вижу из своих окон ту старую границу.

— Кнапп много чего рассказал мне про тебя, — продолжала Джулия.

— И что же такого он наговорил?

— Что ты держишь ресторан в Италии и что у тебя куча детишек, которые помогают папе готовить пиццу, — ответила Джулия.

— Вот кретин!.. Откуда он взял эту чепуху?!

— Из воспоминаний о том зле, которое я тебе причинила.

— Полагаю, что я причинил тебе не меньше зла, ведь ты считала меня умершим...

И Томас, прищурившись, взглянул на Джулию:

— Я, наверное, выразился слишком напыщенно, да?

— Да, немного напыщенно, но это правда.

Томас сжал Джулии руку:

— Каждый из нас пошел своей дорогой, так уж распорядилась судьба. Твой отец тоже внес в это свою лепту, но, кажется, и сама судьба не пожелала, чтобы мы были вместе.

— А может, она хотела нас защитить... Может, мы в конце концов перестали бы выносить друг друга и развелись; может, я возненавидела бы тебя больше всех на свете, и тогда мы сейчас не проводили бы этот вечер вместе?

— Нет, все равно проводили бы — обсуждая воспитание наших детей. И потом, разве мало супружеских пар разводится, оставаясь при этом друзьями? У тебя есть близкий человек? Пожалуйста, хоть на этот раз скажи правду, не уходи на дно!

— Знаешь, выражение "уходить на дно" почему-то напоминает о рыбе.

421

— О рыбе? Слушай, ты подала мне хорошую мысль! Ну-ка, идем!

Рядом находился ресторан "Дары моря" с открытой террасой. Томас взял приступом освободившийся столик под разъяренными взглядами ожидавших своей очереди туристов.

— Вот, значит, какой ты стал нахальный! — сказала Джулия, садясь. — Не очень-то это красиво. Смотри, как бы нас не вышибли отсюда.

— В моей работе приходится быть нахалом. Кроме того, здешний хозяин мой друг, так почему бы этим не воспользоваться?!

Как раз в этот миг подоспел хозяин ресторана.

— В следующий раз постарайся вести себя скромней, не то рассоришь меня с клиентами, — шепнул он Томасу.

Томас представил Джулию своему другу.

— Что ты можешь порекомендовать двум совершенно не голодным посетителям? — спросил он.

— Сейчас принесу вам коктейль из креветок, а дальше решите сами — аппетит приходит во время еды.

И хозяин пошел на кухню. В дверях он обернулся, поднял большой палец и многозначительно подмигнул Томасу, давая понять, что нашел Джулию прелестной.

— Я стала рисовальщицей.

— Знаю, мне очень нравится твоя голубая выдра...

— Ты ее видел?

— Не буду врать, что не пропускаю ни одного из твоих мультиков, но поскольку людям моей профессии все становится известно, то имя их создательницы долетело и до моих ушей. Однажды днем я попал в Мадрид и ненадолго оказался свободен. Случайно заметил афишу и пошел в кино; должен сознаться, что понял далеко не все диалоги, поскольку не очень-то силен в испанском, но в главном я разобрался. Можно задать тебе нескромный вопрос?

— Спрашивай все что хочешь.

— Тебя случайно не вдохновил мой незабвенный образ при создании одного из персонажей — медведя?

— Стенли мне сказал, что на тебя гораздо больше похож мой ежик.

— Кто такой Стенли?

— Мой лучший друг.

— А откуда он может знать, что я похож на ежика?

— Ну, наверное, у него развита интуиция, или он ясновидящий, или я ему часто рассказывала о тебе.

— Похоже, у него масса достоинств. Какого рода друг?

— Друг-вдовец, рядом с которым я пережила много важных для меня...

423

— Сочувствую ему!

— Но, поверь, прекрасных моментов.

— Я ему сочувствую, потому что он потерял жену; давно она умерла?

— Не жену, а сожителя...

— Тогда сочувствую вдвойне.

— Ну что ты дурачишься!

— Знаешь, как это ни глупо, но теперь, когда я узнал, что он любит мужчин, я отношусь к нему с двойной симпатией. Ну а кто же вдохновил тебя на образ ласки?

— Мой сосед снизу, хозяин обувного магазина. Расскажи мне про тот день, когда ты ходил смотреть мой мультик. — Каким он был?

— Грустным, когда сеанс кончился.

— Как же я тосковала по тебе, Томас.

— И я тоже — гораздо больше, чем ты можешь себе представить. Но давай лучше поговорим о другом. В этом ресторане нет ни пылинки, так что даже судить будет нечего.

— Ты хотел сказать "винить будет некого"?

— Какая разница! Таких дней, какие я пережил в Испании, было великое множество — и там, и в других местах; они мне выпадают до сих пор. Как видишь, нам действительно необходимо сменить тему, иначе мне придется судить себя самого — за то, что я докучаю тебе своим нытьем.

— А что в Риме?

— Ты так ничего и не рассказала мне о своей жизни, Джулия.

— Двадцать лет... так сразу все и не расскажешь.

— Тебя кто-нибудь ждет?

— Сегодня вечером? Нет.

— А завтра?

— Да. У меня есть кое-кто в Нью-Йорке.

— Это серьезно?

— Я должна была выйти замуж... в прошлую субботу.

— Должна была?

— Нам пришлось отменить эту церемонию.

— По его инициативе или по твоей?

— Из-за моего отца.

— Слушай, да у него это просто мания какая-то! Неужели он и твоему будущему супругу тоже раздробил челюсть?

— Нет, но на сей раз все было еще более неожиданно.

— Я сожалею.

— О нет, ты не должен об этом сожалеть, и я даже не могу на тебя сердиться за это.

— Ты меня неправильно поняла: я сожалею, что он не набил морду твоему жениху, я был бы страшно рад... Прости, теперь я искренне сожалею, что сказал тебе это.

Джулия не смогла удержаться от смеха и от души расхохоталась.

— Что тебя так развеселило?

— Видел бы ты сейчас свое лицо! — воскликнула Джулия, все еще смеясь. — Прямо мальчишка с перемазанной физиономией, которого застукали в буфете над банкой клубничного джема. Теперь-то я наконец поняла, что именно ты вдохновлял меня на создание всех моих персонажей. Ни у кого, кроме тебя, нет такой богатой мимики. До чего же мне тебя не хватало!

— Перестань повторять это, Джулия!

— Почему?

— Потому что в прошлую субботу ты собиралась выйти замуж.

В эту минуту хозяин ресторана подошел к их столику с большим блюдом в руках.

425

— Я придумал, чем вас осчастливить! — радостно объявил он. — Две молоденькие камбалы под легким соусом из душистых трав, а в качестве гарнира немного запеченных овощей, — как раз то, что способно пробудить аппетит у тех, кто его лишен. Итак, я подаю?

— Извини, — сказал Томас другу, — мы уже уходим; принеси мне счет.

— Ушам своим не верю! Не знаю, что тут произошло за время моего отсутствия, но отпустить вас, пока вы не отведали моей камбалы, — нет, об этом даже речи быть не может! Сейчас я пойду украшать эту чудесную парочку, а вы пока можете ругаться сколько влезет и выкладывать друг другу все, что у вас накипело, но потом будьте любезны доставить мне удовольствие и помириться над тарелками с моей рыбкой — это не просьба, Томас, это приказ!

И хозяин отошел к сервировочному столу, чтобы подготовить блюдо, не спуская при этом глаз с Томаса и Джулии.

— Похоже, у тебя нет выбора; придется потерпеть меня еще немного, иначе твой друг будет сильно разгневан, — сказала Джулия.

— Мне тоже так кажется, — ответил Томас, пряча улыбку. — Прости меня, Джулия, я не должен был...

— Прекрати извиняться каждую минуту, тебе это не идет. Давай попытаемся поесть, а затем ты проводишь меня в отель, мне хочется прогуляться пешком вместе с тобой. Хоть это-то я имею право сказать?

— Имеешь, — ответил Томас. — Ну, и как же твой отец помешал вашей свадьбе на этот раз?

— Забудь о нем, расскажи лучше о себе.

И Томас вкратце рассказал о двадцати прошедших годах своей жизни, опустив многие эпизоды; Джулия поступила точно так же. В конце ужина хозяин заставил их отведать свое фирменное шоколадное суфле. Он приготовил его специально для них и подал с двумя ложечками, но Томас и Джулия воспользовались только одной.

Они покинули ресторан глубокой ночью и снова пошли в парк. Полная луна отражалась в озере, и на лунной дорожке колыхались лодки, привязанные к мосткам.

427

Джулия рассказала Томасу китайскую легенду. Он описал ей свои путешествия, умолчав о тех, что были связаны с войнами, а она говорила о Нью-Йорке, о своей работе, довольно много о своем лучшем друге, но ни слова о планах на будущее.

Парк остался позади, теперь они шли по городу. На углу одной площади Джулия вдруг остановилась.

— Ты помнишь? — спросила она.

— Да, именно здесь я нашел Кнаппа в той сумасшедшей толпе. Господи, какая фантастическая была ночь! А как поживают твои приятели-французы?

— Мы с ними давно уже не общались. Матиас стал книготорговцем, Антуан — архитектором. Кажется, один из них живет в Париже, другой в Лондоне.

— Они женаты?

— ...и уже разведены, по последним сведениям.

— Смотри-ка, — сказал Томас, указав на темную витрину кафе, — в это бистро мы всегда заходили, когда встречались с Кнаппом.

— Знаешь, я все-таки разыскала ту цифру, из-за которой вы без конца спорили.

— Какую цифру?

— Число жителей Восточной Германии, которые сотрудничали со Штази, поставляя ей информацию; я обнаружила это два года назад, просматривая в библиотеке журнал со статьей, посвященной падению Стены.

— Значит, два года назад ты интересовалась такими сведениями?

— Их было только два процента от всего населения; вот видишь, ты можешь гордиться своими соотечественниками.

— Да, Джулия, но в их число входила и моя бабушка — я узнал это, когда изучал свое досье в архивах Штази. Я давно подозревал, что на меня завели дело из-за бегства Кнаппа. И представь себе: моя родная бабка поставляла им информацию обо мне, о моих занятиях и друзьях. Оригинальный способ вернуться к воспоминаниям детства, не правда ли?

— Меня уже ничто не удивит — знал бы ты, сколько я пережила за эти последние дни! Слушай, может, она делала это, чтобы уберечь тебя, чтобы тебя не трогали?

— Этого я уже никогда не узнаю.

— Так вот почему ты сменил фамилию?

— Да, я хотел подвести черту под своим прошлым, начать новую жизнь.

— И я была частью того самого прошлого, которое ты стер из памяти?

— Вот твоя гостиница, Джулия.

Она подняла голову; перед ней на фасаде сверкала вывеска "Brandenburger Hof Hotel". Томас обнял ее и грустно улыбнулся.

— Здесь нет ни одного дерева, просто невозможно прощаться в такой обстановке!

— Ты думаешь, у нас тогда что-нибудь получилось бы?

— Кто теперь скажет!

— Я не знаю, как нам попрощаться, не знаю даже, хочется ли мне прощаться с тобой.

— Все-таки отрадно было снова увидеть тебя; спасибо судьбе за этот нежданный подарок! — прошептал Томас.

429

Джулия прижалась лицом к его плечу.

— Да, отрадно.

— Но ты мне так и не ответила на единственный вопрос, который меня волнует: ты счастлива?

— Теперь уже нет.

— А ты думаешь, у нас с тобой получилось бы? — спросил Томас.

— Может быть.

— Значит, ты все-таки изменилась.

— Почему?

— Потому что прежде ты, со своей любовью к сарказмам, ответила бы, что нас ждет фиаско, что ты никогда не смиришься с тем, что я старею, прибавляю в весе, шатаюсь без устали по белу свету...

— Да, но с тех пор я научилась лгать.

— Вот теперь я тебя узнаю, такой я тебя всегда любил...

— Я знаю одно верное средство выяснить, получилось бы у нас тогда... или нет.

— Какое же?

Джулия приникла поцелуем к губам Томаса. Это был долгий, жадный поцелуй двух подростков, влюбленных так сильно, что весь остальной мир перестал для них существовать. Она схватила его за руку и потащила в холл гостиницы. Швейцар дремал на стуле у входа. Джулия подвела Томаса к лифту, нажала кнопку, и их поцелуй продлился до седьмого этажа.

Слитые воедино тела смешивали горячую испарину объятий, возвращая из прошлого самые потаенные воспоминания. Джулия сомкнула веки. Рука Томаса ласково скользила по ее животу, ладони Джулии сомкнулись на его затылке. Мужские губы касались поцелуями то ее плеча, то шеи, обводили плавные округлости грудей, пробегали по всему телу все настойчивее, все смелее; ее пальцы судорожно вцепились в волосы Томаса. Наслаждение волнами захлестывало их обоих, напоминая о прежних безумных минутах плотского экстаза. Ноги сплетались, тела приникали друг к другу так неистово, что, казалось, никакая сила в этом мире не могла бы их разъединить. И все жесты были прежними — иногда неловкими, но по-прежнему полными нежности.

Минуты перетекли в часы, и вот уже бледный рассвет озарил их, забывшихся сном в уютном тепле постели.

431

Где-то вдали церковный колокол прозвонил восемь раз. Томас потянулся и подошел к окну. Джулия села на кровати и взглянула на силуэт в оконном проеме — игра света и тени делала его рельефным.

— До чего же ты красивая! — сказал Томас, обернувшись к Джулии.

Она не ответила.

— Ну что теперь? — ласково спросил он.

— Я хочу есть!

— А эта сумка на кресле, она уже собрана?

— Да, я ведь уезжаю... сегодня утром, — нерешительно ответила Джулия.

— Мне понадобилось десять лет, чтобы забыть тебя, и я думал, что забыл; мне казалось, что я узнал страх на тех войнах, где побывал, но я ошибся по всем пунктам: ничто не идет в сравнение с тем, что я чувствую сейчас, рядом с тобой, в этой комнате, при мысли, что снова потеряю тебя.

— Томас...

— Что ты хочешь мне сказать, Джулия, — что это была ошибка? Может быть. Когда Кнапп признался, что ты здесь, в Берлине, я вообразил, что время каким-то чудом вдруг стерло все препятствия, разлучившие нас, — тебя, девушку с Запада, и меня, парня с Востока. Я надеялся, что теперь, когда мы повзрослели, хотя бы это принесет нам удачу. Но наши жизни по-прежнему идут разным курсом, не так ли?

— Я стала рисовальщицей, ты репортером, мы оба осуществили свои мечты...

— Да, но не самую главную мечту — во всяком случае, у меня. Ты так и не рассказала,

432

каким образом твой отец вынудил тебя отменить свадьбу. Может, он сейчас появится в этой комнате и снова набьет мне морду?

— Мне было восемнадцать лет, и пришлось покориться, ведь я еще была несовершеннолетней. Что касается отца, то он умер. И его похороны пришлись как раз на тот день, когда была назначена моя свадьба; вот теперь ты все знаешь...

— Сочувствую — и ему, и тебе тоже, если испортил тебе жизнь.

— Сочувствие тут бесполезно, Томас.

— Так почему же ты приехала в Берлин?

— Ты же сам знаешь, ведь Кнапп тебе все объяснил. Я получила твое письмо только позавчера и не могла приехать быстрее...

— И не могла выйти замуж, не удостоверившись... так, что ли?

— Тебе не обязательно быть злым.

Томас присел на кровать.

— Я научился жить в одиночестве, для чего мне понадобилось адское терпение. Я проехал полсвета в поисках воздуха, которым дышала ты. Говорят, мысли двух влюбленных в конце концов встречаются, и я часто спрашивал себя, засыпая по ночам, вспоминаешь ли ты меня хоть изредка, как я вспоминаю о тебе; однажды я приехал в Нью-Йорк и стал ходить по улицам, надеясь встретить тебя

433

и одновременно жутко боясь этой встречи. Много раз мне чудилось, будто я тебя вижу, и сердце у меня замирало, когда вдали возникал женский силуэт, похожий на твой. Я поклялся никогда больше не влюбляться так страстно, так безумно, до полного забвения самого себя. Но время прошло, и наше время прошло тоже, разве нет? Спросила ли ты себя об этом, прежде чем сесть в самолет?

— Замолчи, Томас, не смей портить то, что было. Что ты хочешь от меня услышать? Долгими днями и ночами я смотрела в небо, уверенная, что ты видишь меня оттуда, сверху... Поэтому я ни о чем не спрашивала себя, когда садилась в самолет.

— И что же ты предлагаешь? Остаться друзьями? Хочешь, чтобы я звонил тебе, когда судьба забросит меня в Нью-Йорк? Чтобы мы заходили куда-нибудь выпить по стаканчику и перебрать приятные воспоминания, как парочка сообщников, связанных чем-то запретным? Чтобы ты показывала мне фотографии своих детей — своих, а не наших общих? Чтобы я уверял тебя, что они похожи на свою мамочку, стараясь не угадывать в их лицах отцовские черты? А сейчас, пока я буду стоять в душе, ты снимешь трубку и позвонишь своему будущему супругу и я включу воду на полную катушку, чтобы не слышать, как ты скажешь ему: "Доброе утро, милый!" Кстати, ему известно, что ты уехала в Берлин?

— Прекрати! — закричала Джулия.

— Что же ты ему расскажешь по возвращении? — спросил Томас, снова отходя к окну.

— Понятия не имею.

— Вот видишь, я был прав, — ты совсем не изменилась.

— Нет, Томас, я, конечно, изменилась, но стоило судьбе подать мне знак, который привел меня сюда, и я поняла, что чувства мои остались прежними...

Внизу Энтони Уолш шагал взад-вперед по тротуару, то и дело поглядывая на часы. Он уже не в первый раз поднимал голову, всматриваясь в окна номера своей дочери, и даже с высоты седьмого этажа было заметно написанное на его лице нетерпение.

435

— Напомни мне, когда умер твой отец? — спросил Томас, опуская край тюлевой занавески.

— Я же сказала: похороны состоялись в прошлую субботу.

— Тогда больше не говори ничего. Ты права, не стоит портить воспоминание об этой ночи, как не стоит лгать тому, кого любишь, — это недостойно ни тебя, ни нас обоих.

— Но я тебе не лгу...

— Ладно, забирай свою сумку — вон она, на кресле, — и возвращайся домой, — прошептал Томас.

Он быстро надел брюки, рубашку, пиджак и даже не стал зашнуровывать ботинки. Подойдя к Джулии, он протянул ей руку и привлек к себе.

— Сегодня вечером я лечу в Могадишо. Я знаю, что и там буду все время думать о тебе. Не беспокойся и ни о чем не жалей; я столько раз мечтал об этой встрече, что и сосчитать не могу, — это было настоящее чудо, любовь моя. Назвать тебя любимой еще хоть один раз — вот и все, чего я хотел и на что уже не смел надеяться. Ты была и навсегда останешься самой прекрасной женщиной в моей жизни, с тобой у меня связаны самые драгоценные воспоминания, а это уже много. И я прошу только об одном: обещай мне, что будешь счастлива.

Томас нежно поцеловал Джулию и ушел не оборачиваясь.

Выйдя из гостиницы, он направился к Энтони, который все еще ждал, стоя возле машины.

— Ваша дочь скоро спустится, — сказал он, кивнул на прощание и пошел прочь.

21

В продолжение всего перелета из Берлина в Нью-Йорк Джулия и ее отец не обменялись ни единым словом, если не считать фразы, которую Энтони повторил несколько раз: "Кажется, я опять сделал глупость" и смысл которой его дочь так и не поняла до конца. Они прибыли в середине дня, над Манхэттеном шел дождь.

— Послушай, Джулия, ты хоть что-нибудь скажешь или нет, в конце-то концов? — возмущенно спросил Энтони, входя в квартиру на Горацио-стрит.

— Нет! — коротко ответила Джулия, ставя свой багаж на пол.

— Ты виделась с ним вчера вечером?

— Нет!

— Ну скажи мне, что произошло, может, я тебе что-нибудь присоветую.

— Ты? Вот уж поистине мир перевернулся!

— Не упрямься, тебе ведь уже не пять лет, а мне остались всего одни сутки.

— Я не видела Томаса, а теперь я иду принять душ. И точка!

Но Энтони преградил ей дорогу:

— Так ты, значит, рассчитываешь просидеть в этой ванной ближайшие двадцать лет?

— Пропусти меня!

— Не пропущу, пока не ответишь.

— Ладно! Тебя интересует, что я собираюсь делать дальше? Вот что: постараюсь склеить заново осколки моей жизни, которые ты так искусно разбросал за одну неделю. Конечно, мне не удастся собрать полный комплект, каких-то кусочков всегда будет не хватать; только не надо изображать удивление, как будто ты не понимаешь, о чем я говорю, — ты ведь непрерывно упрекал себя в этом во время полета.

— Я имел в виду вовсе не наше путешествие...

— Тогда что же?

Энтони не ответил.

— Ну, так я и думала! — сказала Джулия. — Ладно, пока суд да дело, пойду-ка я нацеплю на себя самые кокетливые подвязки для чулок и самый сексуальный бюстгальтер, позвоню Томасу и отправлюсь к нему, чтобы переспать. И если мне удастся снова наврать ему с три короба, как я уже привыкла это делать за время общения с тобой, может, он и согласится обсудить со мной новые планы насчет нашей свадьбы.

— Ты сказала "позвоню Томасу"!

— Что?

— Еще одна твоя оговорка: ведь ты собиралась замуж за Адама.

— Отойди от двери, иначе я тебя убью!

— И напрасно потеряешь время, я и так уже мертв. А если ты думаешь, что тебе удастся шокировать меня, расписывая свою сексуальную жизнь, то тут ты сильно заблуждаешься, моя милая.

— Как только я войду к Адаму, — продолжала Джулия, в упор глядя на отца, — я прижму его к стенке, раздену...

— Хватит! — вскричал Энтони и добавил, уже чуть спокойнее: — Я не нуждаюсь в этих подробностях.

— Ну, теперь ты позволишь мне принять душ?

Энтони закатил глаза к потолку и пропустил Джулию в ванную. Затем приник ухом к двери и услышал голос дочери, она звонила по телефону.

Нет-нет, не стоит отрывать Адама, раз он на совещании, она только просит передать

439

ему, что вернулась в Нью-Йорк. Если он будет свободен сегодня вечером, то может заехать за ней в восемь часов, она будет ждать его внизу на улице. А если не сможет, то в любом случае она уже в пределах досягаемости.

Энтони на цыпочках прокрался в гостиную и сел на диван. Он взялся за пульт, собираясь включить телевизор, но вовремя заметил, что это не тот. Взглянув с улыбкой на злополучную коробочку с белой кнопкой, он положил ее рядом с собой.

Прошло минут пятнадцать; на пороге появилась Джулия — в плаще, накинутом на плечи.

— Уходишь куда-то?

— На работу.

— В субботу? В такую погоду?

— В студии по выходным всегда есть народ, а мне нужно разобрать электронную и прочую почту.

Она уже шагнула за дверь, когда Энтони окликнул ее:

— Джулия!

— Ну что еще?

— Перед тем как ты совершишь капитальную глупость, я должен сказать тебе одну вещь: Томас по-прежнему любит тебя.

— А ты откуда знаешь?

— Мы с ним столкнулись сегодня утром, он выходил из отеля и весьма учтиво поздоровался со мной. Мне кажется, он заметил меня на улице из окна твоего номера.

Джулия метнула на отца ненавидящий взгляд:

— Убирайся вон! Когда я вернусь, чтоб тебя здесь не было!

— И куда же мне идти — наверх, на тот мерзкий чердак?

— Нет, к себе домой! — крикнула Джулия и яростно хлопнула дверью.

441

Энтони снял зонтик с вешалки в передней и вышел на балкон, откуда была видна улица. Перегнувшись через кованые перила, он проводил взглядом Джулию, шагавшую к перекрестку. Как только она исчезла из вида, он отправился в спальню дочери. Телефон стоял на ночном столике. Энтони поднял трубку и нажал на кнопку автоматического вызова.

Даме, ответившей на звонок, он представился ассистентом мисс Джулии Уолш. Да, разумеется, он в курсе, что она недавно звонила и что Адам не смог с ней поговорить, однако он считает крайне важным передать ему, что Джулия будет ждать раньше, чем она назначила, а именно в восемнадцать часов, и не на улице, поскольку там идет дождь, а у нее дома. Иными словами, встреча должна состояться уже через сорок пять минут, и с учетом всех обстоятельств было бы желательно побеспокоить его даже на совещании. Нет, перезванивать бесполезно: в ее мобильнике сели батарейки и она вышла в магазин. Энтони дважды заставил собеседницу подтвердить, что его информация дойдет по назначению, после чего с очень довольным видом, улыбаясь, повесил трубку.

442

Затем он вышел из комнаты и удобно расположился в кресле, не сводя глаз с пульта, лежащего у него под боком.

———————

Джулия развернула свое кресло и включила компьютер — на экране возник нескончаемый список "входящих". Бросив взгляд на письменный стол, она увидела гору писем, а на телефонном аппарате лихорадочно мигал красный глазок записи звонков.

Достав из кармана плаща мобильник, Джулия вызвала на помощь своего лучшего друга.

— У тебя много народу в магазине? — спросила она.

— Ты шутишь — в такую погоду лягушки и те сидят дома, пропащий день!

— Знаю, я сама вымокла до нитки.

— Так ты вернулась? — воскликнул Стенли.

— Около часа назад.

— Могла бы позвонить и раньше!

— Скажи, ты не хочешь закрыть свою лавочку и встретиться со старой подругой в "Пастисе"?

— Закажи мне чашку чая... нет, лучше капучино... в общем, все, что угодно, я скоро буду.

Не прошло и десяти минут, как Стенли встретился с Джулией, сидевшей за столиком старинного кафе.

— Ты похож на спаниеля, упавшего в пруд, — сказала она, обнимая его.

— А ты на кокера, который угодил туда следом. Что ты нам заказала? — спросил садясь Стенли.

— Крокеты!

— У меня в запасе две-три свеженькие сплетни о том, кто с кем переспал на этой неделе, но начнем с твоих новостей, я хочу все знать. Или нет, постой, лучше я угадаю: судя по тому, что ты не давала о себе знать два последних дня, ты нашла Томаса, и, судя по твоему виду, все произошло не так, как ты намечала.

— Да ничего я не намечала...

443

— Лгунья!

— Если хочешь посидеть минутку в компании круглой идиотки, то пользуйся случаем, она перед тобой!

И Джулия рассказала Стенли почти все о своем путешествии — о первом посещении профсоюза печати и первой лжи Кнаппа; о причинах, вынудивших Томаса сменить фамилию; о вернисаже, куда ее доставил лимузин, заказанный портье в последний момент; но когда она упомянула о кроссовках, которые носила в комплекте с вечерним платьем, Стенли чуть не задохнулся от возмущения и, оттолкнув чашку с чаем, потребовал белого вина. Дождь за окном кафе полил с удвоенной силой. Джулия подробно описала свою поездку в восточный район Берлина, "их" улицу, где исчезли старые дома, но сохранился старенький бар, последнюю беседу с лучшим другом Томаса и сумасшедшую гонку в аэропорт, Марину и, наконец, пока Стенли еще не потерял сознание, свою встречу с Томасом в парке Тиргартена. Но и это было еще не все: дальше последовал отчет об ужине на террасе ресторана, где их угостили самой вкусной рыбой в мире, к которой, впрочем, она едва притронулась, о ночной прогулке вокруг озера, о комнате в отеле, где они занимались любовью прошлой ночью, и наконец, о завтраке на следующее утро, который так и не состоялся. Когда официант подошел к ним в третий раз с вопросом, все ли в порядке, Стенли погрозил ему вилкой, запретив их беспокоить.

— Надо было мне поехать с тобой, — заявил он. — Если бы я мог представить себе такую безумную авантюру, ни за что не отпустил бы тебя одну.

Джулия прилежно мешала ложечкой чай. Стенли внимательно взглянул на свою подругу и придержал ее руку:

— Джулия, ты ведь даже сахар не положила... и вид у тебя какой-то потерянный. Что с тобой?

— "Какой-то" можешь опустить — просто потерянный.

— Во всяком случае, могу заверить тебя, что он больше не вернется к этой Марине, положись на мой опыт!

— Да какой там опыт! — с улыбкой возразила Джулия. — Впрочем, что бы то ни было, сейчас Томас все равно летит в Могадишо.

— А мы сидим тут, в Нью-Йорке, под проливным дождем! — отозвался Стенли, глядя в окно, за которым бушевал ливень.

Несколько прохожих укрылись от него под тентом террасы кафе. Пожилой мужчина прижимал к себе жену, стараясь хоть как-то защитить ее от холодных струй.

— Вот теперь я наведу порядок в своей жизни, — продолжала Джулия, — и постараюсь все устроить как можно лучше. Полагаю, это единственное, что мне осталось.

— Да, ты была права, я сейчас чокаюсь с круглой идиоткой. Тебе выпала неслыханная удача: в твою жизнь на какое-то мгновение ворвался настоящий самум, а ты пытаешься навести в ней порядок! Да ты совсем сбрендила, бедная моя подружка!.. Ну-ну, только не это, — пожалуйста, быстренько осуши глаза, на улице и без того полно воды, и сейчас не время рыдать, у меня к тебе еще масса вопросов.

Джулия вытерла ладонью слезы и снова улыбнулась другу.

— Как ты намерена поступить с Адамом? — спросил Стенли. — Я уж начал подумывать, не взять ли его к себе на полный пансион, если ты не вернешься. Назавтра он пригласил меня за город к своим родителям. Кстати, предупреждаю — и смотри, не проговорись! — я соврал, что на завтра мне назначили гастроскопию.

— Ну... расскажу ему часть правды, так, чтобы причинить поменьше боли.

— В любви человеку больнее всего от сознания, что ему лгут из трусости. Ты хочешь попытать с ним счастья еще раз или не хочешь?

— Может, и мерзко так говорить, но у меня нет сил снова остаться одной.

— Тогда он смягчится — не сразу, но рано или поздно смягчится.

— Я постараюсь облегчить ему переживания.

— Могу я задать тебе довольно интимный вопрос?

— Ты же знаешь, что я от тебя никогда ничего не скрываю...

— Эта ночь с Томасом, какая она была?

— Нежная, сладостная, волшебная и — грустная поутру.

— Я имел в виду секс, дорогая.

— Нежный, сладостный, волшебный...

— И после этого ты хочешь внушить мне, что не знаешь, на каком ты свете?

— Я знаю, что нахожусь в Нью-Йорке и Адам тоже здесь, а Томас теперь очень далеко.

— Дорогая моя, важно знать, не в каком городе или в какой части света находится другой, а какое место он занимает в твоем сердце. И ошибки не имеют никакого значения,

Джулия, — важно лишь то, что мы реально проживаем.

———

Адам вышел из такси под проливным дождем. Вода уже переполняла канавки на обочинах. Перепрыгивая через лужи, Адам подбежал к дому и начал свирепо жать на кнопку домофона. Энтони Уолш встал с кресла.

— Сейчас, сейчас, что за спешка! — проворчал он, нажимая в свою очередь на кнопку.

На лестнице раздались шаги, и он с широкой улыбкой встретил гостя.

— Мистер Уолш? — воскликнул тот, в ужасе отступив назад.

— Адам, каким ветром вас сюда занесло?

Адам застыл на площадке, утратив дар речи.

— Вы что, язык проглотили, старина?

— Но... вы же умерли! — пролепетал гость.

— Фу, зачем же так грубо! Я знаю, что мы не очень нравимся друг другу, но посылать меня на кладбище... это уж слишком!

— Вот именно что на кладбище... я же там был в день ваших похорон! — возопил Адам.

— Ну хватит, любезный, всякая бестактность имеет свои границы! Ладно, не будем же мы торчать на лестнице целый вечер — входите, а то вы прямо побелели.

Адам вошел в гостиную. Энтони знаком предложил ему сбросить промокший плащ.

— Извините за настойчивость, — сказал Адам, вешая плащ на крючок, — но, надеюсь, вы поймете мое изумление, ведь мою свадьбу отменили из-за ваших похорон...

— Это ведь была отчасти и свадьба моей дочери, не правда ли?

— Но не могла же она сочинить всю эту историю только для того, чтобы...

— Бросить вас? О, не считайте себя такой уж важной персоной. У нас в семье все отличаются большой изобретательностью, но вы плохо знаете Джулию, если сочли ее способной на такие нелепые выходки. Тут, вероятно, кроются совсем другие причины, и, если вы согласны помолчать пару секунд, я рискну назвать одну-две из них.

— Где Джулия?

— Увы, моя дочь уже двадцать лет как оставила привычку посвящать меня в подробности своего времяпрепровождения. Честно говоря, я полагал, что она как раз с вами. Мы вернулись в Нью-Йорк часа три назад или даже больше.

— Как, вы ездили вместе с ней?

— Ну конечно, разве она вам не рассказала?

— Мне кажется, ей это было бы нелегко, если учесть, что я находился рядом, когда она встречала самолет из Европы с вашими останками, и что мы с ней вместе проводили гроб на кладбище.

— Какая прелесть! Интересно, что еще хорошенького вы мне расскажете по этому поводу? Может, вы самолично нажали на кнопку кремационной печи? Ну говорите, не стесняйтесь!

— Нет, но я самолично бросил горсть земли в вашу могилу!

— Благодарю, это было очень любезно с вашей стороны!

— Знаете, я что-то неважно себя чувствую, — признался Адам; его бледное лицо и в самом деле начало принимать зеленоватый оттенок.

— Да вы присядьте, что ж вы стоите как дурак!

И Энтони указал Адаму на диван:

— Вон туда, пожалуйста! Надеюсь, вы еще помните, на чем сидят люди, или мой вид совсем отшиб у вас мозги?

Адам подчинился. Он плюхнулся на диванные подушки, притом так неуклюже, что придавил белую кнопку пульта.

Энтони мгновенно смолк, глаза его закрылись, и он рухнул во весь рост на ковер перед оцепеневшим от ужаса Адамом.

— Ты, конечно, и не подумала привезти мне его фотографию? — спросил Стенли. — А мне так хотелось бы посмотреть, что он собой представляет... Тьфу, болтаю невесть что, — просто я терпеть не могу, когда ты вот так сидишь и молчишь.

— Почему?

— Потому что тогда мне не удается понять, что за мысли крутятся у тебя в голове.

Их беседу прервала Глория Гейнор, которая завела в сумке Джулии свою "I Will Survive".

Джулия выхватила мобильник и показала Стенли экранчик, на котором появилось имя — Адам. Стенли пожал плечами, и Джулия, ответив, услышала панический голос своего жениха:

451

— Джулия, нам нужно многое сказать друг другу, тебе и мне, особенно тебе, но это может подождать, а теперь слушай: твоему отцу стало плохо.

— В другой ситуации я бы сочла твое сообщение забавным, но в данном случае оно отдает бестактностью.

— Джулия, я нахожусь в твоей квартире...

— А что ты там делаешь, ведь мы должны были встретиться через час! — в ужасе воскликнула она.

— Мне позвонил твой ассистент и передал, что ты перенесла встречу на более ранний час.

— Мой ассистент? Что еще за ассистент?

— Да какая разница! Ты слышала, что я сказал: твой отец лежит на полу в гостиной и не подает признаков жизни; приезжай как можно скорее, а я пока вызову "скорую"!

Джулия так завопила, что Стенли даже подпрыгнул.

— Ни в коем случае! Я сейчас приду!

— Ты что, с ума сошла? Джулия, я его трясу, а он никак не реагирует, нужно звонить 911.

— Не смей никуда звонить, слышишь? Я через пять минут буду дома! — приказала Джулия, вскочив на ноги.

— А где ты?

— Напротив, в "Пастисе"; мне только перейти улицу — и я поднимусь в квартиру, а пока ничего не делай и ни к чему не прикасайся, а главное, к нему!

Стенли, который ровно ничего не понял из этого разговора, шепнул Джулии, что счетом он займется сам. Джулия уже мчалась к двери, и он крикнул ей вслед, чтобы она позвонила ему, когда пожар будет потушен.

———————

Джулия как сумасшедшая взбежала наверх, ворвалась в квартиру и увидела недвижное тело отца, распростертое прямо посреди гостиной.

— Где пульт? — выкрикнула она, с грохотом захлопывая дверь.

— Что? — спросил вконец растерянный Адам.

— Такая коробочка с кнопками... то есть в данном случае с одной кнопкой... ну, пульт, пульт... Ты хоть понимаешь, что это такое? — ответила она, торопливо оглядывая комнату.

— Твой отец лежит без сознания, а ты хочешь смотреть телевизор? Нет, я звоню в "скорую", и пускай они присылают сразу две машины.

— Ты здесь к чему-нибудь притрагивался? Как это случилось? — спросила Джулия, торопливо выдвигая один за другим ящики стола.

— Да я ничего особенного не сделал, просто мы кое-что обсуждали с твоим отцом... которого похоронили на прошлой неделе, — согласись, что это довольно странная ситуация.

— Об этом после, Адам, ты еще успеешь блеснуть остроумием, а сейчас нужно срочно его спасать.

— Какое тут остроумие! Может, ты все-таки объяснишь мне, что происходит? Или скажи хотя бы, что мне все это снится, что сейчас я проснусь у себя в постели и смогу посмеяться над этим кошмаром...

— Вначале я тоже говорила себе именно это!.. Черт возьми, да куда же он задевался?

— Что ты ищешь?

— Папин пульт.

— Ну хватит, я иду звонить в "скорую"! — объявил Адам, направляясь к телефонному аппарату в кухне.

Джулия раскинула руки, преградив ему путь:

— Никуда ты не пойдешь, сперва расскажи мне подробно, как это случилось!

— Да я уже говорил! — взорвался Адам. — Твой отец открыл мне дверь (можешь себе представить мое изумление!) и впустил меня в комнату, пообещав объяснить, как он здесь очутился. Потом он велел мне сесть, и в тот момент, когда я усаживался на этот вот диван, он вдруг прямо на полуслове рухнул на пол.

— Диван! Уйди с дороги! — Джулия оттолкнула Адама так, что он упал.

Она лихорадочно перебрала диванные подушки и облегченно вздохнула, найдя наконец то, что искала.

— Ну так я и думал, ты просто-напросто спятила, — пробормотал Адам, вставая на ноги.

454

— Господи, сделай так, чтобы он срабо-тал! — взмолилась Джулия, схватив коро-бочку с белой кнопкой.

— Джулия! — завопил Адам. — Ты мне объяс-нишь, черт подери, что это за игры, или нет?

— Замолчи! — ответила она, еле сдерживая слезы. — Сейчас не время для бесполезных разговоров, через две минуты сам все пой-мешь. Ох, боже мой, хоть бы ты понял... хоть бы это сработало...

Повернувшись к окну, она умоляюще взгля-нула на небо, зажмурилась и нажала кнопку на коробочке.

— Вот видите, милый Адам, не все на свете выглядит так, как есть на самом деле... — про-изнес Энтони, открыв глаза, но тут же осекся: он увидел посреди гостиной Джулию.

Он кашлянул и поднялся; между тем Адам упал как подкошенный в кресло — очень кстати стоявшее рядом и радушно открыв-шее ему свои объятия.

— Фу ты дьявол! — продолжал Энтони. — Который теперь час? Разве уже восемь? Как незаметно время бежит, — добавил он, отря-хивая от пыли рукава.

Джулия метнула на него ненавидящий взгляд.

— Пожалуй, я вас оставлю, — смущенно продолжал Энтони. — Вам наверняка нужно о многом поговорить. Дорогой мой Адам, выслушайте внимательно все, что Джулия вам расскажет, и не прерывайте ее. Сначала вам будет трудно поверить, но если вы как следует вдумаетесь, то, уверяю, вам многое станет ясно. Еще минутку, сейчас я найду свое пальто и исчезну...

Энтони снял с вешалки габардиновый плащ Адама, на цыпочках пробрался по комнате к балкону, чтобы взять забытый у окна зонтик, и вышел.

Для начала Джулия указала Адаму на деревянный ящик, по-прежнему торчавший в центре гостиной, а затем попыталась объяснить необъяснимое. Теперь уже она сама без сил упала на диван, в то время как Адам, вскочив на ноги, нервно прохаживался по комнате.

— Ну что бы ты сделал на моем месте?

— Понятия не имею — знать бы еще, где оно, мое место! Ты мне лгала целую неделю, как же ты хочешь, чтобы я теперь поверил в эту байку?!

— Адам, если бы твой отец позвонил к тебе в дверь на следующий день после своих похорон, если бы судьба подарила тебе такой шанс — провести с ним еще немного времени, шесть дней после его смерти, чтобы вы могли сказать друг другу все, о чем прежде молчали, чтобы вместе вспомнить и объяснить все тайны твоего детства, неужели ты не ухватился бы за такую возможность, неужели не отправился бы в такое путешествие, даже если бы оно выглядело полным абсурдом?

— Мне казалось, ты ненавидела отца.

— Я тоже так думала, а вот теперь, как видишь, мечтаю провести с ним еще хоть несколько минут. Я ведь все это время говорила с ним лишь о себе, а сколько других вещей, касавшихся его самого, его жизни, мне так и не довелось узнать! Я впервые смогла взглянуть на него глазами взрослого человека, почти свободного от прежнего, детского эгоизма. Я поняла, что, хотя мой отец не безгрешен, как и я сама, это совсем не означает, что я его не люблю. И я подумала, что если мои дети будут столь же терпимы, то, может быть, и я однажды решусь стать матерью.

— Какая очаровательная наивность! Отец руководил твоей жизнью с самого твоего рождения — ведь именно так ты говорила мне в тех редких случаях, когда вспоминала о нем? Предположим, что эта дикая история — правда; тогда это означает, что ему удалось невероятное — продолжать делать то же самое после своей смерти. Ты ровно ничего не разделила с ним, Джулия, ведь он — ма-

457

шина! Все, что он мог тебе сказать, было в нем запрограммировано. И ты попалась на эту удочку! Никакой диалог между вами невозможен, это был монолог. Ты же сама создаешь вымышленных персонажей. Разве ты даешь возможность своим маленьким зрителям общаться с ними? Конечно нет — ты попросту предвосхищаешь желания детишек, заставляя зверей говорить то, что насмешит или утешит ребенка! Твой отец на свой лад прибег к той же уловке. И лишний раз обошелся с тобой как с послушной марионеткой. Ваше чудесное недельное путешествие вдвоем — всего лишь жалкая пародия на встречу после долгой разлуки, его появление — всего лишь мираж. И вот ты, всегда тосковавшая по любви, которой он тебя обделил, угодила в эту ловушку! Впрочем, это была не первая его удачная попытка — если вспомнить, как искусно он расстроил нашу свадьбу.

— Не смеши меня, Адам, не мог же отец умереть специально, чтобы разлучить нас.

— Скажи, Джулия, где вы с ним провели эту неделю?

— А какая разница?

— Не хочешь говорить правду, не надо, — Стенли сделал это вместо тебя. Только не вини его, он просто был мертвецки пьян. Ты же сама как-то сказала мне, что он не способен устоять перед хорошим вином, а уж я позаботился выбрать одно из лучших. Я не задумался бы даже выписать такое из Франции, лишь бы разыскать тебя и понять, почему ты бегаешь от меня и должен ли я по-прежнему тебя любить. Джулия, я мог бы ждать хоть сто лет, чтобы жениться на тебе. Но сейчас в душе у меня — просто выжженная пустыня.

— Адам, я могу все тебе объяснить.

— Значит, теперь можешь? А когда ты пришла ко мне на работу и объявила, что уезжаешь в путешествие? А на следующий день, когда мы буквально на час разминулись в Монреале? А в другие дни, когда я без конца звонил тебе и ты не брала трубку и не отвечала на мои послания? Ты решила отправиться в Берлин, чтобы разыскать человека, которого любила в прошлом, и ни слова не сказала мне об этом. Так чем же я был для тебя — временным мостиком между двумя периодами твоей жизни? Опорой, за которую ты цеплялась в надежде на возвращение другого, которого не переставала любить?

— Не говори так, не надо! — умоляюще воскликнула Джулия.

— А что бы ты сделала, если бы он сейчас постучал в дверь?

Джулия молчала.

— Вот видишь, ты и сама не знаешь — а хочешь, чтобы знал я!

И Адам направился к выходу.

— Скажи своему отцу — или этому роботу, — что я дарю ему свой плащ.

И Адам ушел. Джулия считала его шаги на лестнице до тех пор, пока не услышала внизу грохот захлопнувшейся двери.

———————

Перед тем как войти в гостиную, Энтони деликатно постучался. Джулия стояла, прислонившись к оконной раме и устремив невидящий взгляд на улицу.

— Зачем ты это сделал? — прошептала она.

— Ничего я не делал, это была просто несчастная случайность, — ответил Энтони.

— Ну да, по какой-то несчастной случайности Адам приходит ко мне на час раньше; по какой-то несчастной случайности именно ты открываешь ему дверь; по какой-то несчастной случайности он садится на твой пульт, и все по той же несчастной случайности ты вдруг падаешь замертво посреди комнаты.

— Согласен — все это действительно выглядит как довольно последовательная цепь случайностей... Может, нам не мешало бы попытаться понять, какой в этом смысл?

— Перестань иронизировать, мне сейчас не до смеха; я последний раз спрашиваю тебя: зачем ты это сделал?

— Да чтобы помочь тебе сказать ему правду и самой взглянуть ей в глаза! Посмей сказать мне, что ты не чувствуешь облегчения! Тебе, вероятно, кажется, что ты теперь как никогда одинока, но зато дальше ты сможешь жить в мире с самой собой.

— Я говорю не только о твоей сегодняшней выходке...

Энтони испустил глубокий вздох:

— Твоя мать из-за своей болезни до самого конца не могла вспомнить, кто я такой, но я уверен, что где-то в глубине ее сердца жила память о том, как мы любили друг друга. Я-то никогда этого не забуду. Мы не были ни примерной парой, ни примерными родителями, что верно, то верно. Случались и у нас минуты сомнений и размолвок, но мы ни разу — ты слышишь меня? — ни разу не усомнились в своем решении быть вместе и в нашей любви к тебе. Завоевать твою будущую мать, любить ее, иметь от нее ребенка — вот что было главной целью моей жизни, самой важной и самой прекрасной, даже если мне понадобилось столько лет, чтобы найти точные слова и сказать их тебе.

461

— Значит, во имя этой замечательной любви ты и устроил такой разгром в моей жизни?

— Помнишь тот клочок бумаги, о котором я рассказывал тебе во время нашей поездки? Такие записки всегда хранят при себе, в бумажнике, в кармане, да просто в голове; для меня это были те несколько слов, написанных твоей матерью в памятный вечер, когда я не мог заплатить по счету в ресторане на Елисейских Полях, — надеюсь, теперь ты понимаешь, отчего я мечтал закончить свои дни именно в Париже. А что было твоим сокровищем — старая дойчмарка, которую ты неизменно носила в сумке, или письма Томаса, лежавшие у тебя в столе?

— Значит, ты их прочел?

— Ну что ты, разве я позволил бы себе такую бестактность?! Я просто увидел их, когда клал тебе в ящик его последнее послание. Получив приглашение на свадьбу, я вошел в твою комнату, где все напоминало о тебе, о твоем детстве, о многом другом, чего я не забыл и никогда не забуду. Я стоял там и спрашивал себя, что ты сделаешь в тот день, когда узнаешь о существовании этого письма от Томаса, и как мне поступить — уничтожить его, отдать тебе сразу или, лучше всего, вручить прямо в день свадьбы? У меня было не так уж много времени, чтобы принять решение. Но, как видишь, ты оказалась права: жизнь и впрямь подает удивительные знаки тем, кто хоть сколько-нибудь верит в судьбу. В Монреале я почти нашел ответ на вопрос, который меня мучил, — правда, лишь отчасти; остальное зависело от тебя. Я мог бы, конечно, переслать тебе письмо Томаса по почте и успокоиться на этом, но ты так решительно сожгла мосты между нами, что до этого извещения о свадьбе я даже не знал твоего адреса и вдобавок не был уверен, что ты вскроешь конверт, надписанный моей рукой. А потом, я ведь не знал, что скоро умру!

— Я смотрю, у тебя всегда и на всё готов ответ, не правда ли?

— Нет, Джулия, ты сама выбирала свою судьбу и сделала этот выбор гораздо раньше, чем тебе кажется. Вспомни, ведь ты могла выключить меня — достаточно было всего лишь нажать на кнопку. Ты свободно могла отказаться ехать в Берлин. Меня не было рядом, когда ты решила встретить Томаса в аэропорту, как не было и в ту минуту, когда ты вернулась на место вашей первой встречи, и уж тем более когда ты привела его в отель. Джулия, человек может сколько угодно проклинать свое детство, беско-

463

нечно упрекать родителей во всех своих несчастьях, слабостях и пороках, винить их в суровых жизненных испытаниях, но в конечном счете он сам несет ответственность за свою судьбу и становится таким, каким хотел стать. Кроме того, тебе невредно было бы научиться адекватно оценивать свои беды: на свете бывают родители куда хуже твоих.

— Например?

— Например, бабушка Томаса, которая доносила на собственного внука!

— Откуда ты знаешь?

464

— Я уже говорил тебе, что родители не могут прожить жизнь вместо своих детей, но это не мешает им волноваться за них и страдать всякий раз, как их постигает несчастье. Иногда это побуждает нас действовать, мы пытаемся осветить вам путь к спасению, и, по-моему, тут лучше ошибиться — по неловкости, по избытку любви, — чем сидеть сложа руки.

— Ну если ты собирался осветить мне дорогу, то тебе это не удалось — я блуждаю в кромешной тьме.

— Во тьме — да, но теперь уже не вслепую!

— А ведь Адам оказался прав: эта неделя, проведенная в разговорах, была чем угодно, только не диалогом...

— Да, Джулия, возможно, он прав, и я уже не совсем твой отец, а всего лишь то, что от него осталось. Но разве эта машина не оказалась способной находить решение для каждой из твоих проблем? Разве за эти несколько дней я не смог ответить хоть на какой-нибудь из твоих вопросов? А почему? Да просто потому, что я знаю тебя лучше, чем ты думаешь, и, может быть... я надеюсь, наступит день, когда ты поймешь, что я любил тебя гораздо больше, чем тебе казалось. Вот теперь ты это знаешь, и я могу умереть навсегда.

Джулия пристально посмотрела на отца и, отойдя от окна, села рядом с ним. Долго сидели они, не двигаясь, не произнося ни слова.

— Ты действительно думаешь обо мне так, как сейчас говорила? — спросил наконец Энтони.

— Кому, Адаму? Значит, ты еще вдобавок и под дверью подслушиваешь?

— Не под дверью, а через пол, если быть точным. Мне пришлось подняться к тебе на чердак — не мог же я в самом деле ждать на улице, под таким дождем, рискуя подхватить короткое замыкание, — с улыбкой сказал он.

— Ну почему я не узнала тебя раньше? — горестно прошептала Джулия.

— Детям и родителям иногда нужны годы, чтобы встретиться лицом к лицу.

— До чего же мне хочется побыть с тобой еще хоть несколько дней!

— Думаю, они у нас были, дорогая моя.

— И как же это произойдет... завтра?

— Не беспокойся, тебе повезло: смерть отца всегда трудно пережить, но для тебя, по крайней мере, это уже в прошлом.

— Перестань, мне сейчас не до смеха.

— Завтра наступит только завтра, тогда и посмотрим.

На улице темнело; рука Энтони скользнула к руке Джулии и в конце концов забрала ее в свою теплую горсть. Их пальцы тесно переплелись и больше уже не разжимались. А чуть позже, когда Джулия уснула, ее голова опустилась на отцовское плечо.

———————

До рассвета было еще далеко. Энтони Уолш встал на ноги с бесконечными предосторожностями, стараясь не разбудить дочь. Он бережно уложил ее на диван и прикрыл пледом. Джулия что-то пробормотала во сне и отвернулась к стене.

Убедившись, что она крепко спит, он зашел в кухню, сел к столу, взял листок бумаги, ручку и начал писать.

Закончив письмо, он оставил его на видном месте. Потом открыл свой чемоданчик, вынул из него пакет с сотней других писем, перевязанный красной ленточкой, и отнес его в спальню дочери. Там он спрятал пакет в комод, стараясь не поцарапать пожелтевшую фотографию Томаса, лежавшую сверху, и с улыбкой задвинул ящик.

Затем вернулся в гостиную, подошел к дивану, взял свой пульт, сунул его в верхний карман пиджака и, нагнувшись над Джулией, коснулся губами ее лба.

— Спи, моя девочка, я тебя люблю.

467

22

Джулия открыла глаза и сладко потянулась. Комната была пуста, деревянный ящик закрыт.

— Папа!

Ни звука в ответ; в квартире царила мертвая тишина. На кухонном столе был приготовлен завтрак. Между коробкой хлопьев и молочным пакетом, прислоненное к баночке меда, стояло письмо. Джулия села; она узнала почерк на конверте.

"Моей дочери.

Джулия, когда ты прочтешь это письмо, мои силы уже будут на исходе; надеюсь, ты простишь, что я избавил тебя от тягостного, ненужного прощания. Ты уже однажды похоронила отца, и довольно с тебя. Когда ты про-

чтешь это мое последнее письмо, выйди из дома на несколько часов. За мной приедут, и я предпочитаю, чтобы тебя при этом не было. Не открывай мой ящик – благодаря тебе я мирно сплю в нем. Милая моя Джулия, спасибо тебе за то, что подарила мне эти шесть дней, – я так долго уповал на это, так долго мечтал познакомиться с чудесной женщиной, которой ты стала! За прошедшие дни мне довелось постичь тайный смысл жизни родителей: нужно суметь победить время, дождаться момента встречи со взрослым человеком, в которого превратился ребенок, и уступить ему свое место. Прости меня также за все оплошности, что омрачали твое детство, – это моя вина. Я старался сделать как лучше. Я редко бывал дома – по крайней мере, не так часто, как тебе хотелось; я мечтал стать тебе другом, товарищем, наперсником, а был только отцом, но хоть отцом я останусь для тебя навсегда. И где бы я ни оказался после смерти, я унесу с собой бесконечную любовь к тебе. Помнишь ли ту красивую китайскую легенду о волшебной власти луны, отраженной в воде? Я не поверил в нее, и напрасно, поскольку и здесь все зависело только от терпения; моя надежда в конце концов сбылась, ибо той женщиной, которая должна была вновь появиться в моей жизни и которую я так неистово ждал, была ты.

Я вспоминаю, как ты, совсем еще маленькая, бросалась ко мне в объятия; не сочти за глупость, но это было самое восхитительное, что выпало мне в жизни. Ничто не доставляло мне такого счастья, как твой звонкий смех, как твои детские ласки по вечерам, когда я возвращался домой. Я знаю, что позже, исцелившись от печали, ты вспомнишь эти минуты. Знаю также, что ты сохранишь в памяти сны, которые рассказывала мне, когда я присаживался к тебе на кровать. Даже находясь вдали от дома, я был к тебе ближе, чем ты думала; даже будучи неловким, неумелым отцом, я тебя любил. И мне остается попросить лишь об одном – обещай мне, что будешь счастлива.

Твой папа".

Джулия сложила письмо. Подойдя к ящику, стоявшему посреди гостиной, она нежно погладила деревянную стенку и прошептала: "Папа, я тебя люблю!" С тяжелым сердцем она исполнила его последнюю волю — вышла из дома, не забыв отдать ключ от квартиры своему соседу. Она предупредила господина Зимура, что скоро за ящиком приедет фургон, и попросила его открыть грузчикам дверь. Не оставив ему времени на возражения, она торопливо зашагала по улице в сторону антикварного магазина.

23

Прошло минут пятнадцать; в квартире Джулии по-прежнему стояла тишина. Внезапно раздался легкий щелчок, и створка ящика открылась. Энтони выбрался наружу, отряхнул плечи пиджака и, подойдя к зеркалу, подтянул узел галстука. Затем переставил на видное место свою фотографию в рамке, повернутую к стене, и внимательно осмотрел все помещения.

Он вышел из квартиры и спустился вниз, на улицу. Перед домом его ждала машина.

— Здравствуйте, Уоллес, — сказал Энтони, располагаясь на заднем сиденье.

— Счастлив снова видеть вас, сэр, — ответил его личный секретарь.

— Перевозчиков вызвали?

— Фургон стоит как раз позади.

— Прекрасно, — бросил Энтони.

— Подвезти вас обратно в больницу, сэр?

— Нет, я и так уже потерял много времени. Мы едем в аэропорт, только сначала завернем домой, мне нужно взять другой чемодан. Приготовьте и свой багаж, я беру вас с собой, мне что-то разонравилось путешествовать в одиночку.

— Можно спросить, куда мы направляемся, сэр?

— Это я сообщу вам по дороге. Не забудьте взять с собой паспорт.

472 Машина свернула на Гринвич-стрит. У следующего светофора боковое стекло опустилось, и выброшенный из него пульт с белой кнопкой приземлился в водостоке.

Такой теплой осени на памяти ньюйоркцев еще не случалось. Им выпало самое погожее и прекрасное бабье лето из всех, какими природа одаривала этот город. Уже три месяца Стенли регулярно, каждый уик-энд, встречался с Джулией, чтобы пообедать с ней вдвоем. Вот и сегодня их ждал в "Пастисе" заказанный столик. Это воскресенье было не совсем обычным: господин Зимур объявил распродажу обуви, и Джулия впервые постучала к нему в дверь не для того, чтобы повиниться в очередной катастрофе; он даже соблаговолил впустить ее в свой магазин на два часа раньше официального открытия.

— Ну как ты меня находишь?

— Повернись-ка, и дай я тебя разгляжу получше.

— Стенли, ты уже целых полчаса пялишься на мои ноги, у меня больше нет сил торчать на этом подиуме.

— Ты хотела услышать мое мнение, да или нет? Тогда повернись еще разок, я хочу посмотреть на тебя спереди. Ну вот, так я и думал, эти высокие каблуки — не твой стиль.

— Стенли!

— Твоя мания покупать уцененные вещи меня просто ужасает.

— А ты видел здешние цены? При моей зарплате компьютерного графика у меня нет другого выбора, уж извини! — прошептала она.

— Ой, только не начинай все сначала!

— Ну так берете или не берете? — вопросил измученный господин Зимур. — Кажется, вы уже повытаскивали из коробок все что можно, — подумать только, вас всего двое, а устроили в магазине такой кавардак!..

— Нет, — возразил Стенли, — мы еще не примерили вот те очаровательные лодочки, которые стоят на самой верхней полке стеллажа... да-да, именно там.

— Но на размер мисс Уолш у меня таких нет.

— А где-нибудь на складе? — взмолился Стенли.

— Ладно, пойду поищу, — вздохнул господин Зимур и удалился.

474

— Этому типу еще повезло, что он воплощение элегантности, а не то при таком характере...

— Неужели ты считаешь его воплощением элегантности? — со смехом спросила Джулия.

— Слушай, ты ему стольким обязана; может, стоило бы хоть разок пригласить его к тебе на ужин?

— Ты шутишь!

— Если не ошибаюсь, это ты мне все уши прожужжала, что он торгует самыми красивыми туфлями в Нью-Йорке.

— И именно поэтому ты задумал...

— Не могу же я весь свой век прожить вдовцом. Или ты имеешь что-нибудь против?

— Абсолютно ничего. Но как на это посмотрит сам господин Зимур?

— Да забудь ты про этого Зимура! — ответил Стенли, глядя в сторону витрины.

— Как, уже?

— Только не оборачивайся! Там, на улице, стоит мужчина и смотрит на нас, он прекрасен как бог!

— Какого типа мужчина? — спросила Джулия, не смея даже голову повернуть.

— Он прямо-таки прилип к витрине и уже минут десять взирает на тебя так, словно увидел Деву Марию... Хотя, насколько мне известно, она вряд ли носила такие лодочки

475

по триста долларов пара, и это еще уцененные! Не оборачивайся! Кому сказано, я его
первый увидел!

Но Джулия все же повернула голову, и у нее
задрожали губы.

— О нет, — еле слышно прошептала она, —
я его увидела задолго до тебя...

Сбросив туфли, она спрыгнула с подиума,
рванула дверь магазина и выбежала на улицу.

Когда господин Зимур вернулся в зал, он увидел там Стенли, который сидел в одиночестве
на краю подиума с парой лодочек в руках.

— А где мисс Уолш... неужели ушла? — испуганно спросил он.

— Да, — ответил Стенли, — но вы не рас-
страивайтесь, она вернется, не обязательно
сегодня, но вернется.

Господин Зимур выронил принесенную
коробку с туфлями. Стенли поднял ее и отдал
владельцу.

— У вас такой убитый вид; не горюйте, я по-
могу вам все убрать, а потом приглашаю выпить кофе или чаю, смотря что вы любите.

Томас обвел кончиком пальца губы Джулии
и коснулся легким поцелуем ее век.

— Я хотел убедиться, что смогу прожить без тебя, но, вот видишь, не удалось.

— А как же Африка и твои репортажи? И что скажет Кнапп?

— Какая мне польза от того, что я мечусь по свету и рассказываю правду о других, если лгу самому себе?! И зачем мне перелетать из страны в страну, если там нет женщины, которую я люблю?!

— Тогда не спрашивай себя больше ни о чем — ты нашел самые прекрасные слова, чтобы поздороваться со мной, — сказала Джулия, привстав на цыпочки.

Они обнялись, и их поцелуй затянулся до бесконечности, — так бывает лишь у пылких влюбленных, забывших обо всем на свете.

— Как же ты меня нашел? — спросила Джулия, все еще в объятиях Томаса.

— Я искал тебя двадцать лет, так неужели не нашел бы на первом этаже твоего дома, это было совсем нетрудно.

— Не двадцать, а восемнадцать... господи, как же долго они тянулись!

И Джулия снова поцеловала его.

— А ты, Джулия, что заставило тебя ехать в Берлин?

— Я ведь уже сказала — знак судьбы... Я увидела твой портрет, ты забыл его на мольберте уличной художницы.

477

— Я никогда никому не позировал.

— Нет, позировал, на том рисунке было твое лицо, твои глаза, твои губы и даже ямочка на подбородке.

— Где же ты его увидела?

— В Монреале, в старом порту.

— Но я никогда не был в Монреале...

Джулия подняла глаза: в небе Нью-Йорка, над ее головой, проплывало облачко, и она с улыбкой вгляделась в его причудливые очертания.

— Мне будет ужасно не хватать его.

— Кого это?

— Моего отца. Ладно, пошли, пошли гулять, я хочу показать тебя моему родному городу.

— Но ты же босиком!

— А вот это уже не имеет никакого значения, — ответила Джулия.

Автор благодарит:

Эмманюэль Ардуэн, Полину Левек, Реймона и Даниэль Леви, Луи Леви, Лоррен.

Сюзанну Леа и Антуана Одуара.

Николь Латтес, Леонелло Брандолини, Брижит Ланно, Антуана Каро, Анн-Мари Ланфан, Элизабет Вильнёв, Сильви Бардо, Тину Жербе, Лиди Леруа, Од де Маржери, Жоэля Ренода, Арье Сберро и всех сотрудников издательства "Робер Лаффон".

Кэтрин Хоудепп, Марка Кесслера, Мари Гарнеро, Марион Мийе.

Полину Норман, Мари-Эв Прово.

Леонара Энтони и всех его сотрудников.

Кристину Штеффен-Райман.

Филиппа Гюэза, Эрика Брама и Мигеля Куртуа.

Ива и Мартина Левек, Шарля Вейе-Лавалле.

Марк Леви

Те слова, что мы не сказали друг другу

Главный редактор издательства "Иностранка"
О.Морозова
Редакторы Е.Леонова, В.Бару
Технический редактор Л.Синицына
Корректоры Л.Селютина, Г.Петушкова
Компьютерная верстка Т.Коровенкова

ООО "Издательская Группа Аттикус" —
обладатель товарного знака "Издательство Иностранка"
119991, Москва, 5-й Донской проезд, д. 15, стр. 4
Наш адрес в Интернете: www.atticus-group.ru

Подписано в печать 09.10.2009.
Формат 70×100 1/32. Бумага офсетная.
Гарнитура "NewBaskerville". Печать офсетная.
Усл. печ. л. 19,5. Доп. тираж 12 000 экз.
F-OT-1736-06-R. Заказ № 0173.

Отпечатано в ЗАО "ИПК Парето-Принт", г. Тверь
www.pareto-print.ru

ПО ВОПРОСАМ РАСПРОСТРАНЕНИЯ ОБРАЩАТЬСЯ:

В Москве: ООО "Издательская Группа Аттикус"
тел. (495) 933-76-00, факс (495) 933-76-19
e-mail: sales@atticus-group.ru

В Санкт-Петербурге: "Аттикус-СПб"
тел./факс (812) 325-03-14, (812) 325-03-15

В Киеве: "Махаон-Украина"
тел. (044) 490-99-01
e-mail: sale@machaon.kiev.ua